الصفحة الثانية

إلهام منصور

الصفحة الثانية

رواية

رياض الريس للكتب والنشر
RIYAD EL-RAYYES BOOKS

The Second Page

by Elham Mansour

(Novel)

First Published in January 2008

Copyright © **Riad El-Rayyes Books S.A.R.L.**

BEIRUT - LEBANON
elrayyes@sodetel.net.lb - www.elrayyesbooks.com

ISBN 9953 - 21- 319 - 4

الطبعة الأولى: كانون الثاني (يناير) ٢٠٠٨

لشراء النسخة الإلكترونية:
www.arabicebook.com

تصميم الغلاف: غريتا خوري
(محترف بيروت غرافيكس)
لوحة الغلاف: إدغار دوغا

1

حين دخلتْ هبى عليهم ولم يرها أحدٌ منهم ظنّت أن السواد يلف الكون. لا، لم تكن الدنيا مظلمة، كان الوقت نهاراً والشمس في ذروة إشعاعها. رأتهم هبى واحداً واحداً، وهم نظروا إليها، لكن نظراتهم اخترقتها كأنها لوح من زجاج. شعرت أنها ما عادت تملك إلا الصوت لتغلب امّحاءها: «مرحباً، كيف حال الشباب والصبايا؟» قالت وهي تترنّح في حالة من انعدام الوزن والتوازن. ردّوا التحية: «أهلاً أهلاً، اجلسي».

جلستْ وتابعوا حديثهم، هم يتكلمون وهي غارقة في ذاتها تتساءل ما معنى أن لا يروها، ما معنى أن تخترقها نظراتهم كأنها نصالٌ مسلولة تغرس في بركة ماء؟ هل هم الذين لا يرونها فعلاً أم أنها هي التي أصبحت لا تُرى؟ أنقذها أحدهم إذ وجّه الكلام إليها

مستوضحاً رأيها في ما كانوا يتحاورون فيه. طبعاً وهي في تلك الحالة من الترنّح كان عليها أن تطلب منه أن يعيد السؤال. استغرب الأمر وقال: «أين أنتِ ألم تسمعي ما قاله صديقنا العزيز الذي يجلس إلى يمينك؟».

لم تسمعه فعلاً، وكيف لها أن تسمعه وهي في لحظة فقدان الوزن، في حالة الصدمة التي صفعها بها بياض عينيه. نعم تقول بياض عينيه وبياض عيونهم جميعاً؛ «إن لم يروني فلأنهم مكفوفون عاجزون». أعاد السؤال ودخلت الحوار وإذا بها تستعيد كثافتها رويداً رويداً، تماماً كالصورة التي تخرج من آلات التصوير الفوري حيث تبدو أولاً بيضاء، ثم تتشكّل ببطء لتظهر ما صوّرته الآلة. أصبحت النظرات تقع على وجهها وحركات يديها وشعرها المصفّف بإتقان و... بدأت تشعر بها تنهمر على جسدها كشلاّل أعاد رسمها من جديد، استعاد جسدها كثافته، انتعشت، فغفرت، غفرت لهم ذنوبهم، لكن ليس تواضعاً بل مكابرة: «إن اخترقتني نظراتهم عند وصولي فلأنهم قد ألفوا صورتي». قالت لذاتها، وتابعت: «كل العتب يقع على اكتساب العادة».هكذا غفرت لهم عدم انتباههم، ذلك الانتباه الذي كانت قد ألفتْه طوال حياتها في كل الوجوه عند رؤيتها، غفرت لهم ذنبهم، لكن كمن يبتلع كرة النار، كرة أيقظت كل كيانها وحوّلته إلى سؤال كبير.

انفضّت الجلسة وتفرّقوا كل في سبيله: فلان إلى طاولة الميسر، فلانة إلى بيتها حيث ينتظرها زوجها، فلان إلى زوجته وأولاده، فلان إلى طريدة يشبع معها وبها جشعه الجنسي، فلان إلى الجريدة حيث يعمل،... أما هي فركبت سيارتها، وانطلقت من دون أن تفكّر إلى أين، ولم تنتبه إلى ذاتها إلا وهي تقفل باب السيارة في الموقف

المخصّص لها في أسفل البناية التي تسكن إحدى شققها مع صديقتها إلهام. كيف وصلت؟ لا تدري، لكنها انتبهت حينها أن للعادة إيجابياتها أيضاً، فهي التي أوصلتها إلى البيت وجنّبتها مخاطر الطريق، وكلّنا يعلم مدى فظاعتها في بلدنا حيث لا طرقات مؤهلة ولا مراقبة لقوانين السير ولا أدنى اهتمام بسلامة البشر، لا من قبل المسؤولين ولا من قبل السائقين.

أين كانت طوال هذا الوقت، وهو ما يقارب الساعة؟ كانت تبحث عن سبب تلك الهشاشة التي، فعلاً، لا تحتمل. كانت مع كنديرا الذي كتب عن خفّة الكائن التي لا تحتمل وهي خفة يضاف إليها عند الإنسى، في منتصف العمر، تلك الشفافية المرّة transparence التي لا تحتمل والتي تنقلها فجأة إلى قمّة قوس العمر حيث ترى نفسها بين منحدرين أحدهما سبق لها أن خبرته صعوداً فيما الآخر يمتدّ الآن أمامها هبوطاً، وهي تناضل وتستميت كي لا تطأه، ولكن للأسف...

ـ للأسف بدأنا الهبوط، بتنا على المقلب الثاني، أجابتها إلهام وتابعت: «لقد سبقتك إلى ذلك لأنني أدركت، قبلك، أن الوقوف محال. كنت أنظر إليك وأقرأ عنادك وأراقب تشبثك بالبقاء على القمة، بدأتُ الهبوط عندما شعرتُ بما شعرتِ به أنت اليوم. حين اخترقتني نظرات الآخرين من دون أن تراني أدركت أنني أصبحت في بداية الدرب المنحدرة. تألّمت كثيراً كما أنتِ تتألمين الآن ومررت بحالة خصام مع نفسي، كرهت حالي، لكنني لم أستسلم، نظرت إليك من بعيد وأعجبتني مكابرتك فحوّلتك إلى موضوع وبدأت كتابة سيرتك، وهكذا أنقذت بك نفسي واستردت توازني الذي كدت أفقده حين حوّلني الآخرون إلى لوح من زجاج. الجحيم ليس

الآخر كما يقول سارتر، الجحيم ليس وجود الآخر الذي يكون أحياناً نعيماً، نار الجحيم تكمن في أن لا يراك الآخر.

ــ هذا يعني أنك استبدلت الصورة بالصوت.

ــ تماماً كما فعلت أنت مع الشلة هذا اليوم، لكن الموضوع ليس بهذه البساطة، فالصورة والصوت موضوعان متلازمان على الرغم من تمايزهما، وما أقصده بالصوت هو القول، وهذا ما حاولته منذ الرواية الأولى عنك، حاولت أن أجد لك ولي ولكل إنسى القول الخاص بها كإنسى، القول الذي ينقلها من كونها امرأة إلى كونها إنسى.

ــ أعرف طرحك هذا، لكنني متعبة، أود أن أدخل غرفتي وأجلس مع نفسي، أراك غداً.

دخلت هبى غرفتها وارتمت على السرير، مدّدت جسدها فوقه وفتحت ذراعيها على شكل صليب وأغمضت عينيها مسترخية. لكن ما أن استرخى جسدها حتى حضرت أمامها صورتها وهي تدخل على الشلّة في المقهى، فهبّت كعاصفة هوجاء وتوجّهت نحو الخزانة، فتحتها ووقفت أمام المرآة الكبيرة التي تكسو الوجه الداخلي لأحد بابيها. تسمّرت أمام المرآة وأخذت تتأمّل وجهها وبكل جدّية، رفعت كفّيها نحوه، ألصقتهما على الوجنتين وجذبتهما نحو الخلف فاختفت التجاعيد حول الفم والعينين. «هكذا أعود عشر سنوات إلى الوراء وأستعيد حضوري». أقفلت الخزانة، خرجت من غرفتها وعادت إلى الصالون حيث تركت صديقتها إلهام.

خلال هذا الوقت كانت إلهام تنظر إلى صور هبى الموزّعة في كل الزوايا وعلى الرفوف، وكلها صور تعود إلى سنوات عديدة، حين

كانت هبى في قمّة تألقها: «حقاً هبى كانت جميلة جداً وأتفهّم
وضعها الحالي..».

ــ سأجري عملية تجميل لشد وجهي، لقد قرّرت وانتهى الموضوع،
قالت هبى وهي تدخل الصالون.

ــ وجسمك ماذا تفعلين به؟

ــ ما زال جيّداً انظري. وأخذت تتعرّى أمام إلهام التي ما أن أنهت
هبى تعريها حتى اجتاحتها موجة من الضحك. اغتاظت هبى
وسألتها: «هل جسمك أفضل؟».

ــ لا، أبداً، لكنني تذكّرت نكتة أبي العبد البيروتي.

ــ وما هي هذه النكتة التي كادت تميتك من الضحك؟

ــ كنا معاً حين سمعناها وهي تنطبق الآن عليك كلياً.

ــ لا أفهم ماذا تقصدين.

ــ سأفهمك. يقال إن أبا عبد ذهب مرّة برفقة زوجته لزيارة أحد
أصدقائه الفرنسيين في باريس، فاستضافه هذا الصديق، على خلاف
المزاج الفرنسي، في بيته لعدّة أيام. في صبيحة اليوم الثاني جلس أبو
العبد مع زوجته في الصالون يرتشفان القهوة وإذ بابنة الفرنسي تمرّ
أمامهما عارية، وهي صبيّة ولا تزال تحت العشرين من عمرها، مرّت
أمامهما من دون أن تتوقّف ومن دون أن تعيرهما انتباهاً. كانت
تقصد الحمّام.

ــ ما هذا؟ ماذا أرى يا أبا العبد؟ قالت أم العبد.

ـ إنها ثياب «السكس» كما يسمّونها هنا، فاصمتي، لا أريد أن أسمع أي تعليق.

وهكذا تكرّر المشهد كل يوم إلى أن عادا إلى بيروت. في صبيحة اليوم التالي لعودتهما جلس أبو العبد في الصالون ينتظر قهوته الصباحية كالعادة. وما هي إلا دقائق حتى مرّت أمامه أم العبد وهي عارية تماماً، فصاح بها: «ما هذا، هل جننت؟».

ـ لا يا عزيزي إنها ثياب «السكس».

ضحك أبو العبد وأجابها: «لكن نسيت أن تكويها».

ـ ماذا تقصدين؟ هل جسدي أصبح بحاجة إلى كوي؟

ـ لا تعليق، أجابت إلهام وهي شبه نادمة على الأسى الذي سبّبته لهبى التي ارتدت ثيابها من جديد وجلست بالقرب منها وهي صامتة، منكسرة. لكنها تابعت، مواسية هبى: «هذه النكتة أتذكرها كلّما وقفتُ عارية أمام المرآة».

ساد الصمت بينهما لدقائق قبل أن تمسك إلهام «الريموت كونترول» وتشغّل التلفاز، ظناً منها أنه، ربما، ينقلهما إلى أجواء أخرى. لكن هبى التي لم تكن قد هضمت ما سمعته من صديقتها، قالت بنبرة من يردّ الكيل كيلين: «لكن تعلمين أن أم العبد ثأرت من زوجها في اليوم نفسه».

ـ هل أجابته أن موضعاً معيناً في جسده هو بحاجة أيضاً إلى كوي؟ أجابت إلهام مازحة.

ـ لا، لقد عضّت على الجرح وانتظرت الوقت المناسب للرّد وقد

حالفها الحظ بأن يكون في اليوم نفسه، إذ خرجت مع أبي العبد، كالعادة، للتنزه على كورنيش الروشة والتقيا بأبي مصطفى وزوجته. بعد التوقّف وتبادل التحيّة سارت أم العبد مع أم مصطفى وتبعهما زوجاهما. بعد قليل سمعت أم العبد زوجها يقول لأبي مصطفى: «انظر إلى مؤخّرتي زوجتينا فكل واحدة منهما بحجم غسّالة ضخمة». «سمعت أم العبد هذا القول ولم تعلّق. لكن حين تمدّدت على السرير في الليل وأتى أبو العبد يسايرها تمهيداً لإغوائها ودخول متعة ممارسة الجنس معها، تمنّعت وثابرت على التمنّع إلى أن صاح بها: «ما الأمر هل أنت مريضة؟» وأتى جواب أم العبد بكل برودة: «هل تستأهل خرقة رثّة أن أشغّل لها هذه الغسّالة الضخمة؟».

ضحكتا معاً وتصالحتا قبل أن يحين موعد وصول صديقهما المشترك مُخلص. لكن من هو مُخلص وما هي علاقته بهما؟ إنه رجل من رجال هذا الشرق الذكوري، رجل لا يختلف عن أقرانه من الذكور إلا بخفّة دمه ووسامته وسرعة بداهته وقابليّته على اشتهاء كل امرأة جميلة. أستعمل هنا مصطلح «امرأة» لأن إلهام أصرّت عليه حين أخبرتني عن مُخلص وتبرّر ذلك بأنها لم تكن بعد قد اكتشفت مصطلحها الجديد «إنسى»، ولأنها كانت بالفعل امرأة حين تعرّفت إلى مُخلص وهي في أواخر العقد الثالث من عمرها. «لم يخطر ببالي أن أبحث عن مصطلح جديد يركّز المرأة في إنسانيّتها إلا بعد التقائي بهبى» قالت لي إلهام وهي تروي لي عن علاقتها بمُخلص.

في تلك المرحلة كانت إلهام تشبه هبى بآرائها وتطلّعاتها ونمط حياتها لكنها لم تكن قد تعرّفت إليها، أو التقت بها. كانت تسكن في شقة صغيرة في منطقة الرملة البيضاء في بيروت حيث يزورها الأصدقاء والمعارف وحيث كانت تقيم السهرات التي تجمع

الكثير من الرفاق المثقفين أو مدّعي الثقافة من جامعيين وكتاب ونقّاد وصحافيين، ومُخلص كان واحداً منهم وله حضوره المميز بينهم.

دعت يوماً إلهام الشلّة، كما تسميها، إلى العشاء ودعت معهم مُخلص الذي سبق أن تعرّفت إليه في لقاءات سابقة، لقاءات حرّكت نوعاً من الكيمياء بينهما. لبّى مُخلص الدعوة وأتى إلى شقّة إلهام بكل وسامته وظرفه المعهودين. كانت سهرة صاخبة، كثر فيها شرب المنكر وتحرّرت الأجساد من قيودها وتمايلت مع الموسيقى المتقلّبة بين الهادئة أحياناً التي تجمع بين جسدين، والصاخبة التي تفرّق بينهما كي ينفرد كل واحد بجسده للتعبير عمّا تفعل به تلك الموسيقى. وهكذا لامس جسد إلهام جسد مُخلص لمرات عديدة في تلك السهرة مما مهّد الطريق أمام مُخلص للبقاء عندها حين غادر الجميع.

غادر الجميع وبقي مُخلص الذي ما أن أغلقت إلهام الباب حتى اقترب منها وضمّها إليه ليعتصر ثغرها بقبلة جرّتهما إلى غرفة النوم حيث تعرّيا ببطء وهما متعانقان. أصبحا على السرير وبدأت التمهيدات الجنسية بكل تلاوينها، لكنها لم تنتهِ كما كانا يرغبان، ولذلك ربما، أسباب تعود إلى ارتخاء الجسد بعد الإكثار من الكحول، يضاف إليه نوع من التمنّع أصاب إلهام من دون أن تدري لماذا. هل كان التمنع لأنها كانت تقوم بهذه التجربة للمرة الأولى؟ «وهذا لا يعني أنني لم أكن قد مارست الجنس من قبل، لكنني مارسته مع من أحببت، كان فعل حب حقيقي، ووضعي مع مُخلص لم يكن كذلك، لم تكن تربطني به علاقة حب حيث الجنس يشبه الصلاة، بل استلطاف يشبه الشهوة فقط وهو أمر يزرع

البلبلة والتردّد في شخصية شكّلتها أخلاقيات مدرسة الراهبات. المهم هو أن تلك الليلة لم تمرّ كما كان متوقّعاً لها». أخبرتني إلهام.

انصرف مُخلص وغطّت إلهام في نوم عميق بعد أن أفرغت معدتها من الكحول التي أسرفت في شربها على غير عادتها. أما علاقتها بمُخلص فقد بقيت على حالها من الاستلطاف والشهوة، لكن من دون أي تجربة جديدة؛ يلتقيان ويمرحان ثم يعود كل منهما إلى بيته، وبيت مُخلص فيه الزوجة التي يباهي مُخلص بأنها حب حياته. استمرّت هذه العلاقة لسنتين أو أكثر قبل أن تتوقّف من دون أن تنتهي.

توقّفت العلاقة بين إلهام ومُخلص بشكل عادي جداً وباتا يلتقيان صدفة وفي مناسبات عديدة يكتشف خلالها كل منهما أنه لا يزال يشتهي الآخر فيعبّر مُخلص عن ذلك تلميحاً مقرناً الجد بالمزاح وتردّ عليه إلهام بالطريقة نفسها وينتهي الأمر. امتدّت هذه الحالة لسنوات قبل أن تلتقي إلهام بهبى وتبدأ مرحلة جديدة من مسارها الفكري والحياتي. كان اللقاء بينهما غير عادي؛ وقفت يومها إلهام أمام المرآة لتتفقّد تفاصيل وجهها وجسدها، لكنها فوجئت بأن المرآة تعكس صورة إنسى تدير لها ظهرها، وقبل أن تخرج إلهام من دهشتها بدأت الصورة تستدير على نفسها، وما كادت تصبح وجهاً لوجه معها حتى خرجت من المرآة وفي عينيها تساؤل كبير تحوّل إلى استغراب حين نادتها إلهام باسمها: «هبى؟».

ــ نعم هبى، لكن من أنت، ومن أدخلك إلى عالمي؟

ــ سبق لي أن دخلتُ عالمك خلسة تماماً كما تدخلين أنت الآن عالمي.

ــ لكنني لا أعرفك.

ــ أما أنا فأعرفك جيداً، وما زلتِ كما عرفتك منذ سنوات.

ــ ماذا تقصدين؟

ــ كنّا رفاق درب واحدة لا نفترق أبداً ولا نختلف أبداً. كنتِ الصورة التي تعكسها لي المرآة كلما وقفت أمامها. وحين أدرتِ لي ظهرك اليوم أدركت أننا انفصلنا وبتنا «أنيين» مختلفين، أنا ينظر إلى الماضي ويريد التشبّث به بكل قواه وأنا يرى الآتي ويريد التهرّب منه بكل قواه، ولهذا السبب التقيا على قمة قوس العمر، فهنا على هذه القمة ينفلق أنا الإنسى كما أنا كل إنسان ليصبح اثنين متخاصمين لكنهما محكومان بالمساكنة.

ــ هل حكم علي الآن أن أعيش معك؟

ــ بكل تأكيد.

ــ لا بل بكل ضرورة لأنني كالفطر من دون جذور، لا أعرف أماً ولا أباً ولا أخاً ولا أختاً ولا...

ــ لا تكملي، أعرف ذلك ولهذا السبب سأهيئ لك كل ما تحتاجين إليه. تنامين الليلة معي في السرير وغداً تستقلين في غرفة لك وسرير لك و...

«يبدو أن كل تجارب الاستنساخ التي يحاولها العلم الآن، ليست سوى تحقيق لواقع يعيشه الإنسان وهو على قمة العمر، وهو يخطو الخطوة الأولى على درب الانحدار، فهذه الصورة التي يحفظها كل منا عن ذاته في مخيلته هي التي يحاول العلم تجسيدها، أي أن

العلم يجهد في تحويل الصورة إلى حقيقة تماماً كما حصل مع صديقتي هبى حين خرجت من المرآة لتصبح صديقتي وظلي». هذا ما قالته لي إلهام وهي تروي لي عن لقائها بهبى. وتابعت: «خلق الله الإنسان على صورته، ترى هل خرج الإنسان من مرآة الله كما فعلت هبى معي؟ ربما، لكن هناك اختلاف بين العمليتين، فالصورة التي خرجت من مرآة الله هي التي تتغير والأصل يبقى ثابتاً بينما الصورة التي خرجت من مرآتي هي الثابتة على الرغم من تحولات الأصل وتغيّراته، وثبات الصورة هذا عمل معاندة ومكابرة يقوم به الأصل في محاولة يائسة للانتصار على الزمن الماكر».

بعد لقاء إلهام بهبى واتفاقهما على العيش معاً عيشة الكائن مع ظله أصبحتا أيضاً تلتقيان معاً بمُخلص الذي بات يشعر بالارتباك إذ إن ميله أخذ يتّجه نحو هبى، لكنه ظل يساير إلهام لأنه لا يريد جرح شعورها، الأمر الذي أوجد نوعاً من التوتّر والغيرة الصامتة بين الاثنتين. لكن في إحدى السهرات التي تألّقت فيها إلهام، حسم مُخلص أمره وطلب إليها أن يرافقها إلى البيت، لم تمانع، لا بل شجّعته، ركبت سيارتها برفقة هبى وتبعهما هو.

في البيت دخلت هبى غرفتها فوراً وأقفلت بابها. أما مُخلص فلم ينتظر لحظة واحدة إذ انقضّ على إلهام بقبلة كادت تنتزع شفتيها، ومن دون كلام أخذ يدفع بها رويداً رويداً نحو غرفة النوم حيث استلقيا على السرير بكامل ثيابهما. بعد أن أشبع نهمه من ثغرها أخذ يعرّيها ويداعب كل أجزاء جسدها وهي تتجاوب من دون ممانعة إلى أن أخذ يتعرّى بدوره. لكن ما أن تعرى حتى أخذ جسده بالتراخي، وعبثاً حاول تلك الليلة أن يقوم بما كان يرغب به مع إلهام. وبعد محاولات عديدة اعتذر منها قائلاً: «لا أدري ماذا

يحصل لي، أنا كلي رغبة لكن..». وأجابته إلهام: «لا بأس، أظن
أنك تريد امرأة لا إنسي. «وبما أنه كان يعرف ماذا تقصد إلهام بهذا
المصطلح، حوّل مأزقه باتجاه المزاح وغادر بعد أن استحمّ لأنه كان
شديد الحرص على أن لا تشمّ زوجته، التي يتبجّح بحبه لها، رائحة
أنثى أخرى على جسده.

غادر مُخلص وذهنه مشغول بكيفية استعادة اعتباره أمام إلهام. أما
هي، فما أن أقفلت الباب وراءه حتى توجّهت إلى غرفة هبى،
فتحت بابها ودخلت من دون استئذان إذ إنها كانت تعلم جيداً أن
هبى لم تكن نائمة.

ــ هل غادر؟ سألت هبى.

ــ نعم وجئت لأخبرك أنه كان يريدك أنت لا أنا.

ــ ما هذا المزاح اللئيم؟ ولماذا لم يأتِ إليّ مباشرة؟ هل هو بحاجة
لإذن منك؟ وهل أنت وصيّة عليّ وعلى رغباتي؟

ــ لا لست وصيّة على أحد وبالكاد أقوم بالوصاية على ذاتي.
تصبحين على خير.

خرجت إلهام من غرفة هبى من دون أن تنتظر أي تعليق. جلست
على شرفة بيتها وهي تتساءل: هل سيستمر مُخلص بزيارتها
والاتصال بها؟ هل سيبقى صديقاً كما كان، أم أنه، انتقاماً لذكورته
التي فشلت في الامتحان، سيبتعد عنها ويتجاهلها؟: «سأنتظر، فإن
لم يتصل بي، يكون الأمر قد انتهى هنا وإن اتصل فسأعرف كيف
أدير الأمور». قالت ذلك لنفسها وهي في سريرها قبل أن تطفئ
النور وتخلد إلى النوم.

أما مُخلص الذي وصل إلى بيته مستنفراً، فذهب إلى سريره حيث تنام زوجته وافترعها بكل شبق وكأنه يثبت رجولته التي افتقدها منذ وقت قصير مع إلهام. اطمأن إلى فحولته التي، إن خمدتْ، خَمَد كل كيانه معها، وقرّر أن يعيد الكرّة مع إلهام كي لا تسيء الظن به وتستهتر بقيمته الذكورية التي يعوّل عليها كثيراً. وما أن أتى الصباح حتى اتصل بها مطمئنّاً، فردّت عليه كعادتها، كأن شيئاً لم يحصل بينهما وشكرته على اتصاله الذي يدلّ على كبر في الأخلاق.

قبل أن يمرّ أسبوع واحد على لقائهما الأخير، اتصل مُخلص مجدّداً بإلهام وطلب منها أن تسمح له بزيارتها، لم تتردّد بل رحّبت به وقالت إنها تنتظره مساء ذلك اليوم بالذات. فرح مُخلص بموقف إلهام وأخذ يحضّر نفسه للقاء صاخب بينهما. في بداية السهرة، اتصل بزوجته وقال لها إنه سيحضر اجتماعاً مهماً وإنه سيتأخّر في العودة إلى البيت وإنه، خلال الاجتماع، مضطر إلى إقفال خطّه الهاتفي الجوّال. اطمأنت الزوجة وأخذ مُخلص يهيئ نفسه، فمرّ بصيدلية واشترى «الفياغرا» وحين ركب سيارته ابتلع حبة منها واتجه نحو بيت إلهام وهبى. قرع باب بيتهما وفوجئ بأن هبى هي التي تفتح له الباب، وبعد دخوله ازدادت دهشته حين سمع هبى تقول له: «إلهام ليست هنا وقد اتصلت بي لتخبرني بأنها ستنام عند إحدى صديقاتها». لكن مُخلص، وبسرعة خاطره المعهودة، خرج من دهشته، وضع ذراعه على كتفي هبى وقال، وهما يسيران نحو الصالون: «أعرف، ولهذا السبب أتيت لزيارتك أنت». وقبل أن تجيبه بأي كلمة اعتصر ثغرها بقبلة أسكتتها وجعلتها تتأكّد مما قالته إلهام بعد زيارة مُخلص الأخيرة لها.

جلسا جنباً إلى جنب وقدّمت له هبى كأساً من الوسكي كما فعلت إلهام في المرة الماضية، فكان يحتسي القليل من المشروب ويقبّل هبى ويداعب بعض أنحاء جسدها إلى أن بلغت بهما الرغبة درجة الذروة فانتقلا إلى غرفة نوم هبى حيث بدأت المداعبات الجنسية الفعلية وحيث أظهر مُخلص كل فنونه وقدراته مع تجاوب تام من قبل هبى وكأنها تثأر، بلاوعيها من إلهام. وبفضل «الفياغرا» استطاع مُخلص أن يثبت ذكورته مرتين إذ تمكّن من إشباع هبى قبل أن يشبع نهمه منها. اطمأن إلى فحولته وعاد إلى بيته منهكاً، فدخله بهدوء واستلقى بالقرب من زوجته بصمت، وهي بدورها لم تزعجه لأنه، حتماً قد بذل مجهوداً كبيراً في نقاشات الاجتماع المهم الذي دام إلى هذا الوقت المتأخر من الليل.

أما إلهام فقد صدقت مع هبى إذ إنها لم تعد إلى البيت إلا في الصباح الباكر حيث وجدتها تشرب القهوة على الشرفة. لم تسألها أي شيء، بل تجاهلتها كلياً ودخلت غرفتها لكي تبدّل ثيابها وتحضّر نفسها للذهاب إلى عملها. حين أنهت تحضيراتها خرجت من الغرفة وسألت هبى: «ألا تذهبين إلى العمل اليوم؟».

ــ بلى، لكن سأتأخر قليلاً، أجابت وهي تبتسم كي تسألها إلهام ما بها. لكن إلهام ابتسمت بدورها كأنها تقول لها، أعرف كل شيء، ثم غادرت من دون أن تمنحها الفرصة للكلام. استاءت هبى وقرّرت أن تخبر إلهام بكل تفاصيل ما جرى بينها وبين مُخلص في أول مناسبة. وكانت تلك المناسبة في عشية ذلك اليوم بالذات حين التقتا بعد نهار طويل أمضتاه في العمل.

ــ لقد زارني البارحة مُخلص، قالت هبى.

ـــ أعرف. كان جواب إلهام من دون أي تعليق.

ـــ وكيف عرفتِ؟

ـــ اتصل بي وأخبرني أنه يريد زيارتي ولهذا السبب خرجت لأنني أعلم أنه يريدك أنت.

ـــ فعلاً، إنه يريدني أنا، وبالفعل كانت ليلة «غير شكل».

أخفت إلهام استياءها وعلّقت بكلمة واحدة: «صحتين لك وله، أما أنا فما عدت مهتمة به».

ـــ قد يزورنا من جديد و..

ـــ لا تخافي سيزورك أنت، حتى ولو كنت أنا موجودة وسترين.

بالفعل لم يطل انتظار هبى حتى اتصل مُخلص بها وطلب أن يزورها. رحّبت به، لكنها ما أن فعلت حتى أخذت تفكّر بكيفية إبعاد إلهام عن البيت في تلك الليلة. فكّرت ولم تفلح، فما كان أمامها سوى القبول بالواقع. أتى مُخلص واستقبلتاه كالعادة، فجلس بينهما يرتشفون الوسكي الذي أحضرته هبى للمناسبة. بدأ الحديث في السياسة والفكر وغيرهما وكان حديثاً ثنائياً بين مُخلص وإلهام مما وتّر هبى ودفعها إلى إدخال الموسيقى كعنصر مشوّش. لكن مُخلص رحّب بالفكرة ودعا هبى إلى الرقص. رقصا وكل واحد منهما يحمل كأس الوسكي بيده. وما هي إلا دقائق قليلة حتى بدأ مُخلص يرتشف المشروب من ثغر هبى، فما كان من إلهام إلا أن دخلت غرفتها مستسلمة للنوم وتاركة لهبى فرصة التمتّع كما تشاء مع مُخلص.

في الصباح التقت إلهام بهبى وهما تتهيآن للذهاب إلى العمل، وقد شربتا القهوة معاً كعادتهما في بداية كل نهار، ثم استقلّتا السيارة وتوجهتا إلى الجامعة اللبنانية حيث كانتا تدرِّسان في قسم الفلسفة. حصل كل ذلك ولم تذكر أي منهما ما حدث في المساء ولو تلميحاً، كأن التواطؤ بينهما في أعلى درجاته أو ربما، كان شبه تام. هل انتهى الموضوع، أي هل انتهت علاقة هبى بمُخلص، هنا؟ طبعاً لا، لكن الأمر اتخذ مساراً آخر، إذ إنهما أخذا يلتقيان خارج بيت هبى وإلهام، متوهمين أن إلهام لا تعلم بأمرهما، لكنها كانت تعلم و«تطنّش» كما يقال بالعامية لأنها ليست ضد أن تتمتّع هبى بما تشاء وبمن تشاء. وهكذا حصل التواطؤ الصامت بين إلهام وهبى؛ الأولى تعلم وتتظاهر بأنها لا تعلم والثانية تطمئن إلى أن إلهام لا تعلم أو لا تريد أن تعلم وتتابع لقاءاتها بمُخلص من دون أن تفصح عنها. أما مُخلص فقد توارى عن نظر إلهام وسمعها كلياً، تماماً كما يتوارى كل ذكر في هذا الشرق أو ربما في كل العالم، عن نظر ومسمع كل من لم تعد الشاهد على فحولته، تلك الفحولة المستنهضة بواسطة المنشِّطات الطبّية المكشوفة بنظر من هن مثل إلهام، والمغيّبة بنظر من هن كهبى لأنهن يشبعن نرجسيتهن بأنهن ما زلن مرغوبات من الجنس الآخر حتى ولو أصبح الجنس، عند الآخر، تفوح منه رائحة الفياغرا، رائحة تفوح حتى ولو غلّفت بأرقى العطور الباريسية أو غيرها.

2

في بداية هذا الفصل اعترضت إلهام قائلة: «ما بدأتِ به لم يكن البداية، لقد سبقته أمور كثيرة هيَّأت له».

ــ ماذا تقصدين؟ أعرف أن لقاءك بهبى بدأ ذات يوم حين وقفتِ أمام المرآة تتفحَّصين وجهك و

ــ يومها حصل اكتمال اللقاء الذي بدأ منذ زمن بعيد، منذ بدأت عملية الاستنساخ التي توزّعت على مراحل ثلاث. لم يكن اللقاء الذي كتبتِ عنه في الفصل الأول إلا نهاية تظهير الصورة. يوم خرجت هبى من المرآة لتصبح رفيقتي وظلّي كان هو اليوم الذي انتهيتُ فيه من تكوينها، بعد أن جمعت ووحّدت بين فكرها وجسدها. وما بدأتِ به روايتك عن شعور هبى حين لم يرها الآخرون وهي تدخل المقهى هي مرحلة لاحقة.

ــ صحّحي المسار وأنا سأتبعك.

ــ كل ما أقصده هو أنني أوجدت هبى من خلال انوجادي لذاتي؛ يعني حين اعتقدت أنني وصلت إلى اكتمالٍ فكري معين، مكّنني من السكينة التي كنت أطمح إليها، كتبت السيرة الأولى «إلى هبى» حيث رسمت تكوّنها الفكري. وحين مارست جسدي وفقاً لقناعاته ورغباته وميوله، كانت السيرة الثانية «هبى في رحلة الجسد»، حيث سارت هبى وراء أهواء جسدها ومنطقه. وحين حاولت التوليف بين الفكر والجسد لأكمل عملية الاستنساخ، أتت السيرة الثالثة «حين كنت رجلاً» التي كان يجب استكمال عنوانها بكلمة ضرورية ليصبح «حين كنت رجلاً مخصياً»، أو استبداله بـ «حين كنت امرأة» ليكون أكثر صدقية مع طروحاتي الفكرية حول الاختلاف بين مفهوم المرأة ومفهوم الإنسى الذي كتبته كملحق لتلك الرواية. وعند اكتمال عملية التوليف حصل الخلق وخرجت هبى من صورتي في المرآة، وكانت هي اللحظة التي وجدت نفسي فيها على قمّة القوس التي تفصل بين منحدرْي العمر. وهنا انبثق الصراع بيني وبين هبى لأنها حين خرجت من المرآة دخلت لعبة الزمن التي لا تعرفها. خرجت من زمن كان هو لعبتها إلى زمن باتت فيه هي لعبته. وقفت على قمّة القوس وهي تنظر إلى المنحدر الصاعد، ووقفت أنا أنظر إلى المنحدر الهابط، ولهذا السبب كانت تدير لي ظهرها حين ارتسمت أمامي في المرآة. هذا كل ما في الأمر.

لم أفهم جيداً ماذا تقصد إلهام بالفرق بين أن تكون هبى لعبة الزمن وبين أن يكون الزمن لعبتها، لكنني لم أطلب منها تفسيراً. وكما لو أنها قرأت عجزي عن فهمها، سارعت إلى القول بعد صمت

قصير: «لم أدرك ذلك إلا لاحقاً». وكانت «القاف» في كلمة «لاحقاً» بداية قهقهة أثارت حشريتي.

ــ وهل إدراك ذلك مضحك؟

ــ على العكس، إنه مأساوي، لكن إخراجه كان مضحكاً. مأساوياً يصبح إذا كانت هبى قد استوعبت معنى انتقالها من حال إلى حال، ومضحكاً إذا لم تع هذا الانتقال.

أعترف أنني لم أفهم شيئاً لكنني سأروي ما سمعته منها:

أول عمل نصحتني به هو القيام بقراءة المقطع الأخير من سيرتها الثالثة «حين كنت رجلاً». قرأته وهو يقول: «خذلني الرجل الذي كنت أعتقد أنه المثال، خذلتني الذكورة التي اعتقدت أنها مقياس البعد الإنساني، خذلتني لأن تاريخها وتاريخ الحضارات التي بنت وما وصلت إليه وما حقّقت ليس إلا سيراً فوق الجثث، وموت والدي ردّني إلى البراءة فأصبحت إنسى تقبل أنوثتها، إنسى تصالحت مع جسدها لأنه أرضية الاختلاف. عدت إليه وتخفّفت به من كل ثقلي بعد أن كان هو سبب عقدي وأحقادي. هل تصالحتُ معه بعد فوات الأوان؟ أسمعه يجيبني: «لا ! لكل أوانٍ ثمن، لكل أوانٍ قبلٌ وبَعدُ ، أما أنت فقد أصبحت فيما وراء القبل والبَعْد، أصبحتِ في الآن حيث القبل تحوّل إلى ذاكرة، إلى حديقة فيها عريشة وبيلسانة ووردة جورية وشجرتا رمان، كلها تشكّل وسادة تسندين إليها رأسك لكي تطمئنّي إلى وجودك وتنامي بهناء، والبَعدُ تحوّل إلى حقل من الأزهار البرّية، تتنقّلين على أريجها، فراشة جذلى».

تقول إلهام إن الانفصال بينها وبين هبى قد تمّ هنا، ولهذا السبب

ظهرت هبى في المرآة عند اكتمال السيرة الثالثة، ظهرت لكنها كانت تدير ظهرها لإلهام؛ هبى ظلت امرأة بينما تحوّلت هي إلى إنسى، هبى ظلت موضوعاً وتحوّلت هي إلى ذات.

حين استدارت هبى في المرآة لتواجه أصلها، صُدمت لأن الشكل الذي ارتسم أمامها ليس الشّكل الذي كانت قد رسمته، في ذهنها، عن حالها، ولهذا السبب سألت إلهام من تكون، رافضة أن يكون ما تراه هو هي في الواقع. لم يسبق لها أن واجهت المرآة لترى صورتها؛ فالموضوع لا يعي ذاته، فقط الذات تفعل ذلك لأنها في حالة اوتعاء مستمر. حاولت الهروب من إشارات الترهّل الذي كان قد بدأ يغزو وجهها الأصلي لكنها فشلت لأن حركة استدارتها كانت، في الوقت ذاته، حركة خروجها من المرآة لتصبح رفيقة إلهام، لتصبح كائناً مستقلاً له مساره الخاص. لم تعرف إلهام، في البداية، لكنها تعرّفت على المكان وتحرّكت فيه كأنه فضاؤها الخاص. تحرّكت فيه كأنها تعرف كل مرئياته وخباياه. كان تماماً هو هو المكان الذي كانت فيه وهي في ذاكرة إلهام. لم تشعر للحظة أنها في بيت غريب. حضنتها إلهام وأمّنت لها كل ما تحتاج إليه، وهي لم تمانع في البداية لأنها كانت وحيدة ومن دون جذور، لكنها رويداً رويداً أخذت تعاند إلهام وتستقلّ عنها لأن طبيعتها هي أن تكون موضوعاً فقط غير قادرة على التحوّل إلى ذات. هكذا أصبحتا كلاًّ متكاملاً: ذاتاً وموضوعاً، يجمعهما الاختلاف والصراع الدائمان.

أما موضوع خلافهما الأساسي فكان مفهوم الزمن؛ «زمن هبى ذو بعد واحد وهو الماضي، والزمن إذا اختزل إلى بعده الماضي فقط يتحوّل إلى امتداد بالمعنى الديكارتي». «قالت لي إلهام.

— وهل بإمكان الزمان أن يتحوّل إلى مكان؟

— يتحول الزمان إلى امتداد يتمطّى بكل الاتجاهات وفق رغباتنا وبخاصة وفق مخيلتنا، وبتحوله إلى امتداد، يحوّلنا إلى ذاكرة ويصبح هو لعبتها بعدما كان هو سبب تشكّلها وانوجادها.

— وأين هبى من كل ذلك؟ ولماذا الخلاف بينكما؟

— هبى ابنة الذاكرة ولهذا السبب لم تتعرّف إلى مفهوم الزمن إلا في بعده الماضي حيث كان طوع مشيئتها تتنقّل فيه كما تشاء وفي كل الاتجاهات. كانت ملكة، والامتداد مملكتها، توسّعها وتقلّصها وفقاً لأهوائها ورغباتها. كان الزمان يتحرك كما تملي عليه، فتقفز فيه وبه من مرحلة إلى أخرى، إلى الأمام وإلى الوراء أو إلى يمين وإلى اليسار من دون أن يعاندها. وبكلمة موجزة، هي التي كانت تخترقه لا العكس. وحين خرجت من زمنها إلى زمني الذي يتحرّك في اتجاه واحد من دون أن يأبه لما يدوسه في طريقه حصلت الصدمة التي تحوّلت فيما بعد إلى معاندة ورفض تجلّيا بطرق ومحاولات متعدّدة ومختلفة. لكن هذا لا يعني أننا تخاصمنا أو تفارقنا، لا بل على العكس ظلّت هبى متمسّكة بي وظللت أرعاها إلى ....

قالت إلهام ذلك وصمتت فسارعت إلى سؤالها: «إلى متى؟».

لم تجبني بل طلبت مني أن أقفل هذا الفصل الذي رأته نوعاً من التنظير، كي ننتقل إلى الرواية. وافقتها وانتقلنا.

3

بعد أن أصبحت هبى كائناً حياً، تحتّم على إلهام أن تؤمّن لها كل ما تحتاج إليه لتمكّنها من الانطلاق بمفردها. وهبى، كما تروي لنا السير الثلاث، هي امرأة مثقفة وحائزة على شهادة تمكّنها من التدريس في الجامعة، وهذا ما سهّل الأمر أمام إلهام التي استطاعت أن تدخلها إلى الجامعة اللبنانية حيث تدرّس، وهكذا حصلت هبى على الاستقلال المادي الذي تراه إلهام ركيزة التحرّر الأولى، ليس فقط عند الإنسى، بل عند كل إنسان. والاستقلال له شروطه التي تحقّق فاعليته. وهبى تدرك ذلك جيداً هي التي ناضلت، وهي شخصية روائية، في سبيل تحقيقه ولن تتخلّى عنه بعد تحولها إلى شخصية واقعية.

باشرت هبى عملها لكنها كانت مجبرة، في البداية، على الاستعانة بإلهام، لكي تتمكّن من التنقّل بين البيت والجامعة وأماكن أخرى،

وهكذا وضح أمامها أن أول عمل عليها القيام به هو أن تشتري سيارة تقلّها حيث تشاء من دون الرجوع إلى إلهام وسيّارتها. تداولتا الأمر وتوافقتا على المبدأ، غير أنهما اختلفتا على نوعية السيارة؛ فإلهام ترى فيها أداة للتنقّل السليم، ونصحت هبى بأن تختار سيارة صغيرة لكن جديدة غير مستعملة، بينما ترى هبى أن السيارة، مع كونها أداة للتنقل السليم، كما تقول الهام، إلا أنها تدلّ، بنوعيتها، على المستوى الاجتماعي لصاحبها ولهذا السبب، يجب أن تكون من نوعية معينة، حتى ولو كانت مستعملة: «هناك سيارات مستعملة تبدو كأنها جديدة، من الشركة، وقد قرّرت أن أشتري سيارة مرسيدس «أم عيون» كما يسمونها، فهي تفي بالغرض كأداة تنقّل بالإضافة إلى كونها «شبّيحة» وتلفت الأنظار». «قالت هبى. وأتى تعليق إلهام: «الأمر يعود لك ولا أتدخّل في خيارك».

استقلّت هبى في تنقّلاتها، ونجحت إلهام في اقتسام مواد التدريس، في الجامعة، بينها وبين هبى، وباشرتا العمل وإلقاء المحاضرات وفق حصص متساوية لأرصدة الفلسفة الغربية الحديثة والأخلاق التطبيقية والنصوص والمصطلحات الفلسفية. لم يظهر الاختلاف بينهما في مضمون المحاضرات، لكنه تبدى في ميادين أخرى خارج المضمون؛ حين باشرتا العمل، والأجدى أن نقول حين تابعتا العمل، لأن هبى كانت أيضاً أستاذة تدرّس في الجامعة قبل أن تنتقل إلى رفقة إلهام. حين باشرتا العمل، إذاً، وقبل خروجهما من البيت إلى الجامعة أمضت هبى وقتاً طويلاً أمام المرآة تزيّن وجهها وتصفّف شعرها وتبدّل في ملابسها إلى أن جهزت وفق الصورة التي تريد إظهارها، عن حالها، أمام الآخرين، وهي صورة تصرّ هبى على تألقها الدائم. جهزت ونظرت إلى إلهام التي كانت تنتظرها فوجدتها بأبسط حلة، ترتدي «الجينز» وتتأبط محفظتها، دليل جهوزيتها. وسلوك هبى هذا

المصرّ على إظهارها بأبهى صورة، لم يكن قبل التوجّه إلى الجامعة فقط، بل هو سلوكها العادي كلّما أرادت الخروج من البيت، حتى لو كان الأمر لشراء بعض الحاجيات من السوبرماركت. وإلهام لم تتدخّل يوماً في الموضوع. وحين سألتها عن رأيها في تأنّق هبى الزائد أحياناً، أجابتني: «هبى كانت دائماً محطّ أنظار كل الناس لأنها فعلاً جميلة وإن أرادت أن تحافظ على إعجاب الآخرين بجمالها، فلا بأس لأنها لا زالت قادرة على ذلك. لكنني أخاف عليها من الآتي».

لكن هبى على الرغم من اهتمامها الجارف بمظهرها كانت تصرّ على القيام بواجباتها الجامعية على أحسن وجه إذ كانت تحضّر دروسها بكل جدّية، مستعينة بكل المراجع الضرورية، وتمضي وقتاً طويلاً في القراءة والبحث. لكن هل كان نشاطها هذا دليل اهتمامها بالطلاب أم بذاتها؟ مهما أتى الجواب، فكلاهما جيد. أما حقيقة اهتمام هبى بالبحث فكانت دليل خوف على صورتها أمام الطلاب، إذ إنها لا تتصوّر نفسها للحظة عاجزة عن الإجابة عن أي سؤال يطرحه عليها أحدهم في الصف. إلهام كانت مثلها في بداية عملها وقبل لقائها بها. كانت ترى أن الأستاذ في الجامعة هو مالك المعرفة كلّها أو هكذا يجب أن يكون، ولهذا السبب كانت تستنفد كل طاقتها في التحضير كي تجسّد نموذج الأستاذ الجامعي الحقيقي. لكن بعد التجربة والممارسة، توصّلت إلى قناعة مفادها أن الحقيقة لا تمتلك، لأنها دائماً ناقصة ونسبية، وأن البحث فيها لا ينضب، وأدركت أنها كلّما اكتسبت معرفة جديدة كان ذلك دليلاً على مدى جهلها. حين التقت هبى كانت إلهام قد توصّلت إلى هذه القناعة، بينما كانت هبى لا تزال في أول الطريق بعد انتقالها إلى الزمن الجديد. وهذه القناعة أحدثت تحولات في سلوك إلهام

ونظرتها إلى الأمور، وهنا برز الاختلاف بينها وبين هبى، وبخاصة في علاقتهما مع الطلاب، حيث إن هبى كانت تحاول دائماً الإجابة عن أسئلتهم حتى ولو أنها غير متأكّدة من صحّة هذه الإجابة، فيما إلهام باتت لا تخجل من الاعتراف بجهلها: «أدركت أنني أصبحت أستاذة جامعية بحقّ حين تجرّأت، وبكل بساطة، أن أعلن أمام طلابي عجزي عن امتلاك كل المعرفة كما يظنّون». قالت لي إلهام. ولهذا السبب كانت محاضرات هبى تتّسم بالجدّية الشّكلية حيث تُحسم النقاشات التي يحاولها الطلاب، بجواب واحد ومحدّد تنطق به الأستاذة، بينما كانت أجواء المحاضرات التي تلقيها إلهام مرتاحة، على الرغم من جديتها، والأسئلة تتحوّل إلى حوار ينتهي بفتح الباب على أسئلة جديدة من دون أجوبة نهائية»، كما هي الحال تماماً في الفلسفة». تعلّق إلهام.

هذا الاختلاف بين هبى وإلهام لم يتّضح أمامهما إلا حين سألت الأولى رفيقتها في إحدى جلساتهما الليلية حيث كانتا وحدهما في البيت، جلسة امتدت حتى بزوغ الفجر.

ـ ماذا تفعلين إن وجّه إليك أحد الطلاب سؤالاً لا تعرفين له جواباً؟

ـ بكل بساطة أقول له: لا أعرف.

ـ كيف تجرؤين على الاعتراف بجهلك أمام من هم...

ـ لا تكملي، أن أعترف بجهلي هو أفضل من أن أعطي جواباً خاطئاً، اضطر إلى تصحيحه بعد فترة.

ـ وما هو وقع إقرارك هذا بجهلك، على الطلاب.

ــ لقد أخبرتهم وأيضاً، بكل بساطة، أن الأستاذ ليس سيد المعرفة
ومالكها، وهم يعلمون ذلك ولهذا السبب تكون أسئلتهم، أحياناً
نوعاً من التحدي لاكتشاف شخصية الأستاذ ومدى ثقته بنفسه. أما
أنت فلا تهتمّين بوقع ذلك على الطلاب، بل بوقعه على صورتك
أمامهم. هناك نموذج مرسوم في ذهنك، وتعتقدين أنه مرسوم في
أذهان الطلاب، عن ماهية الأستاذ، وأنت تحاولين المستحيل وحتى
النفاق، على نفسك وعلى الآخرين، كي لا تخدش تلك الصورة.

ــ إن أظهر الأستاذ جهله، استخفَّ به الطلاب وخسر هيبته.

ــ أقول لك بكل صراحة إنني لم أحقّق هيبتي أمام ذاتي أولاً وأمام
الطلاب، تالياً، إلا حين أصبحت قادرة على قول حقيقتي من دون
كذب أو مواربة. لقد أدركت، بعد أن تعلّمت الكثير، أننا، دائماً،
نجهل أكثر مما نعرف وما عدا ذلك ادعاء فارغ. كنت في بداية
الطريق مثلك، أخجل من جهلي، وخجلي كان نابعاً من ادعائي.
لكن الحياة والتجارب علّمتني أننا نمضي عمرنا في التعلّم، وأدركت
أنني طالبة باستمرار، لا أتميّز عن طلابي في الجامعة إلا بقدر ما
حقّقته بفضل فارق العمر بيني وبينهم، وأنه يبقى الكثير أمامي مما
أجهله. لهذا السبب بدأت التعامل مع طلابي كأصدقاء نسعى
جميعاً في سبيل معرفة الحقيقة والتي هي وهم، لا تستقيم الأمور إلا
بتحويلها إلى غاية ننشدها.

ــ وكيف تتابعين عملك وأنت على هذه القناعة؟

ــ لا أتابع عملي، بل بدأته، فعلا، بعد أن توصّلت إلى هذه
القناعة.

ــ لكن الطلاب خبثاء وكثيراً ما يحاولون إحراج الأستاذ كأنهم

يسقطون عليه كل ساديتهم.

ــ لا يتصرّف الطلاب بخبث كما تصفينهم إلا إذا لاحظوا أن الأستاذ يمارس عليهم ساديته، أو لنقل تفوقه وتعاليه.

ــ وكيف يكون الأستاذ أستاذاً إن لم يكن متفوّقاً على طلابه؟ وما جدوى التدريس إذاً؟

ــ إنه يتفوق عليهم بالكمية، لا بالنوعية. قليلون هم الأساتذة الذين يتفوّقون على طلابهم نوعياً، وهؤلاء هم الفلاسفة الكبار الذين لا وجود لهم في عالمنا العربي الراهن، وليسوا مدرّسي الفلسفة أمثالنا. نحن ننقل إلى الطلاب ما قرأنا وتعلّمنا في الكتب فقط. ولا «نخترع البارود» كما يقولون.

ــ لكن ما قرأنا وتعلمنا مكّننا من معرفة تسمح لنا بأن نتميّز عن الطلاب الذين ما زالوا في أول الطريق.

ــ وهذا بالذات، ما أقصده بالكمّية. فإن ثابر أي طالب منهم على القراءة والتحصيل والبحث، يصل إلى ما وصلنا إليه، وقد يتفوّق علينا.

ــ ما تقولينه صحيح، لكنني أتكلم عن الآن، عن الوضع الحالي بيننا وبين الطلاب؛ نحن نفوقهم علماً ومعرفة وهو أمر يضعنا في منصب المدرّس الذي يعطي، بينما هم في مقاعد المتلقي، ولهذا السبب اسمه طالب، أي طالب العلم، ونحن مانحو العلم. نحن نملك سلطة، عليها أن تفرض وجودها وهيبتها، وإلا كيف يتحقّق دور المعلم؟

ـــ المعرفة ليست سلطة، السلطة هي التي تستعمل المعرفة لخدمة مصالحها.

ـــ إن لم تكن المعرفة سلطة، وسلطة قادرة، فكيف تفسّرين أثر الفكر في الواقع وفي قدرته على تغييره؟

ـــ أما زلت هنا؟ وهل تعتقدين أن الفكر يغير الواقع، مع العلم أن الفكر شيء والمعرفة شيء آخر، كما تعلمين.

ـــ أعرف ذلك، لكن ألا تلاحظين التغيّر في الواقع، حتى في واقعك الشخصي، الناتج من تقدم العلوم والمعرفة؟ هل ما هو قائم اليوم في الواقع هو ما كان قائماً منذ خمسين أو حتى عشرين أو عشر سنوات.

ـــ أعترف بأن العلم يتقدّم بوتيرة شديدة السرعة، لكن العلم، وإن تطور، فهو لا يؤثّر في الواقع إلا إذا استخدِم، أي أن تطبيق العلم هو الذي يحدث الانقلابات في الواقع. حتى أن العلم بحد ذاته هو بحاجة إلى سلطة ترعاه، ولهذا السبب نرى أن إنتاج العلم يحصل في الدول القوية والغنية حيث إن الدولة هي التي تقيم مراكز الأبحاث وهي التي تموّل الباحثين وهي التي تستعمل نتاج العلم في سبيل بسط سيطرتها على الدول الأخرى وتمتين سلطتها على شعوبها، مما يدفعنا إلى القول إن ما يوجه العلم اليوم هو سيطرة المال في سبيل إحكام النفوذ السياسي.

ـــ يمكن أن أوافق على ما تقولين، لكن ألا تُصنّف بعض الدول العربية بين البلدان الغنية في العالم؟ هذه الدول قائمة فعلاً، لكن لماذا لا تنتج معرفة ولا علماً؟

ــ سؤال وجيه جداً، لكن هذه الدول تمارس سلطتها على شعبها من دون الحاجة إلى اللجوء إلى العلم مع الادعاء أنها تملك المعرفة. فما دام أصحاب السلطة السياسية في هذه البلدان قادرين على قتل أو سجن أو معاقبة أي فرد من أفراد مجتمعاتهم من دون أي سبب، إلا لأنه ضدهم في الرأي، فهم ليسوا بحاجة إلى تدعيم سلطتهم بأي علم إضافي. وهم مكتفون بهذه السلطة وليس لديهم أي طموح في بسطها إلى الخارج. لكن حين يشعرون أن سلطتهم مهدّدة، فهم يستعينون بما هم بحاجة إليه مما توصّل إليه العلم كي يستمروا.

ــ لقد فتحت باباً للنقاش لا أود الغوص فيه، وهذا لا يعني أنني أوافقك الرأي. لكن فلنعد إلى موضوعنا، أي العلاقة بين الأستاذ والطالب في الجامعة وهو الموضوع الذي أهتمّ به الآن. أنا لا أتصوّر نفسي للحظة واحدة، عاجزة عن الإجابة عن أي سؤال يطرحه عليّ أحد الطلاب، أشعر أنِ شخصيتي تتحطّم، ولهذا السبب أخترع أي إجابة ولو كانت فضفاضة، كي تظلّ سلطتي عليهم قائمة.

ــ وإن اكتشف الطلاب أن إجابتك خاطئة وواجهوك في ذلك، فماذا تقولين لهم وأين تصبح سلطتك؟

ــ لا أفسح لهم في المجال لكي يهزأوا مني، فإن حصل ما تفترضينه، أقنعهم بأنهم أساؤوا فهمي. يجب أن يظلّ الأستاذ أستاذاً.

ــ إنها وجهة نظر سبق أن دافعت عنها في بداية عملي أستاذة في الجامعة، لكنني الآن، بعد أن اكتسبت المزيد من المعارف، لم أعد أخجل من الإقرار بجهلي. وحين يواجهني أحد الطلاب بسؤال لا

أعرف جوابه، أقول له، وبكل صراحة: لا أعرف وسأبحث عن الإجابة، أو فلنبحث معاً، وكل من جهته، عن الإجابة. وفي المحاضرة التالية أناقش الطالب في ما توصّل إليه وأعرض أمامه ما توصّلت إليه ويدور بيننا نقاش يشارك فيه جميع الطلاب. ولا تنسي أن هناك أسئلة لا يمكننا الإجابة عنها حتى لو أمضينا العمر في البحث.

ــ لم أقتنع بطريقتك وسأستمرّ على ما أنا عليه، فهذه هي قناعتي.

ــ لا بل هي صورتك التي كوّنها الآخرون عنك والتي أُعجبتِ بها وأصبحت أسيرتها وترفضين، بكل الوسائل، أن تخدش أو تُغيّر حتى ولو تغيّرت أنت. لا بل تحاولين تدجين ذاتك كي لا تتفلّت من إطار هذه الصورة التي تحملينها كوسام على صدرك. أما أنا فما عاد يهمّني كيف ينظر الآخرون إلي بل أهتم بنظرتي إلى نفسي. لست أسيرة الصورة كما أنت، هذا، باختصار، كل ما في الأمر.

ــ الأمر ليس كذلك، فأنا وصورتي واحد لا انفصام بيننا.

ــ صورتنا الحقيقية هي التي تنعكس في المرآة لا تلك التي نعلّقها على جدران صالوناتنا أو نزيّن بها رفوف مكتباتنا. الأولى تتغيّر وتتبدّل مع الزمن، بينما الثانية تبقى ثابتة كعناد صاحبها في التماثل معها. والمشكلة أنك غير واعية للحقيقة أو أنك تكابرين. وآمل أن تكوني من الصنف المكابر لا من الصنف اللاواعي. على كل حال إنها مشكلة غالبية الناس وبخاصة المثقّفين منهم. فإن تشكّلت عند الناس صورة عن مثقف ما وأحب المثقف هذه الصورة لأنها مكّنته من شهرة معيّنة، يصبح أسيرها ويستميت في المحافظة عليها حتى ولو تبدّلت قناعاته وآراؤه التي كانت سبب تشكل هذه الصورة.

أمثال هذا المثقف، في مجتمعاتنا، هم كثر، كي لا أقول إنهم الغالبية الساحقة. إنهم يمضون عمرهم في الدفاع عن هذه الصورة متناسين الأصل الذي هو ذاتهم. وهم، بوجه الإجمال، مثقفو السلطة، أيّ سلطة.

ــ هل تقصدين أن كل أو المثقفين في لبنان أو غالبيتهم هم أتباع السلطة؟ هذا غير صحيح.

ــ لم أقل السلطة السياسية الحاكمة فقط، بل قلت أي سلطة، وللصورة سلطة قوية إن كان الأصل ضعيفاً. وكلما كان الأصل ضعيفاً كلما اشتغل على إنجاح الصورة. قليلون هم الذين تتبعهم صورتهم وليس العكس. وبوجه عام أرى أن مثقفينا وبخاصة المثقفين في لبنان، ينقسمون إلى ثلاث فئات أو نماذج.

ــ طبعاً النموذج تابع السلطة والنموذج المعارض لها والنموذج الوسط الذي يحاول التوفيق بينهما.

ــ هذا تقسيم ممكن، لكنني أعتمد مقاييس أخرى. أبدأ أولاً بالقول إن كل من يدّعي أنه مثقف، هو جاهل أن الثقافة ليست معطى، يمتلكه الإنسان وينتهي الموضوع، إنها مسار وسعي لا ينتهيان إلا مع الموت. ولهذا السبب آمل من الذي يصرّ على منح نفسه هذا اللقب أو يصر آخرون على منحه إياه، أن يعي أنه فقط يسير نحو تحقيق قدرٍ ما من الثقافة؛ فقليل من الوعي قد يحمي صاحبه من السقوط فيٍ الادعاء الذي يكون في أغلب الأحيان فارغاً، ويقيه من التحوّل إلى طاووس متجول.

ــ هل تقصدين أنني طاووس متجول؟

ـــ فكري كما تشائين، أما أنا فأتكلم بوجه عام.

ـــ إذاً المثقفون هم إما ساعون وراء الثقافة، إما طواويس متجولة، إما...

ـــ إن مراقبتي لكتابات وأقوال ومواقف من يسمّون أنفسهم مثقفين، أو من يسميهم المجتمع مثقفين، حملتني على تقسيمهم إلى ثلاثة نماذج أساسية مع بعض الهوامش غير المهمة. هذه النماذج هي التالية: نموذج عارض الأزياء ونموذج العاري ونموذج الملتبس، بين بين، وهو يكون أحياناً عارض أزياء وأحياناً أخرى عارياً.

ـــ يعني أن لباس المثقف الحقيقي هو عريه كما فهمت؟

ـــ صدقت، لكن دعيني أبدأ بالنموذج الأول وهو الأكثر شيوعاً في مجتمعاتنا. وقبل أن أبدأ أسألك ما هي ميزة عارض الأزياء الأولى والأساسية؟

ـــ أن يتمتّع بجسد تتطابق مقاييسه مع المقاييس السائدة والمتعارف عليها.

ـــ يعني وبعبارة شعبية أن يكون «جسمه لبّيساً» كما يقال بالعامية.

ـــ طبعاً، لأن عليه أن يكون جاهزاً لعرض كل «صرعات» الموضة وتقلباتها.

ـــ ألا تفكرين أن البعض بدأ يتحسّس بوخزٍ تحت إبطه؟

ـــ لا تعليق، قالت هبى ممتعضة.

ـ هذا الصنف من المثقفين، تعرفينه جيداً، هو الذي تنقّل من موقع إلى آخر باحثاً عن انوجاده بشتى الطرق، فلبس وخلع، فكرياً وإيديولوجياً أزياء متعدّدة ومتنوّعة إلى درجة التناقض.

ـ وما المانع من أن يتلقّف المثقف كل جديد؟ أرى أن هذا هو دوره الحقيقي.

ـ أنا لست ضد أن يتابع المثقف كل جديد، لكن من أتكلم عليه هو الذي لا همّ له سوى اللحاق بما يفرزه الفكر الغربي أو الفكر العالمي إجمالاً.

ـ هذا لأن الفكر العربي قاحل كما تعتبرينه.

ـ إنه قاحل لأن غالبة ممثليه من المثقفين ينتمون إلى هذا النموذج. وإن عدنا إلى حاملي إشارة المثقف في لبنان، نجد أن الأمر هو هو؛ ألا تلاحظين أن المثقف عندنا هو أول من يتهافت استعراضياً على كل جديد ويتبنّاه إلى درجة التماهي؟ فتارة يكون كنطياً وتارة هيغلياً، ثم سارترياً، ثم فوكووياً أو داريدياً أو هادغرياً أو فرويدياً أو لاكانياً أو دولوزياً أو نيتشاوياً أو..... واللائحة تطول في كل المجالات والحقول الفكرية بحيث لا يمكن تعدادها.

ـ لكن البعض لا يتأثر بما ينتجه الفكر الغربي، لا بل يعمل على دحضه.

ـ إنهم لا يدحضونه، بل يرفضونه وينكبّون على التنقيب في التراث عما يضاهيه متجاهلين كل ما حصل من تغير، لا يلغي التراث، بل يضعه في موقعه الصحيح كتراث.

ـــ لا أوافقك الرأي لأن بعض المثقفين يلتزمون بالفكر الذي يقنعهم ويمارسونه من خلال أحزاب أو حركات وما إلى ذلك.

ـــ وهنا ننتقل إلى حقل آخر وهو الحقل الإيديولوجي حيث المثقف أو المثقفة يبحث فيه عن انوجاده الفعلي أي السياسي. ونلاحظ أن المثقف الذي هو عارض أزياء، يبدّل أزياءه بحسب الظروف. وهنا اسمحي لي بفتح مزدوجين للفت النظر إلى أن المثقف هذا هو من الصنف الذي يصرّ على أناقته، والأناقة تعني، كما تعلمين جيداً، أن يكون هندام الأنيق، متماشياً تماماً مع الظرف.

ـــ ماذا تقصدين بهذه الملاحظة؟ أهي «تلطيش» غير مباشر؟

ـــ لا أقصد الهندام الخارجي الذي تصرّين عليه وتبرعين بهندسته. أقصد ذلك المثقف الذي يتنقّل بين الإيديولوجيات من الماركسية بكل تفرعاتها التروتسكية والماوية... إلى الاشتراكية بكل تلاوينها، إلى الليبرالية... إلى أيديولوجية حزب الله وصولاً إلى العولمة بأقنعتها الديموقراطية العراقية والفلسطينية وحالياً اللبنانية.

ـــ العولمة تدخل كل بيت شئنا ذلك أم أبينا، وما الضير في أن يتعامل معها المثقف بإيجابية؟

ـــ لا ضير في التعامل الإيجابي معها. لكن بربك ألا تلاحظين أن هذا التعامل من البعض هو استسلام كلّي لما يمليه الغرب علينا؟ ألا تلاحظين تغيير المواقف من النقيض إلى النقيض؟ ألا تلاحظين أن البعض لا يتورّع عن خلع الحجاب الذي ارتداه، في فترة ما، ودافع عن أحقية ارتدائه ثم شمّر عن ساعديه ليتلقّف الديموقراطية الوافدة إلينا من حضارة بوش وغيره؟

ــ أتقصدين زميلتنا في الجامعة؟

ــ هي أو غيرها لا فرق لأنني أقصد بالحجاب معناه الرمزي.

ــ وما المانع من تغيير المواقف إذا كان ذلك في سبيل الأفضل؟

ــ المشكلة أن هذا النموذج من المثقفين هو النوع الوصولي الذي لا يخجل من تحويل نفسه إلى بوق يُنفخ عبره القول السياسي للسلطة فيخرج منه قولاً «ثقافوياً» ليس ألا ترجمة حرفية لقول السلطة. وهنا تتحقّق وصوليته.

ــ وهنا أيضاً تنتشي السلطة وتصفّق له لأنه أحسن الترجمة ولأن قوله أتى مطابقاً لقولها. وهكذا ينعم المثقف برعايتها.

ــ الأخطر من ذلك هو أن السلطة تكون قد مدّدت سلطتها من السياسي إلى الثقافي وأمسكت بالمجد من كل جوانبه. وهنا تكتمل الدائرة، إذ إن المثقف هذا هو أيضاً ينتشي ويعتلي المنابر التي توفرها له السلطة الحاكمة وأدواتها ويقوم بعرض أفكاره وثقافته، التي هي هي أفكار السلطة وثقافتها، تماماً كما يؤدّي ممثل بارع في مسرحية ما.

ــ يعني أن المثقف، عارض الأزياء، هو ممثل بارع يؤدي الدور الذي تلقّنه إياه السلطة؟

ــ إن الفارق بين الممثل البارع وهذا المثقف هو أن الممثل يعي أنه يمثل، بينما المثقف لا يعي ذلك أو أنه، وبكل وعي وانتهازية، يستبدل وعيه بانوجاده على الساحة، وهي مهارة لا يمتلكها إلا صاحب الوقاحة الفذة التي، لكثرة استعراضيته، يراها قوة أو شجاعة

ليست هي بالفعل إلا تذاكياً غبياً.

ــ أليس للمثقف حرية أن يتموقع أينما يشاء؟

ــ النموذج الذي أتحدث عنه لا يفقه معنى الحرية لأن الثقافة عنده تعني اللباس الذي يظهر فيه أمام الآخرين غير آبه بكيفية ظهوره أمام نفسه. ما يهمه هو نظرة الآخرين إليه لا نظرته إلى ذاته.

ــ هو إذاً يواكب التغيير لكي يكون في طليعة كل جديد وهو أمر لا يتناقض ولا يتعارض مع مفهوم الثقافة.

ــ عند هذا المثقف، المواكبة ليست عفوية، بل هي ممنهجة ومرسّخة على قاعدة نظرية تحمل كل البناء الفكري عنده. هذا إذا افترضنا أن لديه بناءً فكرياً ما.

ــ وما المانع من أن يكون لدى المثقف قاعدة تحكم سلوكه الثقافي؟

ــ القاعدة عند عارض الأزياء هذا، تقول إن التاريخ هو الزمن.

ــ وهذا صحيح.

ــ صحيح ظاهرياً فقط. لكن ماذا تعني هذه المعادلة بالفعل؟ إنها تعني أن المثقف هذا، يتماهى بالتاريخ كما يفهمه ويعيش على أكل مواقفه وأفكاره وتطلعاته السابقة، تماماً كما «كرونُس»، إله الزمن عند اليونان، وهو الإله الذي يأكل أولاده، لكن هذا المثقف لا يأكلها كي يتغذى وينمو بها، بل إنه يغتالها ويحاول نسيانها كي يستمر وكأنه ابن اللحظة الراهنة، المتجدّد أبداً والذي لا يشيخ، وهو يقوم بعملية شدّ تجميلية لوجهه الثقافي كلما لاحظ تجاعيده الدالة على تراكم ما، وهو ضده لأن تاريخه هو، بالضبط، هذا التراكض

اللاهث وراء الصورة أو العَرض، كأنه يخجل من حقيقة جوهره وهو على حق بذلك، لأن جوهر مثل هذا المثقف ليس سوى خواءٍ قابلٍ لأن تتلبّسه كل التشكّلات.

ــ بعد أن مرّغت رأس هذا المثقف بالوحل، كي لا أستعمل كلمة أخرى، هل لنا بالانتقال إلى النموذج الثاني لأنني بدأت أتعب. وأعد بأنني سأستمع من دون مقاطعة.

ــ النموذج الثاني يمثله المثقف الذي يلبس عريه.

ــ ألا تناقضين المنطق هنا؟ أليس دور اللباس هو بالضبط أن يخفي العري؟

ــ عذراً، أجابت إلهام، بانفعال، اعتقدت أنني أحاور أستاذة في فلسفة. فإن أردت نقل الكلام إلى حقل آخر فسأصمت وأستمع إليك.

ضحكت هبى لأنها استطاعت أن تغيظ إلهام وقالت: «وأنا كنت أعتقد أنك قادرة على تقبّل المزاح. كلي سمع، تابعي».

ــ سأتابع على الرغم من أنني لست واثقة من جدّيتك. سأتابع كأنني أكلم نفسي. سأتابع لتوضيح الموضوع أمام ذاتي مع استعدادي الكامل للأخذ بكل ملاحظاتك حتى ولو كانت من الوزن الرخيص.

ــ فلنعد إلى الجد؛ المثقف العاري هو نقيض المثقف عارض الأزياء.

ــ لا بل هو الذي يتخفّف من ملابسه سعياً وراء اكتماله.

ـ يعني أن يكون جلده هو لباسه.

ـ أحسنت، لأنه كما أن الجلد هو الحدود الخارجية لبنية البدن، فإن العري هو الحدود الخارجية للبنية الثقافية. وكما تكوُّن الجلد هو تكوّن العري.

ـ لم أفهم ماذا تقصدين بكلمة «تكوّن».

ـ أقصد أن التكوّن هو مسار يبدأ مع الولادة وينتهي مع الموت. ولهذا السبب كل من يدّعي أنه مثقف أو يصنّف نفسه أو يقبل بتكريس نفسه مثقفاً، يقترب من النموذج الأول الطاووسي.

ـ إنك، بكلامك هذا، تدكّين كل ما هو متعارف عليه وقائم في الواقع. فهناك مثقفون ونحن منهم شئت أم أبيت.

ـ إن أردت أن تصنفي نفسك مثقفةً فأنت حرة، لكن اسمحي لي بأن أصنف نفسي بأنني ساعية في سبيل الثقافة، واسمحي لي بالقول إن هذا السعي لا ينتهي.

ـ إذا سلمنا معك أن العري هو سمة المثقف الحقيقي فهذا يعني أنه إنجاز يحصل وينتهي الموضوع.

ـ لكن ماذا يعني العري؟

ـ إنه بكل بسلطة أن يظهر المرء على حقيقته.

ـ وأضيف: مهما عظمت أو تضاءلت حقيقته هذه. لكن أعود وأطرح السؤال: ماذا يعني، حقيقة، هذا العري؟

ــ لقد اتفقنا على معناه. فهل غيّرت رأيك؟

ــ لم أغير رأيي بل أريد التوضيح: العري لا يتوجه للخارج فقط، بل هو علاقة مع الذات أيضاً، يعني أن من يسعى إلى الثقافة هو هو مع ذاته ومع الآخر وهذا دليل على قبول الذات، وحين يقبل الفرد ذاته ويجسر على التعري، فهو حكماً يقبل الآخر، شرط أن يكون الآخر عارياً أيضاً...

ــ لا تتابعي، فلديّ هنا اعتراض وجيه: عندما تشترطين أن يكون الآخر عارياً فهذا يعني أنك ألغيت أي علاقة للمثقف، أو للساعي في سبيل الثقافة، كما تقولين، مع من هو غير ذلك، أي أنك حصرت علاقة المثقف بالمثقف فقط، وألغيت إمكانية علاقته بكل الآخرين، وهذا يعني أيضاً أن على المثقف أن يعيش ضمن حلقة ضيّقة في المجتمع هي حلقة المثقفين.

هنا كان لا بد لي من أن أتدخّل لأصوّب النقاش الذي خرج عن حقله الثقافي. لم أتردّد، بل أسكتُّ إلهام وقلت لها بصوت منخفض، لم تسمعه هبى: «أرى أن شرط العري الذي تميّزين به المثقف الحقيقي هو شرط خارجي، لا يطال موضوع الثقافة بقدر ما يطال كيفية إظهارها، أو فلنقل إنه يطال علاقة المثقف بشخصيته لا بمعرفته. إنه، برأيي شرط معياري أكثر منه شرطاً معرفياً».

ــ ربما كنت على حق، أجابتني بصمت كأنها تفكر، لكنني بهذا الشرط أصف علاقة المثقف بذاته قبل علاقته بالآخر، أتكلم عن عري الذات أمام الذات. ثم رفعت صوتها وقالت: «أما بالنسبة لما قلتِه يا هبى، فأنا أوافقك الرأي وأسحب شرط العري عند الآخر الذي، على المثقف أن يقبله كما هو وإلا انتفت الديموقراطية».

ــ بكل تأكيد، قالت هبى بكل ثقة، لأن المثقف الذي يقبل ذاته كما هي لا يمكنه أن يرفض الآخر كما هو.

ــ وهنا يبرز الفرق بين النموذجين إذ إن المثقف، عارض الأزياء، لا يقبل الآخر كما هو، لأنه بالأساس يرفض ذاته. ولهذا أرى كلامه في الديموقراطية هرطقة.

ــ ما زلنا في الخارج ولم ندخل بعد إلى ما يكوِّن هذا المثقف العاري كما تسمينه.

ــ سأشرح لك ماذا يعني هذا العري: إنه فعل الاستيعاب والتحوّل والفرز والهضم و... فكما تتحوّل وتنمو البنية الجسدية للفرد بما يُدخل إليها من مأكل ومشرب، كذلك بنيته الثقافية تتحوّل وتنمو بما يُدخل إليها من معارف في كل الميادين، من دون استثناء. وهنا يبرز الاختلاف الأساسي بين نموذجَي المثقفين.

ــ هل يعني أن المثقف العاري، يتطور وينمو بمعارفه، بينما المعارف عند المثقف عارض الأزياء تكون بلا فائدة؟

ــ الاختلاف بينهما هو اختلاف نظري حول مفهوم التاريخ؛ فإن كان التاريخ يعني الزمن، بالنسبة للنموذج الأول ،كما رأينا، فإن التاريخ يعني المكان لدى النموذج الثاني، والمكان هو هذا الامتداد الذي هو تمدّد مستمر والذي تتواجد فيه كل ما أفرزته الإنسانية، وفي كل الميادين. ومن هنا يأتي تهيّب الساعي إلى الثقافة من حمل لقب «مثقف». وهذا التهيب هو صدق مع الذات وهو الذي يمنح الجرأة لمثقف هذا النموذج لكي يسير عارياً بين المتنكرين، مثقفي النموذج الأول. وهؤلاء إن تنكروا لإخفاء عورات أجسادهم الثقافية، فهو، يتعرّى لأن لا عورات في جسده الثقافي أو...

ــ كيف ذلك؟ هل الجسد الثقافي لهذا المثقف العاري، خالٍ من العورات؟ هل هو كامل؟ ما هذا الادعاء؟

ــ لو تركتني أكمل جملتي، لما كنت اعترضت. وأتابع:... أو أنه، وبكل جرأة لا يخاف من إظهارها، أي إظهار عورات جسده الثقافي.

صمتت هبى للحظة كأن يداً صفعتها، لكنها أبت أن تستسلم لما اعتبرته يدينها وقالت بعصبية: «من أنت كي تصنفي الناس؟».

ــ أنا لا أصنف، أنا أقرأ واقعاً. أجابت إلهام، وتابعت مازحة: إن استفزّك كلامي فهذا يعني أنك شعرت بوخز تحت إبطك، وهذا أمر لا يعنيني.

حاولت هبى أن ترفع صوتها وتردّ على إلهام بعنف فسارعتُ إلى التدخل وشددت انتباه إلهام لنقل الموضوع إلى العام بعد أن جُرّ إلى الخاص والشخصي. فصحّحتْ الوضع بسرعة وأول سؤال خطر على بالها كان: «وما علاقة هذا المثقف العاري بالسلطة؟» ضحكت هبى وفهمت قصد إلهام وسألت: «ممّن تنتظرين الجواب؟».

منك ، طبعاً.

ــ لا، أنا أنتظره من صاحبة النظرية، أجابت هبى بلؤم، لكني سئمت وأرغب في النوم والراحة.

قالت هبى ذلك وانصرفت وبقيتُ وحدي مع إلهام التي لم تعر انتباهاً لانصراف هبى وسألتني: «هل تريدين جواباً على سؤالك الأخير؟» لكن بعد انصراف هبى أخرجنا من الماضي لنصبح في

الحاضر، في زمن الكتابة عن الذاكرة، لا في زمن الذاكرة. وأجبت إلهام، بعد أن تغير كل الإطار:

— ولو أنني أعرف جوابك، أود أن أسمعه منك.

— أرى أن علاقة المثقف العاري بالسلطة، وطبعاً تقصدين السلطة السياسية، هي على الشكل التالي: يقول هذا المثقف قوله الذي هو قناعته الفعلية فيكون فعل القول هو هو فعل الانوجاد. فإن تبنّته السلطة وأتى قولها ترجمة سياسية له، تنوجد الدولة الفعلية التي تعرف كيف تمارس الديموقراطية والعدالة والسيادة والحرية و... وإن لا، كما هو حاصل الآن، فإن السلطة تكتفي بأبواقها، مثقفي النموذج الأول لتمدّ سلطتها على كل الأراضي اللبنانية وعلى كل الشعب اللبناني.

— وحتى على المثقف العاري كما تسمينه؟

— لا، وعلى الدولة أن تعلم، وهي تعلم، أن المثقف العاري عصيّ على الخضوع، وأن بسطَ سلطتها على كل أراضيها، يتوقّف عند حدود جسده الثقافي العاري.

— يبقى النموذج الثالث فهل نستعرض بسرعة ماهيته، قبل أن أتعب وأتركك وحدك كما فعلت هبى؟

— لم أنته بعد من النموذج الثاني، فإن أردت الانصراف أحتفظ بالباقي لنفسي.

— تعرفين أنني لا أستطيع الانصراف والتمتع بقسط من الراحة إلا حين أتأكّد من أنكما غافيتان في سريريكما.

ـ على كل حال سأحاول الاختصار، ومن الفروقات العديدة الأخرى التي تميّز بين النموذجين سأكتفي بذكر واحد منها وهو...

ـ الحمد لله هيا أسرعي بعرضه.

ـ هو الفارق بين الإجهاض والحمل.

ـ وما علاقة الثقافة بالإجهاض والحمل؟ سألتُها وأنا لا أملك نفسي عن الضحك.

ـ قبل أن تهزئي من قولي هذا، دعيني أكمل وبعد ذلك تصرفي كما تشائين.

ـ عذراً، كلي سمع، وأعترف بأن ضحكي هو بسبب المفاجأة وليس استهزاءً.

ـ على كل حال سأتابع عرض فكرتي ولن أتدخل بموقفك منها. إن مثقف النموذج الأول، وبسبب هرولته وراء كل جديد، عاجز عن إتمام عملية الحمل، فيجهض كي يمتلئ من جديد وبجديد. لكن سرعة التطور الحالي، وفي كل المجالات، قد منعته حتى من عملية الحمل وذلك لأن التاريخ في مفهوم هذا الصنف من المثقفين هو الزمن، كما رأينا. أما الصنف الآخر، المثقف العاري، وبما أن التاريخ بالنسبة إليه هو المكان، فهو يمتلك كل الوقت لكي تتمّ عملية الحمل فيأتي قوله، المولود الجديد، طفلاً معافى، لا طرحاً كما قول المثقف عارض الأزياء.

ـ حتى هنا تزجين بالبعد الأنثوي أو الإنسوي إذا أردنا استعمال مصطلحك الخاص.

وكأنها لم تسمع تعليقي تابعت: «من هنا أسمح لنفسي بالاستنتاج التالي: إن كل مثقفي النموذج الأول هم من الذكور حتى ولو كان بينهم الكثير من النساء، بينما كل مثقفي النموذج الثاني هم إناث حتى ولو كانتَ غالبيتهم من الذكور».

لم أرد التعليق كي لا تسترسل إلهام في الشرح وقفزت مباشرة إلى السؤال عن النموذج الثالث.

ــ النموذج الثالث هو المثقف الملتبس أو المتردّد الذي أحياناً يعي وأحياناً لا يعي التباسه وهو في مطلق الأحيان ضعيف، لأنه إن وعى التباسه كان أعجز من أن يتخطّاه فيقع في المعاناة ويحاول أن يجد نفسه فيها فيصبح قوله التعبير عن مازوشية، توصل المتلقي أحياناً إلى الغثيان.

هنا فكّرت بأمر لم أعبّر عنه لأتركها تتابع. فكرتُ أن إلهام لا تعي أنها تمارس علي الآن كل ساديتها. فهل، فعلاً لا تعي ذلك أم أنها تمارسها عن قصد؟

ــ... وإن لم يع التباسه، تحوّل إلى مهرّج وفصيح مناسبات يتغيّر لونه كما يتغير لون جلد الحرباء وفقاً للون المكان الموجودة فيه. ويتميز بعض أذكياء هذا النموذج من المثقفين بلعب دور اللامبالاة والتنظير للهامشية وما سواها من مقولات تبرّر عجز جسدهم الثقافي عن الظهور عارياً، وهم بالإجمال، أقرب سياسياً، إلى النموذج الأول، نموذج عارض الأزياء لأن ضعفهم يجعلهم يخافون السياسي ويحاولون أن يستمدّوا منه قوتهم، فيتحولون إلى سلع يحدّد الشاري أسعارها. فهنيئاً لهذا المثقف بأسياده، أصحاب الثروات والأموال «النظيفة». وهنيئاً للشاري بهذه البضاعة الكاسدة.

ــ والآن تصبحين على خير. لقد نفد صبري.

ــ وأنت من أهل الخير. لكن عليك أن تتعلّمي أن الكتابة هي بالضبط فعل ممارسة الصبر.

4

هربت هبى إلى النوم علّها تنجو من ملاحظات إلهام التي وضعتها
أمام نفسها، أمام ما ترفضه من ذاتها، من دون أن تجرؤ على ذلك.
هربت إلى الأحلام علها تجد فيها الخروج من وطأة الزمن الذي لم
تعتد بعد على قساوته واستهتاره بكل ما سواه. خلدتْ إلى النوم
غير آبهة بما استمرّ عليه الحوار بيني وبين إلهام، وبالفعل أتت
أحلامها لتلبي رغبتها بالهروب، وها هي ترى نفسها في بلدتها، في
رأس بعلبك التي وصفتها إلهام، في السير الثلاث، بأبدع الصور. ها
هي طفلة يمسكها والدها بيده وهو يختال في الحديقة التي بدت
كما رسمتها، بعرائشها والوردة الجورية التي تملأ الفضاء برائحة
أزهارها وتلك البيلسانة التي ما أن رأتها هبى حتى تفلّتت من يد
أبيها وركضت تتسلّق أغصانها الخضراء المليئة بالأزهار البيضاء
الناعمة. وما أن جلست على أحد الأغصان حتى ظهرت أمامها،
في منتصف الحديقة، شجرتا الرمان والفراشات تتطاير حولها.

فجأة تغيّر كل المنظر وضجّت الساحة بالعديد من رجال الضيعة الجالسين حول «الحكيم»، والدها، يتبادلون معه الأحاديث والنقاشات في الأمور السياسية وغيرها. وها هي صبية، أجمل صبايا الضيعة، كما وصفتها إلهام، تتألّق بأبهى حلّة، والكل ينظر إليها مسحوراً، ووالدتها تكاد تأكلها بعينيها من كثرة اعتزازها بها وبجمالها، وقد انقسمت الساحة إلى قسمين؛ حلقة النساء حول الوالدة وحلقة الرجال حول الوالد. الرجال مهتمّون بالسياسة ومشاكل الضيعة والنساء يخبرن، كل واحدة بدورها، عما شعرت به يوم أصابت الرصاصة الطائشة جبهة هبى، وتنهي كلامها بجملة واحدة: «لكن احمد لله على سلامتها، وبخاصة أنه لا يظهر أي أثر للجرح في جبهتها وها هي الآن لا تزال حلوة الحلوات». وتردّ الوالدة والتشاوف واضح على وجهها: «وهي الأولى في صفها وقد نجحت بشهادة البريفه هذه السنة وستتابع دراستها إن شاء الله».

اختفى الجميع من المشهد وتحوّلت الحديقة إلى بركة ماء كبيرة تطفو على سطحها صدور إخوتها الصبيان ورؤوسهم، والوقت فجرٌ. خلعت هبى ثيابها ونزلت في الماء الذي أنعش كل أحاسيسها وأيقظ رغبتها في ممارسة الجنس، لكنها رغبة تبخّرت بسرعة إذ سمعت صوت أمها الواقفة في أعلى السلم يزجرها ويأمرها بالخروج من الماء. وأمام رؤية جسم هبى العاري نزلت الوالدة السلم مهرولةً وهي تصرخ هبى... وفتحت هبى عينيها لترى إلهام وهي تنبّهها إلى أن الوقت تأخر وقد حان وقت الذهاب إلى العمل.

ــ متى نذهب إلى الضيعة؟ سألت هبى حين رأت إلهام.

ــ حين تأمرين، لكن لماذا هذا السؤال الآن؟

أخبرت هبى إلهام بما حلمت به ثم عادت تكرّر السؤال: «متى نذهب؟».

صمتت إلهام للحظة وهي تفكّر بمدى الخيبة التي ستصيب هبى إذا ما استجابت لطلبها، ثم قالت: «سنذهب في الصيف عند انتهاء السنة الدراسية، وهكذا يكون لدينا الوقت الكافي للتمتع بمناخ ضيعتنا كما نشاء، وها قد شارفت السنة على النهاية، أعدك بذلك».

انتهت السنة الدراسية في منتصف شهر تموز تقريباً وتداولتا في موضوع الانتقال إلى الضيعة، فما كان من هبى إلا أن استمهلت إلهام بعض الوقت تمضيه على شاطئ البحر:

ـــ نمضي المتبقي من شهر تموز وبداية شهر آب على البحر، ثم نذهب إلى الضيعة، فنكون استفدنا من البحر والجبل معاً.

ـــ لا مانع لدي، أجابت إلهام التي كانت تعلم جيداً ماذا يدور في ذهن هبى، وتابعت: «أنا ما عدت أحب البحر كالسابق، وإن أردتِ أذهب قبلك إلى الضيعة وتلتحقين بي حين تشبعين من أشعة الشمس وترين أن بشرتك اكتسبت اللون المناسب لإثارة غيرة بنات الضيعة».

امتعضت هبى من جواب إلهام وأجابت بلؤم: «أفهم أن عليك أن تحافظي على بشرتك من آثار أشعة الشمس لأنها بدأت بالترهل، أما أنا فما زلت أتحمّل، مع العلم أن ارتياد البحر ليس فقط لاكتساب السمرة الجميلة «البرونزاج»، بل هو رياضة صحّية بامتياز. ومع ذلك أطلب منك أسبوعاً واحداً ننتقل بعده معاً إلى الضيعة، لا أرغب في قطع كل المسافة بين بيروت والضيعة وحدي».

ـ أسبوع واحد فقط وإلا غيّرت رأيي وسافرت إلى خارج البلاد. وأنت تعلمين أن صديقي ينتظرني وسأطلب منه تأخير لقائنا إلى شهر أيلول، كل ذلك إكراماً لرغبتك في الاصطياف في الضيعة.

ـ أشكر كرمك، وهذا يعني أننا اتفقنا. والآن عليّ شراء المايو بسرعة، هيا رافقيني إلى السوق.

كانت إلهام تعرف أن هبى ستمرّ بكل المحلات وتجرّب كل أنواع المايوهات قبل أن تقرّر شراء الأجمل والأرقى والأغلى سعراً. وطلبت من هبى أن تستعملا سيارة إلهام للمهمة. وافقت هبى وصعدت إلى جانب إلهام في السيارة. فما كان من إلهام إلى أن توجهت مباشرة إلى متجر الـ أ.ب.س. في ضبية، أوقفت سيارتها أمامه وطلبت من هبى الترجّل:

ـ هنا تجدين كل طلباتك وكل الماركات التي تبحثين عنها، وأنا إن تعبت أستطيع الجلوس في المقهى وانتظارك.

كانت هبى تودّ الذهاب إلى المحلات المعروفة لهذا الغرض، لكنها قبلت بالأمر الواقع على مضض قائلة: «إذا لم أجد هنا غرضي تردّينني إلى البيت لأذهب في سيارتي حيث أشاء».

ـ كما تريدين، وهكذا أتحرر من اللفّ والدوران.

دخلتا المتجر وتوجهتا مباشرة إلى القطاع المخصّص للمايوهات وبدأتا باستعراض الموديلات، وظهر الاختلاف بينهما في الاختيار، إذ إن إلهام كانت تبحث عن المايوهات التي تكسو الجسد بشكل لائق، وهبى تبحث عن تلك التي تستّر الأقل ما يمكن من الجسد. جمعت هبى عدداً من هذه، وبدورها جمعت إلهام عدداً من تلك، وقبل أن

تبدأ هبى بتجريبها أتى تعليقها على الشكل التالي: «ألهذه الدرجة أمسيتِ تخجلين من شكل جسدك؟».

ــ لا أخجل، لكني بتُّ أرتاح بلباس هذه الموديلات أكثر، تماماً كما كنت أرتاح، سابقاً، بلباس مما اخترته أنت الآن.

ــ أما عدت تخافين من الرطوبة على المعدة كما كنت تدّعين حين كانت والدتك تطلب منك أن ترتدي المايو المفصّل من قطعة واحدة تكسو كل الجسد ما عدا جوار العنق والسيقان والسواعد؟

ــ كنت، في حينه، طاووساً متجولاً أركّز على الظاهر، أما الآن فما عدت آبه لهذه الطاووسية الفارغة وأصبحت أنفّذ قناعاتي الحقيقية، على الأقل كما أراها.

توقف الجدل وبدأت هبى بقياس المايوهات واحداً بعد الآخر وفي كل مرة كانت تخرج من غرفة القياس لتستعرض جسدها أمام إلهام والبائعة. إلهام كانت تقول رأيها بكل بساطة وصراحة، أما البائعة فكانت تشهق إعجاباً أمام كل قياس: «كأنه فصل لك، إنه جميل جداً». اختلفت الآراء وارتبكت هبى، فما كان من إلهام إلا أن قالت: «أنتظرك في المقهى. قرّري ما تشائين». هنا تدخّلت البائعة وسألت إلهام: «ألا تريدين شراء مايو لك أنت؟».

ــ لا زال عندي عشرات المايوهات وكلها جديدة، شكراً. قالت ذلك وانسحبت، وهي تسمع البائعة تقول: «كل سنة تتغيّر الموديلات والقديم، لو بقي غير مستعمل، يصبح عتيقاً، ما بيعود عالموضة».

توجّهت إلهام إلى الطابق الثاني حيث المقهى، دخلته، وبعد جلوسها

إلى إحدى الطاولات، طلبت القهوة وبدأت باحتسائها. وما هي إلا دقائق حتى وافتها هبى وهي تحمل كيساً بلاستيكياً. جلست بالقرب منها وفتحت الكيس لتخرج منه مجموعة من المايوهات التي اختارتها والتي، بالفعل، كانت تلك التي توقّعتها إلهام وهي الأكثر إثارة.

ــ مبروك، أتى تعليق إلهام من دون أن تضيف أي كلمة أخرى.

ــ مبروك، فقط، أليست هي الأجمل بين كل ما رأينا؟

ــ المهم أنها تعجبك، لكن لماذا كل هذا العدد؟

ــ للتغيير، أم أنك تتصورين أنني سأرتدي المايو إياه كل أيام الأسبوع؟

ــ لا طبعاً، اعذريني.

أمضتا بعض الوقت في المقهى وعادتا إلى بيتهما حيث فتحت إلهام التلفاز لمتابعة الأخبار فيما انهمكت هبى بتحضير عدّة البحر من مناشف وكريمات وزيوت وغيرها، استعداداً ليوم غد.

ــ سأجرّبه أمامك، قالت هبى وهي لا تزال في غرفتها.

لم تجبها إلهام، أو بالأحرى لم يكن لديها الوقت للإجابة لأن هبى قد انتصبت أمامها وهي ترتدي المايو الأسود والمرقط بدوائر صغيرة لحمية اللون توحي وكأن المايو مثقّب، يُظهر البدن من تحته. اختالت هبى أمام إلهام التي بدأت بالتصفير قبل أن تقول وهي تضحك: «غداً سيصفّر لك الجميع إعجاباً»، وتابعت، بلؤم: «لكن كان عليك أن تخضعي لجلسات من الـ«أل بي جي» أو ما يسمونه، أندرمو،

قبل موسم البحر لإزالة بعض السلوليت في فخذيك ومؤخرتك
و...».

ــ لماذا لم تنبّهيني سابقاً؟

ــ لم أفكر في الموضوع إلا الآن عندما رأيتك بالمايو، شبه عارية.

ــ على كل حال الأمر ليس مهماً، ألا تلاحظين أن أجساد بعض
النساء الشابات مليئة بالسلوليت؟

ــ ألاحظ، لكن السلوليت يزداد مع العمر عند الإنسى. هذا ما
حصل معك ولا ترغبين في الاعتراف به.

ــ ألاحظ أيضاً أن التقدم في العمر بدأ يرعبك.

ــ ربما، لكني لا أرفضه.

ــ أما أنا فأرفضه وسأستمر في رفضه وسأقاومه بشتى الطرق وهذا،
مع تقدم العلم، أصبح ممكناً.

ــ ممتاز، وأنا سيكون أمامي حقل تجارب مجاني.

ــ فكري كما تشائين، المهم أنني أذهب غداً إلى البحر، لن أضيّع
الوقت.

دخلت هبى غرفتها، وقبل أن تخلد إلى النوم استكملت تجهيز
جسدها منتزعة الشعيرات في أعلى فخذيها والتي يظهرها المايو.
مضى الليل واستفاقت هبى باكراً، شربت قهوتها، استحمت
وتبرّجت كعادتها وجلست تقرأ بانتظار إلهام التي كانت لا زالت

نائمة على غير عادتها. وحين ضاق صبرها قرعت باب غرفة إلهام وهي تناديها: «هيا استيقظي لقد تأخرنا». قالت ذلك وفتحت الباب وإذ بإلهام جالسة أمام الحاسوب، تقرأ الجرائد.

ـ أما سمعت الأخبار البارحة مساءً؟ وهل من جديد في الصحف اليوم؟

ـ تعرفين أنني أبحث، في الصحف، عن الصفحات الثقافية أكثر من الصفحات السياسية.

ـ وهل ما زلت تجدين مادة تُقرأ في هذه الصفحات؟

ـ أحياناً. أما أنت فهل تذهبين إلى البحر أم إلى حفلة؟ لماذا كل هذا التبرج والتأنق؟

لم تجب هبى عن سؤال إلهام، خرجت من الغرفة وهي تقول: «لا تتأخري، أنا أنتظرك».

توجهتا إلى البحر، إلى الحمّام العسكري، حيث اعتادتا الذهاب، دخلتا الكابين وارتدتا المايوهات وخرجتا تبحثان عن مكان مناسب لهما. خرجت إلهام بلباس السباحة فقط، بينما خرجت هبى وهي تربط على خصرها «الباريو» وهو نوع من شال شفاف يخفي الأرداف والقسم الأعلى من السيقان ولم تنزعه عنها إلا حين تمدّدتا وبدأتا بدهن جسديهما بالزيوت. بعد أن تقلّبتا مدة نصف ساعة تحت أشعة الشمس قالت إلهام: «حان وقت النزول إلى الماء، انشوينا». وافقت هبى وانتصبت، رفعت شعرها وثبّتته في أعلى رأسها، لبست الـ«سابو» الخشبي العالي جداً ثم أمسكت بالباريو ولفّته على خصرها ولم ترفعه عنها إلا حين وصلتا إلى الشاطئ ،

حيث رمته على الرمل ونزلت في الماء حيث كانت إلهام قد سبقتها. سبحتا وتحادثتا ومكثتا في الماء أكثر من نصف ساعة وهبى ترفض بشكل قاطع أن تبلّل وجهها أو شعرها. وما أن خرجتا من الماء حتى ربطت، من جديد الباريو على خصرها.

حين تمدّدتا من جديد على كرسيهما قالت إلهام: «ما نفع السباحة والبحر إن لم يكونا للاسترخاء والتمتّع؟».

ـ وهذا ما نفعله.

ـ هذا ما أفعله أنا، وقد استمتعت فعلاً بالنوم على ظهري في الماء وبالسباحة بكل ارتياح، بينما أنت كنت مصرّة على إبعاد الماء عن وجهك وشعرك وهو أمر يتعب السابح جداً، كل ذلك كي لا تتغيّر صورتك التي رسمتها قبل خروجنا من البيت.

ـ جئت إلى البحر من أجل الشمس لا من أجله هو، فاستمتعي أنت به واتركيني أستمتع أنا بها.

ـ ما هذا التناقض؟ ألم أسمع منك البارحة أن البحر هو رياضة وليس فقط «للبرونزاج»؟

ـ لا تعليق.

صمتتا وغرقتا كل واحدة في ذاتها، لكن كل واحدة منها كانت تفكر بالأخرى؛ هبى تحسد إلهام على تقبّلها لذاتها ولتغيرات جسدها، وإلهام تتساءل عن عناد هبى ورفضها لتحولات جسدها مع مرور الزمن، لكنها تابعت بصوت مرتفع: «تصطفل، لكل منا قناعاته».

ـــ ماذا تقولين؟

ـــ لا شيء.

ـــ أما أنا فقد فكّرت بما قلته وسترين أنني، في الموسم الثاني سأكون مرتاحة مثلك وأكثر.

ـــ ولماذا انتظار الموسم الثاني؟ لماذا لا تتمتّعين الآن، من يمنعك؟

ـــ السنة القادمة سأبدأ بجلسات «الأندرمو» باكراً لكي أتخلّص من كل السلوليت ، ثم سأقوم بوشم حاجبي وعيني كي تظلا مكحلتين دائماً وسأقوم بوشم شفتيّ كي تظلا كأنهما مرسومتان دائماً، وهكذا سأظهر كما ينبغي ولن أعود بحاجة إلى الحذر من الماء أو غيره.

ـــ ليس المهم أن تظهري كما ينبغي، بل أن تكوني كما ينبغي.

ـــ سأكون، لأن تغيير المظهر يؤثّر في النفسية.

ـــ والعكس صحيح، لا بل هو الأصح، لأنك إن قبلت ذاتك قبلك الآخرون وإن رفضت ذاتك، رفضك الآخرون. وأنت بتغيير شكلك وملامحك تخضعين لمعايير الآخرين لا...

ـــ لا تتابعي فأنا لا أخضع إلا لمعاييري وقناعاتي.

ـــ وهي معايير وقناعات متقلّبة يفرضها الخارج لا الداخل.

ـــ يفرضها التطور، يا سيدتي.

ـــ تماماً، وهو تطور فرض الصورة مكان الأصل وجعل منها القيمة الوحيدة وبخاصة عند النساء أمثالك.

ـ كل النساء هن أمثالي، لكن منهن من يستطعن مواكبة التطور ويتجرّأن عليه، وإمكاناتهن المادّية تسمح بذلك، أما النساء أمثالك، المتشبّثات بالأصل على حساب الصورة، فهن إما عاجزات مادياً أو جبانات غير قادرات على تقبّل فكرة التغيير.

ـ لا أريد أن أسرق منك الوهم، افعلي ما يحلو لك، لكني مصرّة على تنبيهك إلى أن التشبث بشباب المظهر لا يلغي أثر الزمن على خلايا جسدك وكل أعضائه ولا أثره على جهازك العصبي وغيره وتداعيات هذه الآثار على كل حياتك.

ـ اهتمي أنت بصحتك واتركيني أهتم بمظهري. لكن أين ذهبت كل نرجسيتك؟

ـ النرجسية الحقيقية هي أن يقبل المرء ذاته كما هي، وأنا لم أتخلّ يوماً عن نرجسيتي. أما أنت، فألاحظ أنك بدأت بالتخلي عنها.

ـ كيف ذلك وأنا المصرة على أن أبدو بأجمل صورة؟

ـ وهذا تماماً هو الفارق بين النرجسي والاستعراضي.

ـ ماذا تقصدين، سيدتي المتفلسفة؟

ـ تفهمين ماذا أقصد. وإن تجاهلت فهمك فسأوضح الأمر وهو بسيط جداً؛ مرآة النرجسي الحقيقي هي تلك المرآة التي تعكس صورته كما هي في الواقع، بينما مرآة الاستعراضي هي عيون الآخرين. ولهذا السبب يقبل النرجسي صورته، بينما يظل الاستعراضي يلهث وراء استرضاء الآخر متوهّماً أنه يرضي ذاته.

صمتت هبى للحظة، ظنت إلهام خلالها أنها اقتنعت بما قالته لها،

لكن سرعان ما انتفضت وقالت: «نظّري كما تشائين، أما أنا فسأحافظ على صورتي الجميلة، حتى ولو أغاظك ذلك».

ــ لا يغيظني الأمر، فقط أعبّر عن رأيي ببساطة.

ــ تقصدين بلؤم.

ضحكت إلهام، ولأنها لا تريد خلافاً مع هبى حاولت تغيير الموضوع. نظرت إلى ساعة يدها وقالت: «إنها الساعة الثانية وأنا بدأت أتضوّر جوعاً، ما رأيك بأن نتناول الغداء؟».

ــ تعرفين أنني لا أرغب في الأكل حين أكون على البحر.

ــ أعرف ذلك وأعرف لماذا. أما أنا فسأتناول الغداء وسأسبقك إلى البيت.

ــ دعينا نحتسي البيرة قبل ذهابك.

توجهتا إلى المقهى البحري وقبل وصولهما سمعتا من يقول بصوت مرتفع: «يا أرض احفظي ما عليك، لقد نوّرت الدنيا». نظرتا إلى ناحية الصوت وإذ بالدكتور هاشم يفتح ذراعيه ويتقدّم نحوهما ضاحكاً وهو يقول: «أهلاً بالدكتورة إلهام، لقد اشتاق البحر إلى إطلالتك». ثم نظر إلى هبى وأردف: «من هي هذه الصبية الجميلة معك؟».

ــ إنها الدكتورة هبى، ثم توجّهت إلى هبى وقالت: إنه الدكتور هاشم الرئيس الأسبق للجامعة وناديه الريس.

بعد السلام وتبادل القبل والمجاملات دعاهما إلى طاولته. لبّتا الدعوة

وجلستا معه وهو يكيل المديح لإلهام وصديقتها. وهبى التي أنعشها تسميتها بالصبية، زادت رقّة ودلالاً بحيث جذبت كل انتباه الريس الذي ما أن تحدّث قليلاً مع إلهام في أمور الجامعة، حتى غيّر الموضوع وعاد إلى المديح وحتى قول بعض الشعر، لكن هذه المرة بهبى التي نفشت ريشها واستعادت كل وجودها كما تريده.

شعرت إلهام بأنها همّشتْ، فما كان منها إلا أن أكملت كأس البيرة بصمت ثم اعتذرت منهما وانسحبت. أما الريس الذي استفرد بهبى، فأراد أن يطيل الجلسة معها، فما كان أمامه إلا أن يسألها إن كانت تجيد لعب النرد. وما أن أجابت بنعم حتى أشار للنادل بأن يقترب وطلب منه أن يأتيهما بطاولة النرد، وبدأ اللعب الذي مارست فيه هبى كل غنجها ودلالها ومارس الريس فيه كل ذكورته المعجبة ولو كان بشكل بريء لا يتخطى اللفظ.

عادت إلهام إلى البيت حيث تناولت الغداء قبل أن تدخل غرفتها لتستريح. لكن قبل دخولها الغرفة، استوقفتها لأسأل:

ـ هل استأت من اهتمام الريس بهبى وتجاهله لك بعد أن كان كل اهتمامه، في البداية موجهاً نحوك؟

ـ لا، لأنني أعرف أن كل اهتمامه بي، لم يكن إلا للوصول إلى هبى، لقد اعتدت هذه اللعبة من الرجال وبخاصة بعد أن يكونوا قد وصلوا إلى سن معينة.

ـ تقصدين أنهم لا يهتمون إلا بالأنثى فقط؟

ـ يهتمون بالمرأة تحديداً، لا بالإنسى، لأن هاجسهم يصبح المحافظة على ذكورتهم، التي، مع تقدّم العمر، تتحول إلى محور حياتهم.

— لكنها مع تقدم العمر تتضاءل.

— لهذا السبب يتمسّكون بما بقي منها، لأنها عند البعض هي علة وجوده.

— تقولين «عند البعض» وهو أمر صحيح، لكن ألا ينسحب الأمر على النساء أيضاً؟

— بالطبع، ولقد رأيتِ كم استمتعتْ هبى بإطراء الريس، ولهذا السبب انسحبتُ كي أفسح لها في المجال لتشبع ما من أجله ذهبت إلى البحر. والآن اتركيني أستريح قبل عودتها، لأنني أتوقّع منها الكثير من الكلام.

عادت هبى بعد غروب الشمس، وبالفعل، كان في جعبتها الكثير من الأخبار. فما أن وصلت إلى البيت وقد خلّفت الشمس أثرها على كل أنحاء جسدها حتى بدأت بالكلام:

— ليتك بقيت معي، لقد أتى، بعد انسحابك، رشيد برفقة من تسمينه في السير الثلاث عيسى، وكانت جلسة جميلة.

— وقد تغزلا بك وأشبعاك غروراً.

— رشيد فعل، أما موسى أو إن أردت عيسى، فهو كما تعرفينه يأتي الأمور مواربة وبالتلميح، لكني أفضّل هذه الطريقة التي تخلق نوعاً من التواطؤ الخفي بينه وبين الآخر.

— أعرف طريقته وأعرف أنه لا زال معجباً بك، أقرأ ذلك في عينيه حتى ولو حاول إخفاء ذلك.

ــ ثم أتت صديقتك الجميلة وسألتني عنك. صمتت هبى قليلاً ثم
قالت وهي تضحك: كلما التقيت هذه الصديقة وأكون برفقة
موسى، أذكر كيف كان اللقاء الأول بينهما حين سألت: من يكون
الأستاذ؟ طالبة مني أن أعرفها إليه.

ــ أن تعرّفيها إلى من؟

ــ إلى موسى، ألا تذكرين؟

ضحكت إلهام بدورها وقالت: الآن عرفت من تقصدين بصديقتي
الجميلة، بالطلع أذكر جيداً. وحين أخبرت إحدى الصديقات
تعجّبت وسألت: هل صحيح ما تقولينه؟

ــ بكل تأكيد وما الغريب في الأمر؟ أجبتها.

ــ الغريب في الأمر هو تجاهل صديقتك لموسى وهي كانت قد
سبقتكما، أنت وهبى إلى التعرف إليه، بزمن طويل، لقد التقيا في
باريس قبل أن يعود موسى إلى لبنان وقبل أن تلتقيا أنتما به. وهو،
ما كان موقفه؟

ــ لم ألاحظ شيئاً محدداً وقد تصرّف كأنه لا يعرفها وهي قالت
له: «تشرفنا دكتور موسى، نسمع عنك الكثير من دون أن نعرفك».
أجبتها.

ــ وبماذا أجابها هو؟ سألتني.

ــ لم أنتبه إلى ما قال، أجبتها، وأتى تعليقها: «ممثّلان بارعان».

ــ ألم تخبرك لماذا وصفتهما بالممثلين؟ سألت هبى.

ــ سألتها فلم تخبرني. لكن المهم هو كيف أمضيت بقية نهارك على البحر؟

ــ أمضينا وقتاً ممتعاً وقد تشعّبت الأحاديث في كل الاتجاهات، فكان منها الجدي ومنها المسلّي والمضحك.

ــ طبعاً، الأحاديث الجدية هي مطلب صديقتنا العزيزة.

ــ إنها دائماً مستنفرة للنقاش.

ــ المهم أنك استمتعتِ بنهارك وهذا هو المطلوب.

ــ استمتعت بالفعل، وسأداوم على الذهاب إلى المسبح طوال أسبوع أو عشرة أيام قبل أن نذهب إلى الضيعة. لكن، بربك أخبريني لماذا استاءت هذه الصديقة منك بعد كتابتك للسيرة الأولى «إلى هبى»؟

ــ أما زلت تذكرين موقفها ذاك؟ لقد خاصمتني واتهمتني بأنني كذبتُ على لسانها في الرواية /السيرة.

ــ لكنك لم تذكري اسمها على ما أعتقد.

ــ بالتأكيد لم أذكره، لكنها تصرّفت كأنها هي المقصودة، بينما من كان يحقّ لها أن تستاء، لم تفعل، إما مكابرة أو ذكاءً، وكلاهما جيد، وإما أنها لا تخجل مما تقوم به حتى ولو أعلن، وهذا أيضاً أكثر من جيد.

ــ أم زالتا صديقتين؟

ــ لا أعرف الآن ما هي علاقتهما ولا أتابع الموضوع لأنه لا

يعنيني، لكني أسمع من بعض الصديقات أنهما تتقاربان وتتباعدان بشكل مستمر.

ــ وأنا أيضاً لا أهتم للموضوع. لكن لماذا ادّعت، في حينه، أنها لا تعرف موسى؟ ولماذا هو لم يعترض؟

ــ أعرف السبب، لكني لن أقول لك الحقيقة، ربما قالها لك، يوماً ما، أحد الأصدقاء أو إحدى الصديقات.

ــ سأسألها غداً إذا التقيت بها.

ــ ستنكر، وأنت ما هو دليلك على العكس؟ تعقّلي وارمي من وراء ظهرك كل هذه الأمور التافهة واستمتعي بالشمس والبحر وحقّقي «البرونزاج» الذي تبتغينه بسرعة كي نرحل من هذا الحر إلى الضيعة لنتمتّع بما نحن محرومتان منه هنا ها، قد شارف شهر تموز على النهاية، وأبلّغك الآن أنني لن أبقى يوماً واحداً هنا بعد نهاية الشهر.

ــ لا تهدّديني، فأنا مَن يريد ذلك.

ــ هذا هو المهم، انسي كل الأمور التافهة. أما الآن فلنرتح ونسمع أخبار هذا البلد.

أدارت إلهام التلفاز ودخلت هبى إلى غرفتها.

5

في اليوم الأخير من موسم البحر كما حدّدته إلهام، وقبل عودتها إلى البيت، مرّت هبى ببعض المتاجر وابتاعت كل ما اعتقدت أنها ستحتاج إليه في الضيعة. وصلت إلى البيت حيث كانت إلهام قد وضّبت كل أمتعتها في حقيبتها. وصلت هبى ورمت في أرض الصالون كل ما ابتاعته. نظرت إلهام إلى ما نُثر أمامها ولم تعلّق.

ـ ربما احتجنا إليها في الضيعة. قالت هبى.

ـ ربما، لكن عليك الآن أن توضّبي أمتعتك هذه الليلة كي نغادر غداً باكراً قبل أن يشتد الحر.

انهمكت هبى في ترتيب أغراضها وجلست إلهام، قبالتها، تقرأ في أحد الكتب. لكن سرعان ما أغلقت الكتاب وراحت تفكّر، وهي تراقب تحركات هبى المتوترة. وما هو إلا وقت قصير حتى توقّفت

هبى عن العمل وقالت:

ــ نغادر باكراً؟ قبل أن يفتح الكوافير.

ــ أكيد وإلا تأخرنا، وأنت تعلمين طول المسافة.

ــ إذاً سأذهب الآن إلى الحلاق وأكمل ترتيب الأغراض لاحقاً.

ــ كما تريدين. أما أنا فقد جهّزت كل شيء. هل تريدين أن أرتّب أغراضك في غيابك؟

ــ لا، أرجوك، أنا سأفعل.

غادرت هبى وغرقت إلهام في التفكير بما ستجده هبى في الضيعة، بعد طول غياب. فإلهام كانت تتردّد على الضيعة خلال السنين الماضية وكانت تعلم أن كل شيء تغير إن كان ذلك على الصعيد الذاتي أو على الصعيد العام وهي لم توافق هبى على طلبها الذهاب إلى الضيعة إلا من أجل أن تكتشف هبى بذاتها كل التغيّرات.

عادت هبى بعد غياب أكثر من ساعة، عادت وشعرها مسرّح ومرفوع بشكل «شينيون» كأنها ذاهبة إلى حفلة أو سهرة أو... ذلك الشينيون الذي كانت تعرف به في الضيعة والذي كان يميّزها عن كل بناتها وسيداتها.

ــ كيف ستنامين هذه الليلة، ألا تخافين أن يخرب هذا الشينيون الجميل؟

ــ سأنام على جانبي ولن أستلقي على ظهري، وهكذا أحافظ على تسريحتي، أنا معتادة على ذلك.

ـ وأنا أيضاً كنت معتادة على ذلك، أما الآن فما عدت أكترث، وأفضل النوم المريح على جمال التسريحة.

ـ أنت لست أنا، افعلي ما يريحك واتركيني، أم أنك اعتدت أن تحشري أنفك في كل شيء؟

صمتت إلهام واستمرّت تراقب هبى وهي ترتب حقيبتها؛ راقبتها وهي ترصف ثياب النوم أولاً ثم تمدّد فوقها العباءات المطرّزة الجميلة ثم أدوات تصفيف الشعر والتبرج وتوابعهما، وأخيراً رمت فوقها عدداً كبيراً من الأكياس البلاستيكية التي يغلّف كل منها حذاءً أو حقيبة يد. وما أن انتهت من حشر كل تلك الأمتعة حتى باشرت بإقفال الحقيبة وهي تقول: «انتهينا».

ـ وأين الثياب؟ سألتها إلهام.

ـ الثياب تبقى بتعاليقها وسأمدّدها على المقعد الخلفي في السيارة كي لا تتجعّد ونضطر إلى كويها عند وصولنا. أما الآن فاتركيني أجهّزها.

تركتها إلهام وتابعت نشرة الأخبار الأخيرة على التلفاز قبل أن تنتقل إلى غرفتها لتخلد إلى النوم الذي سبقتْها إليه هبى بعد أن أخرجت من الخزانة كل أثوابها الجميلة والتي تعتقد أنها ستظهرها أرقى وأكثر حداثة من كل نساء الضيعة. وصبيحة اليوم الثاني أفاقتا باكراً كما اتفقتا وأسرعتا في تناول القهوة. وما أن جهزتا حتى قالت هبى: «نستقل سيارتي أنا، إنها أكبر من سيارتك وتؤمّن لنا الراحة خلال هذا المشوار الطويل».

فهمت إلهام قصد هبى من ذلك الطلب ووافقت من دون اعتراض،

لا بل رحّبت بالأمر وقالت: «هكذا توفّرين علي عناء القيادة». وما أن باشرتا في ترتيب أغراضهما في السيارة حتى فوجئت إلهام بكومة الثياب التي ألقتها هبى على المقعد الخلفي.

ـ لماذا كل هذه الثياب؟

ـ لأننا سنمضي وقتاً طويلاً في الضيعة.

ـ أرجو ذلك. كان تعليق إلهام قبل أن تستقلا السيارة، سيارة المارسيدس أم عيون السوداء وتباشرا الرحلة.

انطلقتا صعوداً نحو الحازمية ومنها إلى عاليه وبحمدون وقطعتا ظهر البيدر وأطلّتا على سهل البقاع الذي لا زال يمنحهما انتعاشة خاصة.

ـ ما أجمل هذا السهل! قالت هبى، الآن أشعر أنني خرجت من المدينة. الآن وفي هذه اللحظة بدأت العطلة الفعلية.

ـ أوافقك الرأي، فأنا كلما أطللت على سهل البقاع، دخلت في أجواء جديدة وبدأت أشعر بالاسترخاء والراحة. رحابة هذا السهل تسمح للروح بالانفلات من كل القيود وبالتمدّد وسع حاجتها والتمتّع بالسكينة التي تحرم منها في أجواء بيروت الضيقة.

وصلتا إلى شتورة، فأوقفت هبى السيارة أمام متجر كبير وقالت:

ـ نستريح قليلاٍ، نتناول القهوة ونشتري بعض الألبان والأجبان وبعض الحلوى وغيره.

تعرف إلهام أنهما ليستا بحاجة إلى التموين كما في السابق لأن كل السلع أصبحت متوافرة في الضيعة، لكنها لم تمانع، ترجّلت من

السيارة وتبعت هبى التي سبقتها إلى داخل المتجر.

ــ نشرب القهوة أولاً ثم نبتاع ما نريد. قالت هبى.

ــ ما رأيك لو طلبنا عروسة من اللبنة مع الزيت والنعناع اليابس قبل القهوة.

ــ لقد اقتربنا من الظهر وأنا أودّ أن نتناول الغداء في بعلبك في مطعم العجمي حيث كنا نأكل مع والدي كلما صعدنا إلى الضيعة، ما رأيك في الموضوع؟

كانت إلهام تفضّل عروسة اللبنة، لكنها وافقت على اقتراح هبى واكتفتا بشرب القهوة فقط.

كانت هبى تقود السيارة وتعبّر عن مشاعرها وتقول، إنها بقيت هي هي منذ الصغر: «أتخيّل نفسي الآن طفلة في سيارة والدي الجيب ونحن نتوجّه إلى الضيعة في بداية كل صيف. كم مرَّ من السنين على ذلك من دون أن تتغيّر أحاسيسي».

قطعتا مسافة طويلة وهبى تتحدّث عن ذكرياتها، وفجأة عادت إلى الواقع وسألت:

ــ ألم يعد من فواصل بين القرى والبلدات على هذه الطريق؟ ما عاد المرء يعرف متى يدخل مكاناً ما ومتى يخرج منه، أين المساحات الواسعة الخضراء التي كانت تمتدّ على جانبي الطريق؟

ــ قسم كبير منها لا زال موجوداً، لكنه أصبح خلف البيوت التي يصرّ أصحابها على بنائها على حافة الطريق كأنهم، بذلك، يعبّرون عن رغبتهم، الخاطئة حتماً، بالاقتراب من الحضارة والمدنية. يعتقدون

أن اقترابهم من الطريق العامة يدنيهم من الحياة والحيوية.

ــ هل الحياة والحيوية هما الضجيج؟

ــ ما دامت الدولة لم تشقّ لهم الطرقات إلى قراهم، أتوا، هم، إلى الطرقات التي تمدّها الدولة وهي لا تهتم، وإن اهتمّت فبالطرقات الدولية الرئيسية فقط.

بلغتا مفرق بعلبك وكانت إلهام تودّ إقناع هبى بعدم المرور بالمطعم لكنها آثرت الصمت وامتثلت لرغبة هبى التي لم تطلب رأيها من جديد، بل دخلت المدينة من دون تردّد. لكن ما أن قطعت مسافة قصيرة حتى ضيّعت البوصلة وما عادت تعرف كيف تتوجّه. استنجدت بإلهام وخاب أملها لأن إلهام لا تملك «حاسة التوجه الجغرافي» كما تقول عن نفسها وتعلّق على ذلك بالقول «إن عدم امتلاك هذه الحاسة هو ميزة إنسوية».

ــ وهل الوقت الآن هو للتفلسف؟ أنا جائعة ولا أريد الطعام إلا في المطعم الذي أبحث عنه.

أوقفت هبى السيارة إلى جانب الطريق وسألت أحد المارة عن مكان المطعم. استدلّت وتابعت سيرها إلى أن وصلت إلى الشارع المقصود، لكنها لم تجد مكاناً لإيقاف سيارتها.

ــ ما هذه العجقة؟ كنا نصل إلى المكان ويوقف والدي السيارة أمام باب المطعم ولا أحد يزعجنا.

لكنها أصرّت على تنفيذ مأربها فقامت بدورتين في الشارع قبل أن تجد مكاناً للسيارة. أوقفتها وتوجهتا سيراً على الأقدام إلى المطعم.

كان الشارع مكتظّاً بالناس من كل الأعمار وإلى جانبيه المحال التجارية المتنوّعة حيث تعرض السلع في واجهات زجاجية.

ـ كم تغيّرت المدينة! قالت هبى، كل هذه المحلات جديدة.

ـ تغير الكثير وبقي الكثير أيضاً على حاله، ونحن أيضاً تغيرنا ولهذا السبب نجد أن الثابت أيضاً تغير.

لم تفهم هبى ما تقصده إلهام إلا حين دخلتا المطعم وجلستا إلى إحدى الطاولات.

ـ هل هذا هو المطعم؟ سألت هبى.

ـ هو ذاته، فلا يزال كما كان منذ عشرين أو ثلاثين سنة؛ الطاولات الرخامية نفسها والكراسي الحديدية نفسها وبلاط الأرض المنقوش هو هو.

ـ الستائر تغيّرت.

ـ طبعاً لكن النوافذ بقيت على حالها. وهناك تغيير مهم، فهل لاحظته؟

ـ أرى أن كل شيء قد تغير، فما عاد المكان الذي في ذاكرتي.

ـ ما علق في ذاكرتك هو إحساس بالمكان لا المكان بحد ذاته.

ـ لا أدري ما الذي تغيّر بالفعل لكنني أشعر أنني لست في المكان الذي كنت أقصده.

ـ لكنك لم تجيبيني عن التغيير المهم الذي سألتك عنه.

ــ لا أجد شيئاً محدّداً.

ــ انظري إلى منتصف الطاولة.

ــ إنه إبريق للماء.

ــ وهل هو الإبريق الذي كنا نشرب منه؟

ــ لا! الإبريق الذي كنا نشرب منه كان من الفخار المزركش وهو الآن من الزجاج.

ــ وبناءً عليه سنطلب زجاجة ماء معدنية احتجاجاً على هذا التغيير.

قبل أن تطلبا الطعام، توجهتا إلى الحمام لغسل الأيدي وقضاء الحاجة، وهنا ظهر التغيير الذي لم تستطع هبى إلا ملاحظته باندهاش:

ــ ما هذا الانقلاب! مغاسل من البورسلين الأبيض ومناشف من الورق وتقسيم في المكان بين سيدات ورجال! و...

ــ هل كنتِ تتوقّعين أن تظلّ الحمامات كما كانت والدنيا كلها تغيرت؟

ــ ألم تلاحظي أن الحمّامات في بعض الريف الفرنسي لا تزال كحمّامات هذا المطعم القديمة وقد علّقتِ على الموضوع مراراً في إحدى السير التي كتبتها عني؟

ــ لم أنتبه إلى ذلك. ربما فكّرت في الموضوع ولم أعبّر عنه بالكلام، وتابعت فكرتها متوجهة إلي بصمت: «لكن أنت كراوية

كان عليك أن تلتقطي كل ما أفكّر به حتى ولو لم أفصح عنه». لكن هبى تابعت:

ـ دعينا من السيَر ولنعد إلى الصالة ونطلب الطعام.

خرجتا من الحمام وإذ بصاحب المطعم ينتظرهما بالقرب من الطاولة التي اختارتاها. رحّب بهما وسألهما ماذا تريدان.

ـ ما هو الطبق اليومي؟ سألت هبى.

ـ كوسا محشي ومطبوخ باللبن.

ـ أرغب في ذلك.

ـ وأنت سيدتي؟ سأل صاحب المطعم، متوجهاً إلى إلهام.

ـ أنا أرغب في أكل الكفتة المشوية مع السلطة.

لم يسألهما عن الشراب كما في مطاعم بيروت، لكن إلهام طلبت زجاجة من المياه العدنية.

ـ كأن الزمن لم يمّر على هذا المطعم وأصحابه، قالت هبى.

ـ صحيح، إن الابن صورة عن أبيه.

ـ لكن والده كان أكثر مجاملة. أذكر أنه كان يرحّب بنا أكثر ثم يمضي وقتاً طويلاً وهو يتحدث مع والدي.

ـ كان يعرفه جيداً ويستفيد من مجيئه إلى هنا ليسأله عن كيفية معالجة الضغط والسكري و... أما الابن فلا يعرفنا وهو يقوم

بواجباته كما مع كل الزبائن.

أتى الطعام والبخار يتصاعد منه. «الرائحة شهية، أعادتني إلى جانب والدي ووالدتي وإخوتي، إنها الرائحة نفسها التي تعود إلى أنفي كلما تذكّرت هذا المطعم. الآن فقط أشعر أن لا شيء تغير». قالت هبى.

ـ «سوى نحن».

لم تسمع هبى ما علّقت به إلهام همساً وباشرتا بتناول الطعام. وما أن التهمت هبى قسماً من الكوسا حتى نظرت إلى إلهام تسألها:

ـ هل الكفتة لذيذة؟

ـ لا بأس، وأنت كيف حال الكوسا معك؟

ـ لا أدري إن كان طعمه كالماضي أم أنني ما عدت أحب هذا الطعم.

ـ أعتقد أنه محافظ على طعمه، لكننا نسينا طعم السمنة الحموية التي ما عدنا ندخلها إلى مطابخنا. ونسينا طعم لبن الغنم منذ أن اعتدنا على اللبن المصنع في العلب البلاستيكية والخالي من الدسم.

ـ والكفتة؟

ـ إنها لذيذة، بالضبط لأنها دسمة، لكن علي التهامها بسرعة قبل أن تبرد وتعلق دهونها على لساني.

تابعت هبى الطعام بغير شهية، ثم توقّفت وسألت ألهام:

ـ هل صحيح أنني كنت أستطيب هذا النوع من الطعام؟ كل ما أذكره هو أنني كنت أحب هذا المطعم وأطباقه، لكنني ما عدت أذكر طعم هذه الأطباق. فإن كان طعمها كما هو الآن أتساءل لماذا أحببتها، فهي ليست كما توقّعت.

ـ الذوق يُهذَّب كأية حاسة أخرى. لقد أمضينا سنين طويلة نتجنّب كل أنواع الأطباق الدسمة لنحافظ على رشاقتنا وجمال أجسادنا، وهكذا عودنا مذاقنا على نوعية معينة من الطعام وهي نوعية تختلف كلياً عما نأكله الآن. هيا انظري إلى الكفتة بعد أن بردت وتجمّد الدهن، لا يمكن بلعها.

ـ فلنطلب الحساب ونرحل. لكن انتظري، ما رأيك إن طلبنا القشطة بالعسل؟

ـ كما تريدين، لكن تعلمين جيداً أن القشطة هي دسم صافٍ.

ـ أعلم ومع ذلك سأطلبها لأن طعمها لا يزال عالقاً تحت طرف لساني، وكلما تذكّرت هذا المطعم، تذكرت بالتحديد هذه القشطة ومعها رغيف خبز التنور الساخن.

قدّم لهما صاحب المطعم صحناً من القشطة السابحة في العسل الداكن. «تبدو لذيذة. قالت هبى، لكن أين خبز التنور؟».

ـ لقد تبخّر وحلّ مكانه هذا الخبز المقيت الذي لا نعلم ما هي مكوناته بالتحديد.

ـ فلنحاول على كل حال.

أمسكت هبى بملعقة صغيرة وتناولت قليلاً من القشطة المغمورة

بالعسل وفعلت إلهام مثلها. وبعد التذوّق قالت هبى: «لا القشطة قشطة ولا العسل عسل».

ــ صحيح، القشطة اليوم هي كناية عن حليب ممزوج بلب الخبز الإفرنجي، أما العسل فهو نوع من القطر تضاف إليه اصطناعياً نكهة العسل.

ــ ليتني لم أمرّ بهذا المطعم واكتفيت بذاكرتي عنه.

ــ للذاكرة أعمار كما للإنسان. وذاكرتك عن هذا المطعم هي الآن ذاكرتان؛ واحدة لعمر الصبا وواحدة لعمر النضج، والمهم أن لا تلغي إحداهما الأخرى.

ــ بدأت أشعر بانزعاج في معدتي، سأتناول الدواء الذي يساعد على الهضم قبل أن نعود إلى السيارة لمتابعة مشوارنا إلى الضيعة.

ــ أنا أيضاً سأفعل مثلك.

ــ أنت أيضاً منزعجة؟ كنا نستمتع بهذا النوع من الطعام ونهضمه بكل سهولة، ما الذي جرى؟

ــ الذي جرى هو أننا نرفض تحولاتنا، نعتقد أننا ما زلنا في مرحلة الشباب ونسلك على هذا الأساس بينما الواقع مختلف جداً.

ــ أنا ما زلت شابة وأرفض كل تحليلاتك. أما ما يحدث فهو أننا عوّدنا معدتنا على نمط معين من الطعام الخفيف، هذا كل ما في الأمر.

ــ لا أريد مجادلتك في الموضوع، أعرف رأيك جيداً. هيا ابتلعي

حبة الدواء ولنرحل.

استقلتنا السيارة من جديد وتوجهتا نحو الطريق الدولية بعد مرورهما بالقرب من القلعة. «الثابت الوحيد في المدينة هو هذه القلعة العصية على كل التقلبات». قالت هبى.

ـ لأن الحجر يهرم ببطء كبير لا تلحظه حياة إنسان واحد ولا حتى حيوات أجيال. لكن إن زرتها اليوم بعد طول غياب تلاحظين تغيراً ما لأنك أنت تغيّرت.

ـ ما بك تصرّين دائماً على تغيري؟ الكل يقول لي العكس، أما سمعت تلك السيدة التي، حين رأتني بعد سنين عديدة، قالت: «إن السنين تمرّ بالقرب من هبى ولا تمرّ عبرها».

ـ إطراء جميل وبخاصة إن أتى من سيدة، لكن...

ـ لا تتابعي أنا أيضاً أعرف رأيك.

6

خرجتا من مدينة بعلبك وحين بلغتا الطريق الدولية، قالت إلهام: «عليك أن تخفّفي السرعة وتنتبهي لأن الطريق مليئة بالحفر التي لا تظهر من بعيد». خفّفت هبى سرعة السيارة وانطلقتا باتجاه الضيعة التي تبعد نحو أربعين كيلو متراً عن بعلبك وهي مسافة، وإن كانت قصيرة نسبياً، غير أنها مضنية بسبب وعورة الطريق.

ـ أعرف أن التغير يكون عادة، في مجال العمران، نحو الأفضل، وما ألاحظه هنا أن التغير تمّ نحو الأسوأ. فهذه الطريق كانت أفضل مما هي عليه الآن. يشعر المرء وهو يعبرها أنه أصبح خارج لبنان، كأننا أصبحنا في بلد آخر.

ـ هيا انتبهي، صرخت إلهام الحفرة، كبيرة جداً، خذي أقصى اليمين لتلافيها وإلا تعطّلت السيارة.

انحرفت هبى بالسيارة نحو اليمين مخفّفة السرعة إلى أقصى درجة واستطاعت المرور وهي تشتم الدولة وكل القيّمين عليها. واستمرت الحال على ما هي عليه إلى أن اقتربتا من مفرق الضيعة.

ــ وأخيراً، وصلنا قالت إلهام التي كانت تود الوصول بسرعة لأنها تنزعج من قيادة غيرها للسيارة أياً يكن هذا الغير.

هنا صمتت إلهام وتركت هبى لدهشتها:

ــ ما هذا المدخل العريض! لقد تحسّنت الأوضاع كثيراً في الضيعة. ثم ما هذه الأبنية الجديدة، هنا على الطريق؟ هل انتقلت الضيعة إلى ما كان سابقاً بساتين؟

ــ البعض من أهالي الضيعة حوّلوا أراضيهم الزراعية إلى أماكن للسكن بعد أن أصبحت محاصيل الزراعة لا تكفي حتى لسد الجوع.

ــ وممّ يعتاشون؟

ــ أغلب الشبان أصبحوا متعلّمين ولديهم وظائف في الدولة؛ في مؤسسة الجيش أو الدرك أو الأمن العام أو... بعض الوزارات وبخاصة وزارة التربية. انظري إلى يمينك تري الثانوية التي لم يكن لها وجود في السابق وهي تُخرّج العديد من الشبان والشابات وتهيئهم لدخول الجامعات وهم الآن كثر.

وصلتا إلى ساحة الضيعة وأصيبت هبى بشبه دوار وتسارعت المواضيع في رأسها وأمام أعينها:

ــ ألم يكن هنا مقهى البلدية؟ ما الذي أراه مكانه؟

ــ إنه سوبر ماركت أو، إن أردت، ميني ماركت.

ــ أين جرن الماء الذي كان يتوسّط الساحة؟

ــ كما تلاحظين لقد تحوّل إلى نافورة ماء.

ــ ولمن كل هذه السيارات التي تعجّ بها الساحة؟

ــ لأصحابها.

ــ كلها لأهل الضيعة؟

ــ كلها؛ فكل بيت، الآن، يملك سيارة أو أكثر.

ــ هذا يعني أن الضيعة قد فقدت الهدوء الذي كانت تنعم به وننعم، نحن، به.

ــ وهو كذلك لأن السير لا ينقطع طوال الليل.

نظرت هبى نحو الجبل: «أين البيادر على جبل مار توما وما هذه الأبنية الجميلة التي تكسو سفحه؟».

ــ كلها مساكن جديدة بنيت بحسب الهندسة الحديثة. البيوت القديمة الترابية أصبحت قليلة الوجود، لقد استبدلت بالإسمنت والحديد والحجر.

ــ والقرميد الذي كان يميّز بيتنا حصراً.

قالت هبى ذلك وغرقت في الصمت وهي تنظر إلى بيتها في الساحة. غرقت في الصمت لأن الصورة التي في ذاكرتها عن بيتها

في الضيعة قد تخلخلت. فذلك البيت الذي تربّت فيه وكان أجمل بيوت الضيعة وأكبرها على الإطلاق بدا لها بيتاً قديماً هزيلاً. شعرت بألم كبير، لكنها لم تعبّر عنه، بل تابعت السير نحو المكان المعدّ لموقف السيارات. توقّفت أمام الباب الحديدي المقفل، وهنا حدث ما لم تتوقّعه إطلاقاً؛ فقد مرّت بهما إحدى السيدات وهي تقود سيارة، تماماً، كسيارتها. «من هي هذه السيدة؟» سألت هبى.

ــ تعنين لمن هذه السيارة التي تشبه سيارتك. إنها، بكل بساطة لإحدى سيدات هذه الضيعة وهناك مثلها الكثير، فلا يفاجئك ذلك.

سرعان ما أقبل نحوهم أحد الأقارب، رحّب بهبى وإلهام واستعجل فتح الباب. أوقفت هبى السيارة وترجلتا منها تاركتين أمر إفراغ السيارة من حمولتها إلى الأقارب والعامل الذي كان يهتمّ بالحديقة وبالبيت أثناء غياب أصحابه. وما أن دخلتا الحديقة حتى تبدّلت مشاعر هبى وبدا عليها الارتياح وقالت: «صحيح أن الحديقة لم تعد كما كانت، لكنها لا تزال جميلة، هذا الخضار يفتح القلب».

لكنها عادت تتساءل: «أين العين وأين تبخّرت المياه، ألم يعد من ساقية في الحديقة؟».

ــ لقد جفّت الساقية بعد وفاة والدك بفترة قصيرة.

ــ وما السبب؟ أين ذهب الماء؟

ــ يُقال إن أصحاب بعض البيوت في أعلى الضيعة، حفروا آباراً ونزلوا في الأرض إلى مستوى أعمق من مجرى المياه التي كانت تمر في الدار، فغارت المياه في الأرض.

— وتزامن ذلك مع وفاة والدي؟ يا للصدفة!

— صدفة محزنة فعلاً. ثم هذه السروة التي يفوق ارتفاعها سطح البيت هي أيضاً مرتبطة بوفاة والدك، لقد زرعها الناطور بعد الوفاة بأيام قليلة. لكنه أمام إصراري حافظ على شجرة البيلسان وعلى الوردة الجورية التي تغير مكانها فقط، إنها هناك تملأ الزاوية.

نظرت هبى إلى تلك الزاوية ورأت الوردة وإلى جانبها جذع الدالية التي تتمدّد أغصانها فوق صقالة حديدية.

— أهذا ما بقي من العريشة القديمة التي كانت تغطي كل الحديقة؟

— لا تزال، كما ترين، العرائش تغطي فضاء الحديقة، لكنها تنوّعت، فمنها التفيفيحي القديم ومنها البيتموني الذي تحبه والدتك ومنها العبيدي...

— وكلها مثقلة بالعناقيد الملوّحة.

— وهناك شجرة التين التي زرعت بناءً على رغبتي وقد اخترت الصنف الذي كنا نأكل منه في بيت جدي لوالدتي.

— أين أشجار الرمان ولماذا لم يحافظوا عليها؟

— إنها هناك على الحافة العالية، لكنها هزيلة ولم تعد كالسابق.

هنا تدخل الناطور ليقول: «لم تنفع معها كل أنواع الرشوش والأدوية، لم تنجح كما يجب، لكن ما رأيكما بهذه الكولونيا؟ ستلاحظان، في المساء، كيف تملأ الفضاء بالرائحة الذكية».

ـــ كنت أحب رائحة البيلسان الناعمة. قالت هبى قبل أن تتسلقا الدرج الموصل إلى البيت في الطبق الثاني، والذي كان قريبهم قد سبقهم إليه وفتح بابه وباشر بفتح نوافذه استعداداً لاستقبالهما. دخلتا البيت وانشرح صدر هبى، فالبيت كبير ولو أنه بات خليطاً من قديم وجديد. خرجت إلى الشرفة واستشرفت السوق والساحة والجبل، لكنها شعرت أن تلك الشرفة لم تعد واسعة كما هي في ذاكرتها؛ لقد استبدل الدرابزين الحديدي المفرّغ والذي كانت والدتها تلف نصفه السفلي بقماش سميك كي لا يتلصّص المارة على سيقانها وسيقان بناتها، بجدار من الإسمنت حوّل المساحة إلى مجال مغلق بدت لهبى أصغر مما كانت عليه. لم تتوقّف كثيراً عند هذه الملاحظة واستدارت لترى الواجهة الزجاجية؛ إنها لا تزال جميلة بقناطرها الثلاث، لكنها باتت بحاجة إلى صيانة تعيد إليها بهاءها الحقيقي. عادت بنظرها إلى الساحة وهنا غرقت في الماضي؛ هناك جرن الماء وقطعان من الماعز والغنم تشرب منه، هناك حمار وبغل وحصان جدها، تلك المهرة الصبحاء التي تختال كأميرة بين الجموع، هناك رفّ من الصبايا يملأن الجرار أو الصحائف من ماء الجرن ثم يضعنها على رؤوسهن ويعدن آفلات إلى بيوتهن في أطراف الضيعة، هناك مقهى البلدية المظلّل بالحور والصفصاف، هناك المقهى المقابل الذي قصدته مرات عديدة مع والدها حين كانت طفلة... لكن ما هو الواقع الحالي؟ مبنى البريد وسوبر ماركت ونافورة مياه هزيلة وسيارات لا تحصى، منها المركون ومنها السائر. «كم تبدلت الأحوال! كانت سيارة والدي هي السيارة الخاصة الوحيدة في هذه الضيعة، أما ما عداها فكان سيارة أجرة واحدة يملكها سليمان المكسور ويتنقل فيها الميسورون، وبوسطة كبيرة لكل الآخرين». «الواقع الحالي صبايا أنيقات و«على آخر موضة» تتبخترن في الساحة صعوداً ونزولاً. استاءت مما تراه ونقلت

نظرها إلى جبل مار توما حيث اكتسى الجبل بالبيادر، وعلى قمته، بالقرب من الكنيسة رأت ذلك الراعي مع قطيعه الأسود، ذلك الراعي الذي كان يعيش كالإنسان البدائي بشعره المنكوش وأظافره الطويلة وجلبابه القذر و«شاروخه» المطاطي الذي يظهر أصابع رجليه وقد اكتست بالوسخ المزمن. ذلك الراعي الذي لم يتعلّم شيئاً في حياته سوى «أبانا الذي في السموات...» التي لقّنه إياها أحد الكهنة إذ سمّى كل عنزة من قطيعه بكلمة من تلك الصلاة. لم ينجح الكاهن في مهمّته إلا بتلك الطريقة وهكذا بات الراعي يصلي بمناداته لماعزه. لقد حفظ الأسماء كلها وظلّت المشكلة في التسلسل الذي عجز الكاهن عن تحقيقه، وبعد محاولات يائسة أهمل الأمر إذ اعتقد أنه قام بواجبه وأن الله لن يحاسب هذا الراعي إلا بقدر إمكاناته.

كانت إلهام في ذلك الوقت ترتب ثيابها في خزانة الغرفة التي ستنام فيها مع هبى. قبل أن تنتهي دخلت عليها هبى وباشرت بتعليق ثيابها في خزانة ثانية وهي شاردة ومنزعجة من دون أن تدرك السبب. لاحظت إلهام انزعاجها وشرودها وحدست بما يدور في رأسها لكنها لم تعلّق بل تركت الأمر إلى هبى التي لم يطل سكوتها:

— إلهام، لماذا خدعتني؟

— خدعتك؟ كيف؟

— أين الضيعة التي وصفتها في سيرك الثلاث والتي أحببتُها؟ لم أتعرّف فيها إلا على هذا البيت على الرغم من تغير بعض معالمه، كل ما تبقى هو جديد. حتى هذا البيت الذي رسمته وكأنه قصر

لم يعد كذلك، فكل البيوت أصبحت أجمل منه.

ـــ البيوت بأصحابها لا بأحجارها. أجابت إلهام بعصبية، وسترين أنه لا يزال على حاله وأهميته رغم قدمه.

لم تنتظر إلهام جواب هبى، خرجت من الغرفة وتوجهت إلى المطبخ حيث وزّعت ما جلبتا معهما من مأكل، بين البراد والخزائن قبل أن تعود إلى الحديقة حيث بدأ بعض الأهل والأقارب بالتوافد، بعد أن فتح الناطور باب الدار ووزّع الكراسي البلاستيكية البنية اللون في حلقة كبيرة استعداداً للاستقبال. أول الوافدين كانت حياة ابنة خال هبى وإلهام، أتت بكل وسامتها وديناميكيتها رغم أنها قد أصبحت جدة، تلتها يولا ابنة الخالة ثم أبو طوني و... وبدأت الدائرة تكبر قبل أن تطلّ هبى وهي ترتدي فستاناً أنيقاً وقد أعادت ترتيب تبرجها وشعرها، أطلت كطاووس يعرض كل مفاتنه، سلّمت على الجميع وجلست قبالة إلهام التي استغربت تأنق هبى الزائد، لكن سرعان ما استدركت أنها هي التي كوّنتها على هذا النمط؛ هبى، كما كتبتها إلهام، هي أجمل بنات الضيعة وهي الفتاة الأولى التي تعلّمت ونالت شهادات عالية وهي ابنة العز والجاه التي ينظر إليها كل بنات الضيعة كنموذج حتى ولو أخطأت. لقد فات إلهام، حين كانت تكتب هبى، أن الزمن يمر وأن الأمور تتبدّل. لقد أخطأت مع هبى التي ستدفع هي الثمن الآن. هل أخطأت معها عن قصد كي تثأر منها؟ ولماذا الثأر؟

جلست هبى قبالة إلهام وجالت بنظرها على وجوه الحضور لترى انعكاس صورتها في عيونهم، لتقرأ الإعجاب الذي كانت تقرأه في الماضي. خاب توقّعها وامتعضت، لكنها كابرت ودخلت في الحديث الذي كانت إلهام مركزه وحيث كانت حياة تخبرها عن

أولادها ومشاكلها وما إلى ذلك. لكن يولا أنعشت نرجسيتها وأعادت لها كل حضورها حين قالت: «هبى بعدها متل ما هيّ ما تغيرت».

ــ شكراً، أجابت هبى وأنت أيضاً لم تتغيري.

ــ من وين الشحار ما شايفة كيف صرت متل العجايز.

ــ ما تزيديها، بعدك منيحة.

هنا تدخلت إلهام لتقول: «كلنا تغيرنا ومع ذلك ما زلنا جميلات». وقبل أن يتابعن الحديث دخل عليهم أبو سليم وهو من الأقارب ومن أهل البيت تقريباً. رحبن به، وبعد أن سلّم على الجميع، جلس بالقرب من هبى وبصوت منخفض أخذ يسألها عن حالها و... بينما تابعت إلهام الكلام مع حياة ويولا. ولم يمض إلا وقت قصير حتى دخل عدد من الأشخاص وغالبيتهم من الرجال الشباب وتوسّعت الحلقة واختلفت الأحاديث. غُيبت هبى نهائياً إذ بقيت مع أبي سليم وهو يخبرها عن والدها واحتلّت إلهام ساحة الكلام إذ بدأ الشبان يسألونها عن كتاباتها ويناقشونها في بعض موضوعاتها:

ــ من أين أتتك فكرة روايتك «صوت الناي» إنها تصلح لكي تكون أسطورة هذه البلدة.

ــ بالتأكيد صورة هذه البلدة كانت في مخيلتي حين كتبت الرواية.

ــ إنها تشبه أسطورة أدونيس الذي نبتت شقائق النعمان على دمه.

ــ كيف؟ لم أنتبه إلى ذلك.

ــ توت العليق الذي سيّج البلدة بعد مقتل الراعية وزوجها ثم لجوء «حلم» إلى عصير هذا التوت لإخراج ابنها من غيبوبته و... لست أدري لماذا شعرت أنني أعرف هذه القصة حين قرأت روايتك. هل سمعتُها من أحد شيوخ هذه البلدة؟ لا أذكر، لكنني عشتها بكل جوارحي.

ــ أمر يسرني أن تكون الرواية حقّقت إخراج الصورة التي في لاوعينا الجماعي عن هذه البلدة.

ــ أما روايتك الأخيرة «حين كنت رجلاً» فهي بالفعل مميزة، لا أظن أن أحداً استطاع أن يسبر أغوار ذاته كما فعلت أنت في هذه الرواية. هل كنت واعية لذاتك كل هذا الوعي أم أن هذا الوعي أتى لاحقاً؟

ــ كان ضبابياً ولم أعرفه جيداً إلا حين وجدت الكلمات لقوله. لم يتحقق واقعياً إلا حين قيل.

ــ كنا نقرأ لك المقالات والدراسات الفكرية والفلسفية، هل أوقفت ذلك لتتجهي إلى الرواية؟

ــ أعتقد أن كلاًّ منا، إذا كان على قدر معين من وعي الذات، يبحث عن قوله الخاص وقد لاحظت أنني كنت أكتب لأقول قولاً غير قولي، يعني كنت أستعير قول غيري وهذا أمر أزعجني ووضعني أمام نفسي أسألها لماذا أكتب إن لم يكن القول هو قولي أنا؟ وهنا فتح أمامي باب جديد للبحث في قول إنسوي مختلف عن قول ذكوري هو السائد كما تعلم.

ــ القول السائد هو القول فلماذا البحث عن غيره؟

— ما تقوله صحيح لأنك ذكر والقول السائد هو قولك وأنت موجود فيه بكل كيانك بحيث لا تشعر بالغربة والاختلاف. أما أنا وبعد أن مارست هذا القول السائد شعرت أنه لا يقولني كما أنا في الحقيقة، ولهذا السبب باشرت في البحث عن غيره وهذا ما حاولته في ملحق الرواية.

— قرأت الملحق وفقاً لتوصيتك، قبل قراءة الرواية وأقرّ أنني لم أقتنع به إلا حين أكملت القراءة واكتشفت أن لكل أمر زوايا للنظر مختلفة وأن ما تراه الإنسى — بحسب مصطلحك — يختلف عما يراه الرجل.

— ولهذا السبب على قولها، كي يعكس الحقيقة، أن يكون مختلفاً عن قول الرجل.

— وما هو جديدك الآن؟

— صـدرت لـي أخـيراً روايـة عـن مـوضـوع لا يـزال مـحـرّماً في مجتمعاتنا.

— كما عادتك في ذلك.

— كتبت عن السحاق في لبنان وكان لدي كل عناصر الرواية ومن الواقع من دون أي تدخل مني.

— ستكون كتابة جديدة بالفعل، لكن هل سُمح لروايتك بالنشر و....

— أكتب قناعاتي ولتأتِ الأمور كما تشاء.

ـ سأقرأها بأقرب وقت. قال ذلك واستأذن بالذهاب.

سرّت إلهام بهذا الحديث مع أحد مثقفي البلدة الذين باتوا كثراً. وجالت بنظرها على من تبقّى من ناس في الحديقة، فلم تجد إلا هبى وأبا سليم وهما لا يزالا يتحادثان.

ـ ما هذه الوشوشة بينكما؟ سألت إلهام.

ـ نتحدث بصوت منخفض كي لا نشوّش على حديثك المهم مع رأفت.

ـ تناولنا مواضيع عديدة، وأنتما...

ـ لقد سمعت ما قلتماه في البداية، لكن حين بدأ أبو سليم يخبرني عن والدي نسيتكما واستمعت إليه.

ـ وبالطبع كان حديثه أمتع من حديثي مع رأفت.

ـ لقد أخبرني قصصاً عن والدي ما كنت أعرفها.

ـ هيا أبا سليم أخبرني أنا أيضاً أودّ سماع ما لم أعلمه عن والدي.

شعر أبو سليم بأهميته، قوّم جلسته على الكرسي البلاستيكي، وضع عكازه بين رجليه، أسند إليه ذراعيه وباشر بالكلام:

ـ كنت أخبر هبى عن رحلاتي مع والدك إلى الجرود والقرى البعيدة التي كان يقصدها ليطبّب الناس الفقراء. تعرفان أن والدكما كان الطبيب الأول في ضيعتنا وحتى في الجوار وصولاً إلى بعلبك.

ـ لكن هناك طبيب آخر، نعرفه كلنا وهو من بلدة الفاكهة وهو من

جيل والدي على ما أعتقد.

ـ صحيح، لكن الناس كانت تؤمن بوالدك أكثر. ودعيني أخبرك هذه الحادثة: مرضت مرة إحدى السيدات من الفريق الثاني في الضيعة، يعني من خصومنا في السياسة. مرضت تلك المرأة وارتفعت حرارتها وأتوا لها بالطبيب الذي تذكرينه لأنهم لا يرغبون بأن يطبب والدك أحداً منهم. عالجها الطبيب لمدة طويلة ولم تتحسّن أحوالها. عندئذ تشاوروا فيما بينهم واتفقوا أن يطلبوا والدك لمعاينتها. لبّى الطلب وما أن فحصها وطرح عليها بعض الأسئلة حتى حسم الموضوع قائلاً: «إنها الحمى المالطية». «ولم يكن أحد قد سمع بها بعد وهي حمى تأتي من أكل اللحم النيء أو أكل الجبن الأخضر المصنّع من الحليب من دون أن يغلى على النار. وصف لها العلاج المناسب وشفيت بعد انتهاء العلاج.

ـ وهل السياسة كان لها تأثيرها على هذا النوع من العلاقات إلى هذا الحدّ؟

ـ وأكثر، فهم، حتى وفاة والدك، ظلوا يعتبرونه خصماً في السياسة على الرغم من اعترافهم به طبيباً ممتازاً.

ـ لكنهم شاركوا جميعاً في الدفن.

ـ هذه من عاداتنا الحسنة، ففي حال الموت تلتئم كل الناس لإنجاح المناسبة.

صمت أبو سليم قليلاً ثم قال: «أنتما لا تذكران أن والدكما كان ينتقل على ظهر حصان حين كان يذهب إلى الجرد أو بعض القرى التي لا تتوفر لها طرقات سالكة. كنت أرافقه في رحلاته تلك

وكنت أرى كيف أنه كان يقوم بالعمليات الجراحية في بعض الأحيان».

ـ عمليات جراحية؟ وكيف ذلك؟ ومن أين كان يأتي بالبنج و...؟

ـ كانت عمليات صغيرة كتقطيب جرح في الرأس أو غيره أو اقتلاع دمّل مليء بالقيح، وحين يكون الأمر مستعصياً كان يطلب للمريض سيارة إسعاف لنقله إلى مستشفى زحلة محدِّداً للطبيب الجراح ما ينبغي فعله، حتى أن الجراح الشهير في ذلك الوقت كان يقول: «حين يأتيني مريض من قبل الدكتور سامي أكون واثقاً مما يشكو وممّا علي القيام به. رحمه الله لم يجنِ من الطب إلا حب الناس له، وهذا ما ظهر في نجاح أخيكما في النيابة. هل هو آت في آخر الأسبوع كعادته؟».

ـ أظن ذلك. ونحن بانتظاره.

ـ والضيعة تنتظره في نهاية كل أسبوع. هل الوالدة ستأتي معه؟

ـ بالتأكيد لأنها لا تحب المجيء إلى الضيعة إلا إذا كنا أنا وهبى فيها.

ـ لقد غربت الشمس وحان وقت الرجوع إلى البيت، لكنني قبل ذلك سأخبركما بقصة فريدة حصلت مرة واحدة في هذه الضيعة.

ـ وما هي هذه القصة التي لا نعرفها؟

ـ كنتما صغيرتين حينذاك. في أحد أيام الصيف منذ أكثر من أربعين سنة...

ــ منذ أكثر من أربعين سنة لم نكن قد ولدنا بعد، علّقت إلهام مازحة وابتسمت هبى امتعاضاً.

ــ في أحد الأيام من ذلك الصيف كنت مع والدكما في عيادته، هنا في الطابق السفلي. دخل علينا أحد الشبان وهو من بيت شعبان، كانت حرارته مرتفعة وتوجه إلى والدك قائلاً: «أشعر كأن النار تخرج من رأسي». «مدّده والدك على طاولة الفحص وطلب مني أن أخرج من العيادة، وأنا كنت سأفعل. بعد قليل خرج سامي وقال لي: «لقد عاينته من رأسه حتى قدميه، فلم أجد سبباً لهذه الحرارة، سأعطيه حقنة ضد الحرارة ونرى لاحقاً ما هو الموضوع، والآن تستطيع أن تدخل». وضع الحكيم الحقنة في الماء كي يعقّمها قبل الاستعمال، وضعها في علبة معدنية وركّز العلبة على صقالة صغيرة ووضعهما داخل علبة أكبر، صب قليلاً من السبيرتو الأزرق في الوعاء الكبير، أخذ عوداً من الكبريت وشحذه على طرف العلبة فاندلعت لهبة صغيرة أشعل بها السبيرتو. كان يقوم بكل ذلك وهو ينظر إلى المريض. بعد أن جهزت الحقنة طلب مني أن آتيه بإبريق من الماء. أتيته به، أخذه من يدي وبدأ يرش أرض العيادة. كان الحكيم يرش الماء والمريض يرتجف من الخوف وكأنه يرى أفعى. فما كان من والدكما إلا أن سحب كتاباً من مكتبته، اقترب من المريض وأخذ يهوّي بالكتاب وهو يقول: «الدنيا شوب». فما كان من المريض إلا أن ابتعد وهو يصرخ. أوقف الحكيم الحركة وطلب مني الخروج من جديد. تركتهما وانسحبت إلى البيت. وفي اليوم الثاني علمت أن المريض أرسل إلى مستشفى زحلة.

ــ أذكر هذه الحادثة، لكنها كالحلم في خيالي، كانت حالة كلب، أليس كذلك؟ سألت إلهام.

ــ تماماً. ففي اليوم الثاني حين زرت والدك سألته عما كان يقوم به وهو يعاين المريض فأجابني: «حين قدحت الكبريت لإشعال السبيرتو لاحظت أن الشاب توتّر وخاف فأردت إتمام التجربة وطلبت منك الماء ثم استعملت الهواء».

ــ وماذا يعني كل ذلك؟ سألته.

ــ نعلم من دراسة الطب أن المصاب بالكلب يخاف خوفاً غير مبرر من ثلاثة أشياء: النار والماء والهواء، وهنا تلفّظ بألفاظٍ أجنبية لم أفهمها.

ــ أيروفوبيا وفوتوفوبيا وهيدروفوبيا ، هذا ما قاله لي لاحقاً، قالت إلهام.

ــ أظن ذلك. وتابع والدك كلامه لي فقال: «حين لاحظت خوفه هذا سألته إن كان قد عضّه كلب ما فأجابني: منذ أكثر من أربعين يوماً عضني كلب شارد وهرب وكان الجرح صغيراً ولم أعره اهتماماً. حينها أدركت أنه مصاب بالكلب لكني لم أقل له ذلك، بل أرسلت بطلب أهله لنقله إلى المستشفى. وقد كلّمني الطبيب المعالج وهو حتى الآن لا يدري ما هو سبب ارتفاع حرارة المريض وهم الآن يجرون له كل الفحوصات المخبرية».

ــ ألم تقل لهم ما به؟

ــ بلى، قلت، لكنه لم يقبل كلامي وهو ينتظر نتيجة الفحوصات، لكني نبّهته إلى أن يجري الفحص المتعلق بالكلب ووافق. وأنا أنتظر النتيجة مع أنني متأكد منها.

ــ ومتى تصبح النتائج جاهزة؟

ــ بعد يومين، قال الحكيم، وإن صح تشخيصي، وهو صحيح، ترتّب علينا القيام بتلقيح عدد كبير من الأشخاص، أي كل الذين كانوا في محيط هذا المريض وحتى أنت.

ــ ماذا تقصد، سألته، فهل سنصاب بالكلب؟

ــ لا، لكن الوقاية ضرورية.

ــ وما هو اللقاح، هيا فلنبدأ به، قلت مستعجلاً.

ــ اللقاح يأتي من وزارة الصحة ويتوقّف ذلك على نتيجة الفحوصات التي تجرى الآن، فلننتظر، ليس هناك من خطر على الإطلاق. اللقاح هو كناية عن حقن في البطن لمدة عشرين يوماً.

ــ والمريض هل ينجو؟

ــ لا أعتقد، إنه مصاب، لقد انتهى الأمر.

ــ أذكر ذلك، قالت إلهام، وقد سمعت بعض زوار أهلي يتحدثون عن المريض في آخر أيامه وقالوا إن صراخه كان كعواء الكلاب. وأذكر أن مجموعة من الناس كانوا يأتون كل صباح إلى العيادة للقاح حتى أن والدي قد لقّح نفسه.

ــ أما كنت ترينني بينهم؟

ــ لا أذكر.

ــ كنت آتي بعد الظهر وحدي. على كل حال لقد تغيّر الطب

كثيراً. الأطباء اليوم لا يعرفون شيئاً، كلّما أتاهم أحد للمعاينة يطلبون منه كل أنواع الفحوص قبل أن يقرّروا ما به. لا يعرفون إلا قراءة التقارير». ما بقى في حدا يعرف يفحص متل، ألله يرحمو، الدكتور سامي».

وافقت هبى وإلهام على قول أبي سليم الذي صمت للحظة قبل أن يتابع: «لقد تأخر الوقت وستشتاق إلي أم سليم. أستودعكما وإلى غد».

غادر أبو سليم وتهيّأت هبى وإلهام للصعود إلى البيت. أطلّ الناطور وبدأ بلملمة الكراسي ورصفها في زاوية من زوايا قاعة الاستقبال الكبيرة التي يجتمع فيها الناس في الشتاء. وصلتا إلى البيت وباشرت إلهام مع خادمتها جوها بتحضير العشاء بينما كانت هبى تجلس في الصالون وهي صامتة. حضر الطعام وأتت به الخادمة على طبق كبير وضعته أمامهما. بدأت إلهام بالأكل وهبى لا تزال شاردة.

ــ ما بك ألست جائعة؟

ــ بلى.

ــ إذاً هيا، ماذا يشغلك؟

ــ يشغلني لؤمك معي.

ــ ماذا تقصدين؟

ــ أنا الآن لست هبى التي كتبتها في رواياتك /السير. أحاول أن أستعيد صورتي كما رسمتِها ولم أجدها.

ـ أنا رسمتك كما كنت تماماً ولم أبالغ بشيء على الإطلاق.

ـ لكنك لم ترسمي الآخرين كما هم.

ـ هم تغيروا كثيراً وبوتيرة لم أتوقّعها، هذا كل ما في الأمر.

ـ أيعقل أن تتغيّر الأمور إلى هذا الحد وفي هذه الفترة القصيرة جداً؟

ـ هذا ما حدث بالفعل ولا أستطيع تغيير الواقع كي يتناسب مع توقعاتك.

ـ أين هاتيك الصبايا والسيدات اللواتي كن ينظرن إلي كمثال بالشكل وبالمضمون؟ لقد أصبحن كلهن مثلي، على الأقل في الشكل.

ـ وهل يزعجك الموضوع؟

ـ ما هذه الملابس وما هذه التسريحات وصبغ الشعر و... كأنني في بيروت.

ـ حين كتبتك كانت بيروت بعيدة، لا يزورها إلا من كان مثلنا، أما الآن فبيروت قريبة جداً وحتى العالم كله أصبح قريباً جداً، فالتلفاز قد أدخله إلى كل بيت. هذه هي العولمة الجديدة.

ـ لعن الله هذه العولمة التي ساوت بين كل الناس.

ـ لقد ساوت فيما بينهم بالشكل فقط، لكن مقاصدها غير ذلك، فهي تسعى إلى سيطرة القوي على الضعيف والثري على الفقير.

لقد أصبح العالم، اليوم، ذا قطب واحد يتحكّم بكل المعمورة.

ــ لماذا لم تنبّهيني إلى هذا التغيير في الضيعة.

ــ أردت أن تكتشفيه بنفسك.

ــ أفهم الآن عدم اهتمامك بأناقتك المعهودة.

ــ وماذا فهمتِ؟

ــ إنك بذلك تبغين التميُّز.

ــ يعني؟

ــ يعني أنك، عندما لاحظت هذا التغير عند نساء الضيعة اللواتي أصبحن يساوونك في هذا المجال، لجأت إلى البساطة كي تبقي مميزة.

ــ اسمحي لي بالقول إن تحليلك سخيف جداً.

ــ وما هو التحليل الصحيح؟

ــ حين كنت مثلك، أي حين لم أكن قد امتلكت بعد قولي الخاص، حاولت التمايز بالشكل، أما الآن وقد باشرت في اكتشاف ما يميّزني فعلاً، فما عدت أهتم بالقشور، لا بل بتّ أفرح برؤية هذه النساء المتأنّقات الجميلات على عكس ما حلّ بك من امتعاض.

ــ أعتقد أننا لن نطيل الإقامة هنا وسنعود إلى بيروت بسرعة.

ــ تكلّمي عن نفسك، أنت حرة في ما تقرّرين، أما أنا فسوف أبقى

هنا على الأقل إلى عيد السيدة في الخامس عشر من آب وإن عدتُ إلى بيروت بعده فلبعض الوقت لأنني لن أفوّت علي شهر أيلول في الضيعة، وسأرجئ لقائي بجان ميشال إلى بداية شهر تشرين الأول.

ـ ألا يزال شهر أيلول كما وصفته في كتبك؟

ـ لم يبق منه سوى المناخ المنعش وهذا ما أبتغيه.

ـ قرّري ما تشائين لكني سأرحل عما قريب.

شارف الأسبوع على النهاية وبعد ظهر يوم الجمعة وصل إلى الضيعة أخوهما البكر وكان قد عُيِّن، منذ فترة، وزيراً في الحكومة. أتى مصطحباً معه الوالدة وأخاهما الثاني الذي يشغل منصب مدير عام أحد الأجهزة الأمنية. وصل الجميع وغصّت الدار بالزوّار من نساء ورجال وشبّان وشابّات. ضجّت الحديقة بالناس وتوسّعت الحلقة حتى ضاقت بالمزيد من الوافدين، فانقسمت إلى حلقتين، واحدة في الحديقة للرجال وواحدة على السطيحة المطلة على الحديقة، للنساء. لكن هبى أصرّت على أن تظلّ مع الرجال تشاركهم الأحاديث السياسية بينما انتقلت إلهام وأمها إلى حلقة النساء تستمعان إلى قصصهن المختلفة ولم تنفضّ الحلقات إلا حين اعتذر الوزير بسبب موعد له مع أحد الشخصيات في بعلبك.

ذهب الأخوان إلى بعلبك وغادر الرجال إلا القليل منهم وهم من الأقارب، وبقي قسم من النساء وهن أيضاً من الأقارب. ضاقت الحلقة من جديد وتغيّرت موضوعات الحديث وبدأ أبو نخلة بالقصّة التي كانت إلهام قد سمعتها منه للمرة الألف وكانت قصة الهجوم على الدار وكيف رُدّ هذا الهجوم. بالطبع كان أبو نخلة هو بطل الصد بحسب روايته. وكما في كل مرة يروي هذه الحادثة تنبري

والدة إلهام لترد عليه:

ـ لولا وجود أخي كنج ووالدي لكانوا أخذوا الدار. في ذلك الوقت وقف والدي على باب الدار وحين مرّت إحدى السيدات التي تنتمي إلى الفريق الآخر قال لها: «اذهبي إليهم وقولي لهم: إن كانوا رجالاً فليأتوا، نحن بانتظارهم». كان كنج بكامل سلاحه إلى جانبه. وأنت بتعرف مين يعني كنج، هوّي لكانت كل الضيعة بتْهابو.

لكن أبا نخلة أكمل روايته موجّهاً الكلام إلى إلهام التي حاولت أن تستمع إليه على الرغم من انزعاج والدتها التي كانت تتلمّظ كلّما بالغ في كلامه عن بطولاته.

انتهت السهرة وانتقلت السيدات الثلاث إلى الداخل لتناول العشاء. بعدها جلست الوالدة أمام التلفاز لتستمع إلى الأخبار وبعض البرامج الترفيهية التي تمجها إلهام وهبى، فيما بقيت الوالدة وحدها في الصالون، انتقلت هبى وإلهام إلى غرفتهما وساد الصمت للحظة بينهما، قبل أن تقترح هبى القيام بنزهة على طريق السيدة: «نتمشى لكي نهضّم العشاء ونزور الكنيسة، ما رأيك؟». وافقت إلهام على اقتراح هبى، وبدأت بارتداء الثياب والحذاء المخصصة للمشي بينما ظلّت هبى بكامل أناقتها تنتظر.

ـ ما بك لا تهيئين نفسك للمشي؟ سألتها إلهام.

ـ أنا جاهزة ولن أغيّر ملابسي.

ـ وهذا الحذاء؟

ــ إنه مريح جداً.

فهمت إلهام أن هبى، كعادتها، لن تتخلى، ولو للحظة واحدة، عن تأنقها وبخاصة في الضيعة. لم تجادلها في الموضوع بل خرجتا من الغرفة وأبلغتا الوالدة بما سيقومان به وأتى ردّها: «السلام لاسمها السيدة، رجلاي تؤلمانني لا أستطيع السير لزيارته، غداً تأخذانني بالسيارة». ثم نهضت من مكانها، توجّهت إلى غرفتها وأتت ببعض النقود التي سلّمتها لإلهام وهي تقول: «ضعي النقود في صندوق الكنيسة وأضيئي خمس شموع» وهو عدد أولادها. أخذت إلهام النقود وخرجت مع هبى من الدار إلى السوق الذي كان مقفلاً، وما هي إلا دقائق حتى وصلتا إلى بيت جدهما لأمهما، مرتع طفولتهما وذكرياتهما. دخلته إلهام من دون استئذان كعادتها في دخول ذلك البيت، وهي تنادي: «أين أهل الدار؟» وأتى صوت أرملة الخال كنج الذي قتل غدراً سنة ١٩٥٨ على يد مخابرات إحدى الدول، أتى صوت السيدة مهجة مرحّباً قبل أن تظهر بطلّتها التي لا تزال جميلة على الرغم من البدانة التي اكتسبتها مع مرور السنين.

ــ الربع يتناولون العشاء، هيا شاركينا.

ــ لقد سبق الفضل، ألف صحة. مررنا لنمسّي عليكم ونحن في طريقنا إلى السيدة.

ــ لقد أنهيت عشائي، انتظريني سأرافقك، لم أزر السيدة هذا الأسبوع.

دخلت أرملة الخال لتغيّر ثيابها وجلست إلهام مع الرَّبع وهم يصرّون على إطعامها بعضاً من اللحم المشوي أو التبولة مع «شفة» من العرق.

حدث كل ذلك وهبى أمام المدخل تتأمل ما حولها ولا تصدق؛ فصورة البيت الموجودة في ذاكرتها قد تبخرت كلياً، لاليوان واسع تحيط به غرفتان واسعتان وأمامه حديقة فيها الدوالي وشجرة التين الشهيرة والبئر التي كانت تسحب منها المياه بصحيفة مربوطة إلى حبل يلفّ على بكرة خشبية كبيرة، لا غرفة للخيل والتي كانت تؤوي تحت سقفها «شهرزاد» تلك المهرة التي بكت دموعاً حقيقية حين توفي صاحبها، بكت وهي بالقرب من جثمانه جامدة تحرّك رأسها فقط نزولاً وصعوداً. كل أهل الضيعة قد شاهدوا ذلك وعلّقوا عليه بالقول: «الشيخ فارس لم يبكه الناس فقط، حتى الخيل بكته حين كانت أخته بدور تندبه وتقول: «الراس عم تبكي مكسور خاطرها، والزلم عمتصرخ وين راح قايدها...» لا خمّ الدجاج تدخله هبى خلسة لتسرق منه البيض الطازج، ذلك الخم الذي كان الاهتمام به من اختصاص جدة الوالدة، تلك الجدة التي كانت تفضل أولاد حفيدتها أم ألبير على كل الآخرين الذين كانوا لا يخفون غيرتهم منهم، لا...

ـ هبى معك؟ أهلاً بالقمر، بأجمل الجميلات. قالت أرملة الخال حين رأت هبى. قالت ذلك وتقدّمت من هبى لتحيطها بذراعيها وتقبّلها وهي تقول: «ما أحلى ريحتك وطلّتك يا أميرة».

عادت هبى إلى الواقع وضمّت الست مهجة وقبّلتها ثم باشرت فوراً بالقول:

ـ مبروك، ما هذه البناية الجميلة وهذه الحديقة المليئة بالزهور و...

ـ الله يبارك في عمرك، هذه دار غنام، وهو ابن الخال البكر من

الذكور، الله يوفقه لقد عمّر هذه الدار من ثلاثة طوابق وقد جهّز لي الطابق الأرضي كما يجب، وأنا الآن أقيم فيه، لكنهم يبقون دائماً عندي حين يزورون الضيعة ولا يصعدون إلى الطوابق العليا إلا للنوم.

كانت الست مهجة تتكلّم وهن يتابعن السير، وما أن وصلن إلى طرف الطريق المؤدّية إلى الشارع الموصل إلى الكنيسة حتى مدت ذراعها باتجاه مبنى متوسّط الحجم لكنه جميل الهندسة: «وهذه بناية فضل الله، وهو الذكر الثاني من أولادها، لقد اقتسما الدار القديمة وشيّد كل واحد منهما بيته الخاص ولا يزال هناك قسم مشترك هو الحديقة الصغيرة بين المبنيين». هنا صمتت مهجة وأتى صمتها تنهيدة طويلة قالت بعدها: «هيك الله رايد».

ــ ألله يرحمه كان زينة الشباب. قالت إلهام.

ــ كان صورة عن أبيه بالهيئة وبالرجولة، الله لا يوفق الذين قتلوه، سامحيني يا مريم العذراء رايحين نزورك. لقد قتلوه غدراً كما فعلوا مع أبيه.

ــ وهل انتهت القضية؟ سألت هبى.

ــ المصيبة أن الجريمة قام بها أحد أبناء الضيعة كما تعلمين وهذه أول مرة يحصل ذلك، وهيك ابتلى أخوه بجريمة ما زلنا نعالج تبعاتها حتى الآن.

ــ ألم تتصالحوا بعد؟

ــ الاتكال على الدكتور أبي سامي واللواء أبي عامر، حتى الآن

فضل الله لا يأتي إلى الضيعة وهو ينتظر المصالحة.

ـ الأمور ستسوى والحل قريب كما فهمت من أخوي. قالت إلهام.

ـ ألله يسمع منك، ولو أن ذلك لا يردّ لي حبيب قلبي جورج... ما كان ينام إلاّ ما غطيه بعباية بيّو.

ـ ماذا تقصدين؟ كان جورج في منتصف السنة الثانية من عمره حين غُدر بأبيه.

ـ كان ينام معه في السرير، وبعد مقتله صار جورج عصبياً وبخاصة في المساء، ساعة النوم، كان يصرخ ويستمر بالصراخ إلى أن آتيه بعباءة والده، فيضمها إليه ويغفو.

خلال سيرهن، لم تكن مهجة تتوقف عن الكلام إلاّ لتلقي التحية على من يمررن به فوق شرفات البيوت المبنية من الحجر وفق الطراز الجديد، تعلّي صوتها: «مساء الخير» و«سعيدة»، ويأتي الترحيب ليشملنا جميعاً: «تفضلوا، يا هلا». وتعود مهجة تتابع السير والكلام وسط ضجيج السيارات التي لم تنقطع عن المرور، مما أثار دهشة هبى التي علّقت: «ما عاد حدا، في الضيعة، يمشي على قدميه»!

ـ كل بيت أصبح يملك سيارة أو أكثر، أجابت مهجة، وتابعت «كتّر» خير البلدية التي فرشت هذه الطريق بالزفت وإلا لكان الغبار أكلنا.

ـ ومنها سيارات فخمة، لا نجد منها حتى في بيروت، من أين يأتون بالمال؟ سألت هبى.

ـ مسارب المال كثيرة في المناطق الحدودية، قالت إلهام وقد وصلن إلى المنعطف الذي يؤدّي إلى الدير.

ـ وهذا المنعطف جديد، قالت هبى وهن يقطعن الجسر الصغير الذي يشكل المعبر.

ـ هذا المنعطف أصبح ضرورياً بعد أن وسّعت البلدية معبر السيل وعمّقته كي لا تجرف المياه البيوت، قالت إلهام، ولهذا السبب أصبحت الطريق هنا أضيق.

ـ أضيق، لكنها أجمل، أجابت هبى، وتابعت: إنها مظلّلة بالأشجار.

ـ ومع ذلك لا تخفي المدافن.

هنا توقّفت هبى عن السير وسألت: «أين قبر والدي؟ لم أزره بتاتاً بعد وفاته، هل ندخل إلى حيث المدافن؟

ـ الباب مقفل ليلاً، أجابت مهجة. حين نصل الدير سنطلب من الكاهن أن يفتح لكما الباب غداً في النهار.

ـ سأجلب له باقة كبيرة من الزهر وأزوره وأصلّي على قبره.

ـ ستكون الباقة من وردات الوردة الجورية مطعّمة بأغصان البيلسان، فهذا يسعده أكثر من أي باقة أخرى مهما كبرت. قالت إلهام.

وصلن إلى الدير المسيّج بحائط من الحجارة كانت تخرقه في الماضي فتحة صغيرة بشكل قنطرة متوسطة العلوّ يعبر منها الزوار محنيّي

الرؤوس ليبلغوا باحة الدير. وصلن وإذ بهن أمام باب حديدي كبير مشرّع الدفتين كأنه يفتح ذراعيه لاستقبال الزوار.

— أين المدخل القديم؟ وماذا حل به؟ سألت هبى.

— لا يزال مكانه لكنه أقفل بالحجارة واستعيض عنه بهذا المدخل الواسع، أجابت أم غنام.

— لقد أخطأ من فعل بذلك، قالت إلهام، لأن الحكمة من ذلك المدخل القديم المنخفض الارتفاع هو أن يدخل الزائر حانياً رأسه احتراماً للمقام.

— أنا أفضّل هذا المدخل الجديد، قالت هبى وهن يعبرنه إلى الباحة الداخلية التي كانت لا تزال على حالها تتوسّطها تلك البئر التي حافظ الكهنة عليها.

دخلن الكنيسة، صلين وأضاءت هبى شمعة واحدة وانتظرت أن تضيء إلهام الشموع الخمس، لكنها لم تفعل. ثم انتقلن إلى الكنيسة القديمة الصغيرة ذات المدخل الذي يشبه مدخل الدير القديم الذي ألغي. هنا أشعلت إلهام الشموع الخمس مضيفة إليها واحدة عن روح أبيها. بعد الزيارة سألن عن ريس الدير واتفقن معه على زيارة المدافن في غد.

خرجن من الدير وعدن كما أتين، ومرور السيارات لا ينقطع فعلّقت هبى: «ألا ينام أهل هذه الضيعة؟».

— السير لا ينقطع لا في النهار ولا في الليل، شباب جهلان وطائش. أجابت مهجة.

وصلن إلى بيت أم غنام وأصرّت عليهما بالدخول، تردّدت هبى بالقبول بينما رحّبت إلهام بالفكرة وبخاصة أن كل أولاد الخال وأحفاده كانوا هناك وتجمعها بهم علاقة خاصة من المودة والحب.

هنا انسحبتُ وعدتُ وحدي إلى بيت إلهام. كان الوقت متأخراً والناطور نائم في غرفته. سحبت كرسيّين إلى الحديقة وجلست أنتظر. كنت واثقة أن إلهام ستأتي إلي، أعرف أن لديها الكثير من الأسئلة والكلام. جلستُ في العتمة أنتظر ورأيت الأخوين وهما يصعدان السلّم بعد عودتهما من بعلبك ورأيت كيف دخل مرافقوهما إلى قاعة الاستقبال ليتدبّروا أمر نومهم على أسرّة حديدية مخصّصة لهم تحفظ في غرفة جانبية.

بعد جلبة قصيرة هدأ الوضع إذ نام الجميع وعمّ سكون لم يخرقه، بعد فترة قصيرة سوى وقع أقدام هبى وإلهام وهما تعبران المدخل قبل أن تصعدا السلم وتدخلا غرفتهما. مكثتُ على مقعدي أنتظر ولم يخب ظني فها هي إلهام، مرتدية عباءة واسعة تنزل السلم وتتّجه نحو الحديقة وهي تحمل بيدها علبة السجائر. أتت مباشرة إلى حيث كنتُ، جلستْ على الكرسي الثاني ومن دون أن تنظر إليّ سألت:

ــ ماذا فعلتِ بنا؟

ــ ما وجدته الأفضل لكما.

ــ هبى ليست شقيقتي كما أوحت به كتابتك.

ــ حاولت أن أجعل منها توأماً لك لأنها، بالفعل، هي كذلك بنظر أهل الضيعة، هي وجهك الآخر الذي تجرّأت على إظهاره في

رواياتك/السير. فحين كتبتِ هذه الروايات تناقلتها الأيدي والألسن، فمنهم من قرأها ومنهم من سمع عنها وانقسمت الآراء حولها؛ فرأي قال إنها وقحة ورأي قال إنها جريئة ورأي قال إنها صريحة. ومنهم من أحبّها ومنهم من استنكرها، لكن في النهاية تحولت إلهام، في نظر البعض، إلى اثنتين وفي نظر البعض الآخر بقيت واحدة إما إلهام وإما هبى وقد لاحظت سلوكهم معكما؛ فمنهم من أهملك ليساير هبى ومنهم من أهمل هبى، ومنهم من تعامل مع الاثنتين معاً. والأكثر رفضاً لهبى هي والدتك. ألم تلاحظي أنها لم تعرها أي اهتمام، لا بل أنكرت وجودها كلياً، مع العلم أن هبى، في جزء كبير من شخصيتها، هي صنيعة والدتك لا صنيعتك أنتِ.

ــ والدتي أرادت أن تصنع مني إنساناً على طريقتها وما هبى إلا تمردي عليها. لكن مرحلة هبى انتهت. متى ستبدئين كتابة الصفحة الثانية؟

ــ افتتحت الرواية انطلاقاً من الصفحة الثانية واعترضتِ على ذلك معتبرة أن الصفحة لا تقلب قبل اكتمال كتابتها، اعترضتِ وصحّحتِ المسار فامتثلتُ لرأيك الذي اقتنعتُ به وقمتُ بإتمام كتابة الصفحة الأولى التي شارفت على النهاية، لا بل انتهت في بعض النواحي، وأرى نفسي في بداية الصفحة الثانية انطلاقاً من الضيعة التي هي اليوم غيرها في الصفحة الأولى. كل شيء يأتي في أوانه، لا تستعجلي الأمور. لقد وعدتك بكتابة الصفحة الثانية وسأفي بوعدي، لا تكوني متهورة، لكن هبى ممانعة ومتمسّكة بالصفحة الأولى ولا تريد الخروج منها. أما الآن فأستودعك لأعود إلى عزلتي أصمّم فيها برنامج الصفحة الجديدة وأعالج تمنّع هبى.

ــ أنا أوجدت هبى ومن دوني لن تكون، وهي دائماً ستظل أقل

مني كياناً وانوجاداً. الخالق لا يبدع خالقاً بل مخلوقاً وإلا ألغى نفسه، والمخلوق، مهما عظم شأنه، هو دائماً أنقص من الخالق. المخلوق هو متناهٍ بينما الخالق هو لامتناهٍ ولا أحد يستطيع سبر كل أغواره. وهبى، مهما تمنّعت ستنتقل معي إلى الصفحة الثانية.

ــ سأحاول إقناعها، لكن الوقت لم يحن بعد.

تركتُ ألهام ورحلت، فما كان منها إلا أن دخّنت سيجارة وعادت إلى سريرها. وفي اليوم الثاني تناقشتْ مع هبى حول بقائهما في الضيعة:

ــ أنا اكتفيت من الضيعة وأجوائها، فلنعد إلى بيروت. قالت هبى.

ــ أما أنا فلم أكتفِ بعد. تستطيعين الرحيل إذا أردت.

ــ سأفعل.

لملمت هبى ملابسها وكل أمتعتها، استقلّت سيارتها وغادرت تاركة إلهام مع أمها في الضيعة. لكن بقاءها لم يطل أكثر من عشرة أيام لأن الوالدة انزعجت من المناخ الناشف، وهي ابنة هذا المناخ، وطلبت من ابنتها العودة إلى الساحل. رضخت إلهام لطلب أمها وعادتا إلى بيروت حيث أوصلت والدتها إلى بيتها قبل أن تعود لملاقاة هبى التي استقبلتها وهي تزفّ إليها خبراً مهماً اتّخذت القرار بشأنه بعد عودتها من الضيعة.

7

رحّبت هبى بإلهام وسألتها ساخرة:

ـــ هل اكتفيت أنت أيضاً من الضيعة؟

ـــ لولا الوالدة لأمضيت الصيف كله مع أهل ضيعتنا وتنعّمت بمناخها الجاف الذي أعشق.

ـــ إنه مناخ قاسٍ يجفّف الشفاه والأيدي وكل الجلد وحتى الشعر. ثم إن الضيعة لم تعد هادئة كما عهدتها، ولم تعد تنتج شيئاً مما كنت أحبه، فلا خبز تنور ولا كشك بلدي ولا حتى خضرة محلية لذيذة. تحوّلت الضيعة إلى مدينة صغيرة تستورد كل شيء حتى الماء الذي كان عذباً، نشرب منه ولا نرتوي. باختصار، كل شيء تغيّر.

ـــ صحيح تغيرت كثيراً، لكنها لا زالت تملك ذلك السحر الذي

يشدّني إليها.

ـ المهم أنك عدت لتساعديني باتّخاذ قرار فكّرت به وأنا وحدي في طريق العودة.

ـ وما هو هذا القرار المهم؟

ـ هل تعلمين ماذا حل بزوجي الأول روبير؟

ـ وهل تودّين العودة إليه؟

صمتت هبى وهي غارقة في ذاتها كأنها لم تسمع سؤال إلهام. وأمام طرح السؤال مجدّداً قالت:

ـ لمحته صدفة وأنا أمرّ، في سيارتي، بسوق جونيه القديم؛ كان يسير وحده على الرصيف. وبعد صمت قليل تابعتْ: «هل تعلمين أنني أحياناً أسأل نفسي لماذا طلّقته؟ لو لم أفعل لكنت الآن مرتاحة ولست بحاجة إلى العمل كي أعيش، ولكان معي من يسعفني في حلّ صعوبات هذه الحياة ومتطلباتها التي باتت صعبة».

ضحكت إلهام بصوت عالٍ وقالت: «سأطلعك على ما تريدين معرفته فاسمعيني جيداً: كنت مرة في البيت أقرأ كعادتي، وإذ بجرس الهاتف يرن، أخذت السماعة وأتاني صوت سيدة قالت إنها مدام خوري وإنها تعرفني جيداً من خلال كتبي وتريد مقابلتي. وافقت على طلبها وعرضت عليها أن نلتقي في مقهى الـ أ ب س في ضبيه. رفضتْ وطلبتْ مني أن أستقبلها في بيتي. تخوّفت من الموضوع في البداية، لكن أمام إلحاحها وافقت وأرشدتها إلى موقع البيت واتفقنا أن نلتقي بعد يومين، حوالي الساعة العاشرة صباحاً.

في ذلك اليوم نهضت باكراً من النوم واتصلت بإحدى جاراتي أدعوها لشرب القهوة. لبّت الجارة الدعوة مستغربة. دخلت عليّ وهي تقول: «كيف جرى الست إلهام مش عم تشتغل!» وهو الجواب الذي كانت قد اعتادت على سماعه كلما اتصلتْ بي لتسألني إن كنت أستطيع استقبالها أم لا. رحّبتُ بها، وبعد شرب القهوة أخبرتها عن زيارة مدام خوري وعن تخوّفي من هذه الزيارة، ثم سلّمتها مفتاح البيت وطلبت منها أن تزورني الساعة العاشرة والنصف وقلت لها: «إن لم نفتح لك الباب، فافتحيه أنت وادخلي».

ـ إنك تحمّلينني مسؤولية كبيرة، لكن سأنتظر على مدخل البناية لأرى من تكون مدام خوري هذه ولن أتأخّر في طرق بابك بعد وصولها.

أخذت جيجي المفتاح وانصرفت وكانت الساعة تقارب التاسعة. جلستُ وحدي أفكّر بما تبتغيه تلك السيدة مني وانتهيت إلى شبه اقتناع بأنها، قد تكون من عائلة مستورة وبحاجة إلى بعض المال ولهذا السبب أصرّت على لقائي في البيت لا في مكان عام.

ـ ألم تفكري بأنها يمكن أن تقتلك أو تسرقك أو أنها....

ـ فكرت بكل ذلك، لا بل جيجي نبّهتني إلى ذلك وأخبرتني قصصاً عديدة عن زيارات من هذا النوع انتهت بجرائم، لكنني لم أقتنع بكل قصصها لأنني لم أجد سبباً منطقياً لحصولها معي.

ـ والبرهان أنك ما زلت هنا تروين الحادثة. تابعي، كلي سمع، لكن حتى الآن لا أعلم ما هي الصلة بين روايتك هذه والسؤال الذي طرحته عليك في البداية.

ــ ستعلمين، لا تكوني متسرّعة ودعيني أكمل ما حدث. ففي تمام الساعة العاشرة، طُرق الباب، لم أدع الخادمة تفتحه، بل توجّهت نحوه وألصقت عيني بالعدسة التي تريني الخارج، فرأيت سيدة سمراء في منتصف العمر لائقة المظهر، تردّدت قليلاً قبل أن أفتح الباب وسمعتها تقول: «أنا مدام خوري». فتحت الباب بحذر وقبل أن نتصافح قالت، ربما لأنها حدست بحذري: أنا لست مدام خوري، أنا مدام (...) زوجة أخي روبير الذي كان زوج هبى».

ــ أهلاً وسهلاً، قلت لها، ولكن لماذا لم تعرّفي عن نفسك قبل مجيئك؟

ــ خفت ألا تستقبليني.

لم أجبها وتوجّهنا نحو الصالون حيث جلسنا بصمت.

ــ كيف تشربين القهوة؟ سألتها كي أفتتح الكلام.

ــ وسط، لكن لا أريد إزعاجك.

ــ لا إزعاج فالخادمة ستقوم بتحضيرها. قلت ذلك لأجعلها تفهم أنني لست وحدي في البيت.

قرع الباب مجدّداً ثم فتح بسرعة وإذ بجيجي تدخل مستنفرة وقالت: «عندك ناس، لا أريد إزعاجكما».

ــ إنها صديقة لم أرها منذ زمن طويل.

ــ إذاً أعتذر، أراك لاحقاً.

رافقتها إلى الباب وأفهمتها أن الأمر بسيط. وعدت إلى الصالون لسماع ما تريد تلك السيدة قوله.

بعد تردّد قصير باشرتْ بالكلام وقالت: «أنا زوجة إدمون وقد قرأت كتابيك «إلى هبى»، وهبى في رحلة الجسد» وعلمت أنك تعرفين هبى وروبير جيداً. فهل تسمحين لي بأن أسألك عن روبير بالذات؟

ــ تقولين إنك زوجة أخيه فأنا من عليها سؤالك عنه.

ــ سؤالي محدّد جداً وسأخبرك لماذا، هل كان روبير يشكو من عوارض عصبية حين كان مع هبى؟ وهل عالجه أحد الأطباء؟

ــ لماذا تسألينني عن ذلك؟

ــ لأنه ينكّد حياتنا ويتصرّف أحياناً بشكل هستيري ويقفل علينا مدخل البناية ويهدّد أولادنا و...

ــ وأين يسكن الآن؟

ــ نسكن في مبنى من طابقين، هو في الطابق الأول ونحن في الطابق الثاني، ولهذا السبب نحن محكومون بالمرور من أمام بابه كلما خرجنا أو عدنا إلى البيت، ولنا كل يوم قصة معه.

ــ وهل تزوّج أم أنه يعيش وحده؟

ــ منذ أن تركتْ هبى البيت وأصبح وحده، استقدم خادمة من الفيليبين وهي لا تزال معه حتى الآن.

— هل تزوّجها بها؟

— لا ندري، لكنه يعاملها كزوجة وأكثر، وهي تتصرّف كأنها سيدة البيت. لكنك لم تجيبيني عن سؤالي.

— لا أدري فعلاً، علي أن أطرح السؤال على هبى. وها أنا أطرحه عليك الآن يا ست هبى.

ضحكت هبى ومدّت يدها إلى الأمام وهي تميل بها شمالاً ويميناً.

— ماذا تقصدين؟ سألتها إلهام.

— تركته على الحدود، لم يكن قد عبرها بعد. وما أسمعه الآن يؤكّد أنه قد فعل.

— وقبل مغادرتها، رجتني مدام خوري أن لا أخبر أحداً بمجيئها لأنها تخشى ردّة فعل روبير إن علم بالأمر. وعدتها بذلك واحترمتُ وعدي وأنا بدوري أطلب منك أن لا تخبري أحداً بما أعلمتك به.

— على كل حال ما عدتُ مهتمّة بهذه الأمور، لقد نسيت روبير وكل ما يذكّر به، لا أذكره إلا حين أرى المطرب راغب علامة على الشاشة لقوة التشابه بينهما.

— وهل لا زال وسيماً؟

— لا زال رغم تقدم العمر. لكن ما لنا وله، المهم هو أنني قرّرت الزواج من جديد، فما رأيك في الموضوع؟

ـ أنت حرة، لكن العاقل لا يلدغ من جحر مرتين.

ـ لكنك أعدت التجربة يا عاقلة.

ـ أعدتها وندمت، لا بل كانت الفعلة الوحيدة، في حياتي، التي حملتني على الندم.

ـ ربما لم تحسني الاختيار.

ـ يبدو أن الاختيار في هذا الميدان هو دائماً خاطئ، والزواج أكذوبة كبرى. لماذا لا تصاحبين كما هو شائع الآن؟

ـ تقصدين أن أتماهى بك وأن أختار شخصاً من بلد آخر أزوره حين يحلو لي وأمضي باقي الوقت هنا وحدي.

ـ لستِ وحدك.

ـ بكل صراحة، لقد مللت العيش معك ومع أفكارك وانتقاداتك التي، وإن لم تصرحي بها أحياناً، تبقى دائماً واضحة.

ـ لا مانع لدي أن تحقّقي كل رغباتك، لكني أصرّ على أمر مهم وهو أنني لا أرغب في أن ترتكبي خطأً من الصعب تصحيحه لاحقاً.

ـ وهل الزواج أصبح خطأً بنظرك؟

ـ في مثل سننا، نعم أراه خطأً وتعرفين لماذا.

ـ هل بسبب مشاكل الطلاق؟

ـ لقد أصبت؛ يتم الزواج بلحظة ويتطلّب الطلاق سنين عديدة.

ـ لكننا اتفقنا على أن نفترق من دون مشاكل إن لم نسعد في زواجنا.

ـ وهذا يعني أنك قد اخترت الشريك، فمن هو سعيد، أو منحوس، الحظ وكيف تم ذلك بهذه السرعة؟

ـ سأخبرك، لكن لا تعتبري أنني أطلب رأيك في الموضوع: حين عدت من الضيعة إلى بيروت قرّرت أن أمضي الوقت على البحر، لكن ليس في المسبح العسكري بل في الكورال بيتش حيث الطبقة الراقية...

ـ الراقية بالمال فقط.

ـ وهناك، تابعت هبى من دون أن تعير اهتماماً لتعليق إلهام، التقيت صدفة بأحد الأشخاص، وبعد التعارف الذي دام طوال أسبوع بكامله أخبرني أنه مطلّق ولديه ولدان يعيشان في أوروبا وأنه يودّ أن يعيد بناء حياته من جديد إن رضيت بالزواج منه.

ـ وما كان جوابك؟

ـ طبعاً أبديت التردّد وطلبت منه أن نتعارف أكثر قبل أن نقرر، وما زلنا في مرحلة التعارف. لكن، على الأرجح أنني سأقبل عرضه لأنه ممتاز ويعاملني كأميرة، وهو جاهز لتلبية كل رغباتي، إنه ثري جداً على ما يبدو.

ـ وماذا يعمل؟

ــ في مجال التجارة، لكنها تجارة على مستوى عالمي. إنه صاحب شركة معروفة عالمياً.

ــ جيد، لكن لماذا الزواج؟ ما رأيك بالمساكنة؟

ــ كتلميذة نبيهة للدكتورة إلهام، عرضت عليه ذلك، لكنه أسكتني بمنطقه إذ قال لي إنه جدي في ما يطلب ولا يرغب في تمضية الوقت فقط.

ــ فهم غريب للمساكنة.

ــ حيال ردِّه هذا، طلبت منه بعض الوقت للتفكير، وحيال تردّدي أوضح لي أنه لا يمانع أبداً في الطلاق إن لم نوفّق في حياتنا الزوجية.

ــ أمامك تجربتان في هذا الموضوع، تجربتك في زواجك الأول الذي لم يتم فسخه إلا بعد إحدى عشر سنة من بداية دعوى الطلاق، وتجربتي في زواجي الثاني الذي لم أحصل على فسخه حتى الآن بسبب ممانعة الزوج الذي كان قد وعدني، كما فعل رجلك الآن، بأنه لن يمانع في اللجوء إلى الطلاق إذا لم يعد الاستمرار في الزواج ممكناً. الرجل، كما خبرته، لا يقبل بالطلاق إذا طلبته الإنسى، إنه يرى ذلك مساساً برجولته.

ــ وهي أيضاً تستطيع جرجرته في المحاكم إن طلب هو الطلاق.

ــ صحيح، لكن ذلك لا يغير شيئاً؛ فكلها جرجرة بجرجرة. لكني أعرف جيداً أنك، وبحسب ما أعرفه عن شخصيتك، لن تمانعي إن طلب هو الطلاق، بل ستظهرين له أنك تريدينه أكثر منه وهذا ما

سيجعله هو صاحب الحل والربط.

— سأعرض عليه الزواج المدني.

ضحكت إلهام من سذاجة هبى وقالت: وهل زواجي الثاني كان زواجاً دينياً؟ ومع ذلك الطلاق لا زال عالقاً. على كل حال إن كنت مصمّمة على الزواج فنصيحتي لك أن تحاولي، في حال تدهور الوضع بينكما لاحقاً، لا سمح الله، أن يأتي طلب الطلاق منه هو، هكذا تنتهين من الموضوع بسرعة وتتحرّرين. وهنا لا بد من ملاحظة هامة وتنبيه: إياك والاستقالة من عملك، حافظي على استقلالك المادي حتى ولو كان حبيبك الحالي ثرياً وباستطاعته تأمين كل متطلباتك.

— لكنه كثير السفر وقد أوضح لي أنه يصرّ على مرافقتي له في كل أسفاره.

— تدبّري أمرك بطلب عطل من دون راتب أو ما شابه، والأمر سهل في الجامعة اللبنانية حيث نشهد الكثير من هذه المخالفات المفضوحة والتي يُسكت عنها ولن أوضح أكثر من ذلك.

— دعيني أفكر في الموضوع قبل أن أتخذ قراري.

— أنا لست مستعجلة وأتمنى أن تفكري جيداً. لكن هل تسمحين لي بأن أراه؟

— طبعاً، وقريباً جداً لأنني أخبرته أنني أعيش معك وهو الذي طلب مني أن يجتمع بك.

— وإن غيّر رأيه بعد الاجتماع وفضّلني عليك؟ قالت إلهام مازحة.

ــ أنا مطمئنة. أجابت هبى بنبرة هي مزيج من اللؤم والسخرية.

ذهبت هبى لملاقاة رجلها الجديد فأسرعتُ لمواجهة إلهام بعديد من الأسئلة التي كان عليها طرحها على هبى وبدأت بأهمها:

ــ لم تسألي هبى إن كانت تحب هذا الرجل، وهو السؤال البديهي الأول في كل علاقة بين الجنسين.

ــ إنه، بالفعل سؤال بديهي ولهذا السبب لم أطرحه على هبى لأنني أعرف كيف تحب.

ــ وهل حبها مختلف عن حب غيرها؟ الحب هو الحب مهما تنوّعت مظاهره ودوافعه.

ــ هبى لا تحب أو تهتم إلا بمن يعجب بها أولاً، وكأني بها تغرم بإعجاب الآخر بها أكثر مما تغرم به هو. هذا يعني أن ذلك الرجل، ولكي يحظى بانتباه هبى، هو فعلاً معجب بها وقد عبّر لها عن ذلك. والإعجاب هذا لا يدوم بعد الزواج ولهذا السبب نصحتها بالمساكنة من دون عقد أو قيود.

ــ ربما هي تبغي الزواج لإثبات أمر ما.

ــ وما هو؟

ــ تكذيب ما تهامسه بعض من يدّعون الثقافة، حول علاقتكما.

ــ تقصدين الكلام الذي تداوله البعض بعد قراءته لكتابي «أنا هي أنت» حول موضوع السحاق؟ لا أظن أن هبى سخيفة إلى هذا الحد بل أعتقد أنها تريد الزواج لأنها شارفت على إنهاء الصفحة

الأولى من حياتها وهي الآن تهرب بالزواج من مواجهة الصفحة الثانية.

ــ ربما كان تحليلك صحيحاً، لكن ماذا تجيبين منْ يطرح السؤال عن كونك وهبى سحاقيتين؟

ــ جوابي، بكل بساطة هو التالي: لو كنت كما يدّعون أو يظنّون، لما كنت تركت لهم مجالاً للظن. يعني أنني كنت أعلنت ذلك ومن دون خجل ولكنت مارسته في العلن لا في السر.

ــ هذا الجواب يعني للبعض أنه تستّرعلى الواقع لأنك في كتابك عن الموضوع تدافعين عن السحاقيات.

ــ هم أحرار وأمرهم لا يعنيني. وأقول، للتوضيح فقط: ليس لدي موقف أخلاقي من الموضوع الذي أراه طبيعياً لأنه موجود وحتى عند بعض الحيوانات.

ــ لدي سؤال آخر لم تطرحيه على هبى وهو هل مارست معه الجنس قبل أن تقرر الزواج منه؟

ــ لا توصي حريصاً، هبى مدركة لهذا الموضوع ولا أظنها ستتّخذ قرارها بالموافقة قبل التجربة.

ــ أشعر أننا اقتربنا من البدء بكتابة الصفحة الثانية.

عادت هبى مساءً إلى البيت وفاجأت إلهام بأن معها عشيقها الجديد نوّار؛ رجل في الستين من عمره تقريباً، منتصب القامة، بهي الطلعة، وكامل الأناقة، تفوح منه الروائح العطرة.

ـ أقدم لك نوّار، قالت هبى لإلهام، ثم توجّهت إلى نوّار وقالت: هذه هي السيدة إلهام التي كلّمتك عنها.

ـ إنها بالفعل كما وصفتها لي ويشرّفني جداً أن تستقبلني في بيتها.

ـ الشرف لي، ردّت إلهام، يكفي أنك صديق هبى.

دخلوا الصالون وأتى تعليق نوّار: «جو البيت مريح يُشعر الزائر بالدفء». وهنا دار كلام عام حول الأوضاع في البلد وغيرها قطعته إلهام بسؤالها:

ـ والآن ماذا ترغب أن تشرب؟ بارد أو ساخن؟

ـ سنخرج لتناول العشاء في أحد المطاعم.

تدخّلت هبى لتقول: «نشرب كأساً هنا ثم نخرج».

ـ أنت تأمرين يا جميلتي، كما تريدين، أجاب نوار.

ـ لقد بدأ الغزل باكراً، قالت إلهام بنبرة محببة.

ـ إنه أقل ما يمكن قوله في هبى.

وهكذا مضى الوقت ونوار يتحدث عن إعجابه بهبى. وكلما ذكر شيئاً يعجبه فيها أضافت إليه إلهام شيئاً آخر إلى أن تحوّلت هبى إلى طاووس بكل معنى الكلمة، طاووس تنازل وقال: «وأنتَ أيضاً شخص جدير بالإعجاب والتقدير».

ـ وبناءً عليه سأتصل بالفاندوم وأحجز لنا طاولة.

انتقلوا إلى المربع الليلي بسيارة نوار الفخمة التي يقودها سائق شاب. دخلوا المربع في جو من الترحيب بالأستاذ نوار وجلسوا إلى الطاولة حيث جيء بالشامبانيا والكافيار والسومون وغيره من أطايب المأكولات، وذراع نوار ترتفع من وقت لآخر فوق كتفي هبى لتضمها إليه، وهي تنصاع لحركته تلك بكل غنج ودلال في جو من الموسيقى الهادئة. بعد شرب الأنخاب قال نوار:

ـ لقد قرّرنا الزواج أنا وهبى، لكنها تريد رأيك في الموضوع.

ـ إن كنتما قد قرّرتما الزواج فما عليّ ألا أن أقول لكما: مبروك، لكن لمَ كل هذه السرعة؟

ـ لن نتزوج الآن، بل في أواخر الصيف. وقد اتفقتُ مع هبى، ونزولاً عند رغبتها، على أن يكون زواجنا مدنياً. لهذا السبب سنسافر إلى باريس في أواخر أيلول لإتمامه وحتماً ستكونين أنت الإشبينة. أما بالنسبة لجامعة هبى فقد اتفقنا أن تطلب إجازة من دون راتب لمدة سنة في البداية و...

ـ يبدو أنكما خططتما لكل الأمور ولم يبق علي سوى الدعاء لكما بالتوفيق.

تمّت الأمور كما خُطِّط لها وتركتهما إلهام في باريس لتمضية شهر العسل لتعود إلى بيتها بعد غياب دام أكثر من شهر، ولتجدني بانتظارها. كنت بأشد الشوق إليها، فقد عشت كل تلك الفترة بعزلة تامة إن لم أقل بصمت تام. هجرتني إلهام فتوقّف الكلام الذي لا أحيا إلا به. وما أن دخلت البيت حتى انهلتُ عليها بالأسئلة. فما كان منها إلا أن هدّأت من عجالتي وقالت: «لن يفوتك شيء، سأخبرك كل ما حدث معي في خلال غيابي عنك».

ـ يبدو أن الكلام يأتي دائماً لاحقاً أجبتها.

ـ هذه هي ماهيته الأساسية؛ حين نعيش ونمارس الحياة ونغرق في التزاماتها ومتاهاتها، يصمت الكلام، لكنه فيما بعد، يثأر من الحياة ويبيّن لها أنها لا تكون إلا به. وهكذا فكل ما نحياه هو دخان عابر إن لم يلتقطه الكلام ليمنحه قواماً يقوى على اللحظة الراهنة الهروب ويحوّل الزمن ذا التوجه الأوحد إلى امتداد نتحرّك فيه كما نريد ونرغب وفي كل الاتجاهات.

ـ تقصدين أن الكلام يولد حين نخرج من النهر للتنزه على ضفافه.

ـ فهمت قصدي جيداً.

ـ تقدّرين، إذن، مدى قهري حين أرغمني غيابك على الصمت. غيابك رماني في حالة انتظار لا هويّة لها سوى الفراغ. هيا املئي هذا الفراغ كي أستعيد هويتي وأستأنف دوري.

ـ أنت خرجت من النهر، في غيابي، لكنك خرجت لتجلسي على إحدى ضفتيه تنظرين إلي جريانه، ولهذا السبب أتى انتظارك فارغاً.

ـ خذيني إلى الحدائق التي رواها النهر وهو يجري والتي أنبتت كلاماً لم أسمعه.

ـ دور الكلام هو الإيجاز من دون الغوص في التفاصيل التي تكون أحياناً مملة.

ـ الكلام الذي تقصدينه هو كلام الفلسفة، وأنا مهمتي الكلام الروائي الذي يتطلّب أحياناً كثيرة الدقة في التفاصيل. لهذا السبب لن أطلب منك أن تروي، بل أجيبيني فقط عن أسئلتي.

— مع منحي الحق بألا أجيب على أسئلة سخيفة لا تقدّم ولا تؤخّر في ماهية الكلام.

— الراوي لا يطرح أسئلة سخيفة.

— سنرى. أنا جاهزة.

— كيف كان حفل الزواج؟

— كان أبسط ما يمكن، إذ حضره العروسان والإشبينان وعدد قليل جداً من أصحاب نوار المقيمين في باريس. بعد المراسم التي لم تدم أكثر من ربع ساعة، توجّهنا إلى مطعم فخم حيث تناولنا العشاء وشربنا الأنخاب. بعد ذلك تركتهما ولم أعد أعرف شيئاً عنهما.

— أين أمضيت إذن، كل هذا الوقت؟

— هذا هو الأمر الذي تهتمين له، لقد أمضيت الوقت برفقة صديقي، جان ميشال وقمنا بجولة في فرنسا قبل أن نفترق ويعود كل منا إلى عالمه الخاص من جديد.

— وهل أنت مرتاحة لهذه العلاقة؟

— جداً. وأراها أكثر ثباتاً ومتعة من كل الزيجات العادية حيث التعايش يصبح قسرياً في أغلب الأحيان.

— فلنعد إلى موضوع هبى؛ هل علمتِ إن أُرفق طلب الزواج بعقد أم لا؟

— نعم. لقد أخبرتني هبى أنها طلبت أن يكون الزواج مرفقاً بعقد،

وأظن أن نوار هو الذي طلبه وهبى وافقت فقط لتظهر له أنها لا تطمع بثروته. على كل حال حسناً فعلت. وقالت لي إن زوجة نوار الأولى هي فرنسية وقد منحته الجنسية.

ــ يعني أن هبى ستحصل على الجنسية الفرنسية بعد سنتين.

ــ هذا إذا استمر الزواج سنتين.

ــ أرى أنك غير موافقة على هذا الزواج.

ــ بكل صراحة، لا. آمل أن يكذِّب ظني وألا تندم هبى فيما بعد.

صمتت إلهام للحظة ثم قالت كأنها تخاطب نفسها: «من العبث أن ينتصح أحدنا بتجربة غيره. إن لم يكتوِ بتجربته الخاصة فلن يتعلم».

ــ وهل...

ــ لا تكملي، لن أجيب عن أي سؤال بعد الآن.

8

بعد انشغال إلهام بهبى ومشاريعها، وبعد لقائها بصديقها وتمضية عطلة ممتعة معه، عادت إلى ذاتها واشتاقت إلى عالمها، ذلك العالم الصغير الذي يسكنه، بمعزل عن الأهل، عدد قليل من الأصدقاء، عدد تقلّص مع الوقت ليصبح منحصراً بيسرى ومي وحياة وسعاد وربى وأحياناً زينب وعلوية والقليل من الذكور بعد أن تخفّف من ثقلٍ كان نوعاً من ورم تبيّن مع الوقت أنه ورم خبيث. لهذا السبب استأصلت إلهام الورم وحافظت على القسم السليم من علاقاتها:

ـ نبدأ بعدد كبير ممن نسميهم أصدقاء، لكن قلة منهم تصمد فوق الغربال حيث يسقط الصغير الحقير الانتهازي الوصولي ويبقى فقط، الكبير الأصيل الحر. قالت لي إلهام حين سألتها عن أصدقائها.

ـ لكن ليس كل الذين سقطوا هم كما تصفينهم.

ـــ بالطبع البعض منهم جيد، لكني ما عدت أنسجم معهم، مزاجي لا يتفق مع مزاجهم وما عدت راغبة في المسايرة. مع العلم أن البعض الآخر أظهر لؤماً وخسة ما كنت أتصوّر أن يصل إليها.

ـــ يعني أن البعض خيّب أملك؟

ـــ ليس تماماً لأنني كنت أحدس بخسته، لكنني كنت أتعالى وأستمر في العلاقة.

ـــ وقد نبّهتك إلى ذلك مرات عديدة وما سمعتني.

ـــ تعرفينني جيداً؛ أنا أتحمّل الكثير لكنني حين أبلغ درجة معينة من التحمّل أقلب الصفحة وأنسى.

ـــ كما فعلت مع من كانت تعد أقرب صديقاتك.

ـــ هي وغيرها من النساء والرجال أيضاً.

ـــ وما برأيك سبب هذه الخسة أو اللؤم؟

ـــ لقد رافقتِني طوال حياتي وتعرفين الأمور أكثر مما أعرفها أحياناً. لكن ألاحظ أنك تريدين الكلام عليها لتتأكدي منها.

ـــ أنت علّمتني أن القول هو فعل الانوجاد. وكل ما لا يقال أو يُسمّى هو عدم لا وجود له.

ـــ والقول ليس فقط ما يُنطق به، هو أشمل من ذلك بكثير إذْ يطال أيضاً المسكوت عنه.

ـــ لكننا في جلسة حميمة حيث يتساوى النطق بالسكوت،

فلنحولهما إلى كلام لا يسمعه غيرنا.

ــ وماذا تريدين أن تعرفي وهل من أمر تجهلينه؟

ــ ما أعرفه يندرج في خانة المسكوت عنه وقد ضاق صدري به وأود لو تساعديني على إخراجه في كلام ينقله من مجرّد الظن إلى وضوح اليقين.

رنَّ جرس الهاتف وإذ بهبى تتّصل لتخبر إلهام أنها عادت من السفر وهي في طريقها إليها. امتعضتُ من هذا الاتصال، لكنني صمّمتُ على متابعة الحديث حتى في حضور هبى. وما هي إلا دقائق حتى دخلت هبى علينا وكلها حيوية ونشاط. رمت أكياساً كبيرة كانت تحملها وعانقت إلهام التي رحّبت بها بفرح حقيقي.

ــ عدنا البارحة مساءً ولم أتّصل بك لأننا كنا منهكيْن.

ــ وكيف كان شهر العسل؟

ــ عسل بكل معنى الكلمة، لكنه متعب، لقد زرنا بلداناً عديدة من إيطاليا إلى فرنسا إلى إنكلترا وإسبانيا، نتنقل في السيارة أو الطائرة. كنا نقيم في كل بلد عدّة أيام إلى أن أمضينا ما يقارب الأربعين يوماً وها نحن الآن هنا من جديد.

ــ وكيف حال نوار؟

ــ هو كما عرفته هنا، لم يتغير أبداً، كل همّه كان تلبية رغباتي وتدليلي كطفل صغير.

ــ أدامها الله نعمة. آمل أن تستمر الأمور هكذا.

ــ ستستمر، اطمئني. وأغلب هداياك اختارها هو.

قالت هبى ذلك وبدأت بفتح الأكياس التي اندلقت منها ثياب بمنتهى الأناقة لوناً وشكلاً.

ــ لمَ كل هذه الهدايا؟ إنها أكثر مما أستحق.

ــ ومن لي سواك فأنت أمي وأختي وصديقتي، ونوار يدرك ذلك جيداً. هيا جربيها.

ــ لا داعي لذلك، حتما ستكون ممتازة.

ــ كما تريدين. أما بعد فقد حدّد نوار يوم السبت المقبل لاستقبال الأصدقاء عندنا في البيت وأنت حتماً أول المدعوين.

ــ تقصدين بعد غد، وكيف ستتدبّرين أمرك؟

ــ كل الأمور ستكون جاهزة وأنا لا أتعرّف على شيء. كل ما يريده مني أن أكون بأجمل حلّة وبمزاج مرح.

ــ وأنا، حتما، سأرتدي أحد هذه الفساتين.

ــ والآن أستودعك لأن نوار لا يطيق أن أبتعد عنه لوقت طويل.

فرحتُ برحيلها وعدتُ إلى إلهام لمتابعة الحديث الذي كنا بدأناه قبل مجيء هبى. انتظرت حتى رتّبت إلهام هداياها في الخزانة، وقبل أن تبدأ بأي عمل جلست قبالتها، فما كان منها ألا أن ابتسمت وقالت: «أعرف أنك لا تستطيعين النوم قبل أن تشبعي نهمك من الأسئلة التي لا تعيشين إلا بها».

ـــ نهمي يتعلق، فقط، بما تعرفينه وتُخفينه عني، أما في الحالات الأخرى فأنا متخمة.

ـــ من أين تريدين أن نبدأ وما هو المستغلق الذي تودّين استجلاءه؟

ـــ كنا نتكلم في الصداقة قبل مجيء هبى التي تعتبرينها الصديقة المفضلة لديك.

ـــ لا أحد يأخذ مكانك يا عزيزتي، أنت الأولى التي، من بعدها، يأتي الآخرون.

ـــ إن كنتُ أنا المفضّلة وأشكو من سكوتك عن أمور كثيرة، فما بالك بالباقين؟

ـــ أمامك لا أسكت عن شيء، فلماذا تتهمينني؟

ـــ أتهمك لأنني أعجز، أحياناً، عن فهم بعض مواقفك. أعجز عن فهم تخليك عن أصدقاء أو صديقات كانوا أقرب إليك مني مع بروز أصدقاء وصديقات جدد ما كانوا في الحسبان. فهل تبدّلين علاقاتك كما تبدلين ملابسك؟

ضحكت إلهام ثم صمتت وغرقت في الصمت كأنها تستعيد ذكريات معيّنة. ابتسمتْ من جديد وقالت: «أحياناً نخطئ في اختيارنا، وأحيانا تُفرض علينا الأمور فرضاً، وأحياناً... لكن المهم هو أن ننجو بأنفسنا من مخالب البعض قبل أن تدمينا». صمتتْ من جديد ثم تابعت: «وأحياناً فعلت، لأن بعض من نعتبرهم أصدقاء هم في الواقع حيوانات مفترسة، لا تعيش إلا على نهش الآخر وتمزيقه».

ــ على من تتكلمين؟ وهل أعرفهم؟

ــ هم الذين سقطوا تحت الغربال.

ــ ومن بقي منهم فوقه هل...

ــ إنهم قلة، آمل ألا يسقط منهم أحد.

ــ أقدمهم سعاد، فهي، وعلى الرغم من عدم رؤيتك لها لفترات طويلة، ألاحظ أنها ثابتة.

ــ بالفعل سعاد هي الأقدم، إنها رفيقة العمر. لقد بدأنا معاً من الصف الأول في المدرسة حتى نهاية المرحلة الثانوية التي افترقنا بعدها لتذهب كل واحدة منا في اتجاه؛ هي اختارت الأدب وأنا اخترت علم النفس ثم الفلسفة، وكنا نلتقي كثيراً في تلك المرحلة، إلى أن بدأت الحرب وأبعدت ما بيننا؛ سكنتُ أنا في بيروت وبقيت هي في جونيه ولم ألتق بها إلا صدفة، بعد سنوات وهل تعلمين أين؟

ــ ...

ــ لقد التقينا في صالون المحكمة الروحية المارونية التي كان مقرُّها في الكسليك. دخلتُ يومها لمتابعة دعوى الطلاق وإذ بي أمام سعاد تحمل ملفاً وتتمشّى. وهنا كانت المفاجأة؛ سألتها وسألتني في الوقت نفسه: «ماذا تفعلين هنا؟» كانت هي أيضاً تتابع دعوى الانفصال عن زوجها الذي لم أعرفه وكانت قد أصبحت أماً لولدين وهي الآن جدّة لحفيدين جميلين. صحيح أني لا ألتقي بها باستمرار، لكننا نشعر، كلما التقينا، كأننا لم نفترق، والمهم أنني أشعر معها

بعدم الحاجة إلى قناع أو قفازات. نتحادث بكل الأمور الخاصة والعامة، نتحادث وكأننا نفكّر بصوت عالٍ. لقد اشتقت إليها سأتصل بها حالاً.

اتصلت إلهام بسعاد ودار بينهما حديث فهمتُ منه أن سعاد تدرّس في إحدى المدارس وفي جامعة الروح القدس، وأنها تشتغل فوق طاقتها ومع ذلك لا تزال محافظة على روحها المرحة لأن إلهام كانت، ومن وقت لآخر، تنفجر من الضحك وهي تقول: «لقد ضرب الخرف». وهو تعليق على أخبار سعاد حول النسيان الذي تبالغ في وصفه إلى درجة تحويله إلى نوع من النكات. وانتهت المكالمة على أن تلتقيا في أقرب فرصة.

ــ سعاد لا تتغير، وعلى الرغم من كل ما عانته في حياتها وقيامها بمسؤولية مزدوجة لتربية أولادها، لا تزال تقتنص الضحكة حتى في اللحظات الأشد مأساوية. إنها فعلاً صامدة فوق الغربال وأعتقد أنها ستصمد.

ــ هناك أيضاً صديقة أخرى ما عدت أذكر اسمها، كانت تعمل في وزارة العدلية قاضية حيث كانت هبى تزورها وما أن تدخل عليها حتى يتجمّع بعض القضاة في غرفتها لمسايرة هبى التي كانت بالفعل جميلة.

ــ إنها الحرب أيضاً، لقد فرّقت بيننا لأكثر من سبعة عشر عاماً، لكن عدنا والتقينا وأيضاً صدفة، في متجر الـ أ. ب. س. وكان لقاءً حاراً لدرجة أن بعض الزبائن وقف يراقبنا ويراقب انفعالاتنا. التقينا يوم أربعاء ولهذا السبب أصبحنا نلتقي كل يوم أربعاء في المكان نفسه فنشرب القهوة ونتحاور في كل الأمور الخاصة

بالتحديد، ثم نجول على المحال حيث تفرط في شراء كل ما يعجبها كأني بها تقوم بعملية تعويض عن نقص ما وهي مدركة لذلك، لكنها تصرّ على مظهرها الأنيق الذي يظلّ طبيعياً إذ إنها لا تستعمل ولم تستعمل أي نوع من مستحضرات التجميل، تذكرين ذلك. هي الآن، تصبغ شعرها فقط وكل ما عدا ذلك بقي على حاله. هي من الذين ظلوا فوق الغربال. التقينا من جديد وعاد التواصل بيننا كأننا لم نفترق وكأن الزمن الذي مرّ لم يغير شيئاً اللّهم إلاّ ابنها الذي عرفته طفلاً وبات اليوم شاباً في سن الزواج ويمارس عمله بعد أن حاز شهادات عالية.

ــ في المرحلة الجامعية، لم ألاحظ أنك بنيت صداقات مهمة.

ــ هذا صحيح والسبب يعود إلى أنني كنت متزوجة ولا أختلط كثيراً بالطلاب.

ــ وحين رحت تختلطين خربت البصرة وذهبت بك الأمور إلى طلب الطلاق من زوجك.

ــ والأصح هو أنه حين خربتْ البصرة بيني وبين زوجي باشرتُ بتحسين علاقاتي مع الطلاب.

ــ أنا لا أقصد كل تلك العلاقات، بل تلك العلاقة التي حوّلت كل حياتك باتجاه آخر.

ــ لقد حصلت لأن حياتي كانت قد بدأت تتحوّل باتجاه آخر.

ــ أتحاولين إقناعي بأن علاقتك بعمر لم تؤثّر على حياتك الزوجية؟

ــ لا أستطيع الجزم في الموضوع، لكنني على يقين أن الداخل هو

سبب خراب العلاقة بين الزوجين لا الخارج. حين يكون الداخل صلباً لا تقوى عليه أبواب الجحيم.

ــ وماذا حل بعمر بعد أن تزوّج من ألمانية؟

ــ انتقل إلى العيش في ألمانيا، هذا كل ما علمته عنه إلى أن عدنا والتقينا، في ألمانيا، وقد عملت على حصول هذا اللقاء، لست أدري لماذا.

ــ أعرف لماذا حاولتِ اللقاء به من جديد، فاتصاله الهاتفي بك بعد مرور سنوات عديدة ومحاولة إقناعك بالعودة إليه هي التي أيقظت فضولك لرؤيته من جديد.

ــ ربما، لكن حسناً فعلت، لأن ذلك اللقاء كان نهاية عمر بالنسبة لي. لم يسقط عمر من فوق الغربال إلا بعد ذلك اللقاء.

ــ لكنه لم يكن صديقاً عادياً بل حبيباً.

ــ الأمور متداخلة في الصداقة والحب، والفصل بينهما في علاقة غرامية هو أمر صعب جداً، وعلاقتي بعمر كانت مزيجاً من الاثنين. بينما علاقتي ببطرس، رحمه الله، كانت علاقة صداقة وقد استمرّت على أجمل وجه إلى يوم وفاته المبكرة.

ــ وزوجته هل ما زالت صديقتك؟

ــ تقصدين ربى، بالطبع إنها لا تزال صديقتي، لكنها كثيرة المشاغل والمشاريع وليس لديها الوقت الكافي لبناء الكثير من الصداقات المتينة. إنها كتلة من الحيوية التي يصعب أحياناً مجاراتها، لكنها طيّبة على الرغم من استعراضيتها المفرطة أحياناً.

ــ تقصدين نرجسيتها المفرطة.

ــ لو كنت أقصدها لما استعملت مصطلحاً آخر.

ــ المهم أنها لا تزال فوق الغربال.

ــ بالتأكيد.

ــ وعايدة، تلك الصديقة التي كانت دائماً معك أيام الدراسة في الجامعة اللبنانية؟

ــ هنا لا بد من توضيح، فعايدة كانت بمثابة صديقة وكنت أعدّها كذلك، لكن في الحقيقة كنت أستعملها للتغطية.

ــ للتغطية على تواجدك مع عمر، كنتُ أحدس بذلك لكنك كنت دائماً تحاولين تكذيبي وإيهامي بأنها صديقة حميمة وها أنت الآن «تبقّين البحصة».

ــ ما عدت قادرة على الكذب لا على ذاتي ولا على الآخرين. فمنذ اللحظة التي بدأت فيها كتابة السيرة عرّيت نفسي أمام عيني وخلّصتها من كل ما علق بها من وهم وتشويش. أصبحت أنا التي تنظر إلى أناه وليس إلى الآخرين.

ــ ومع ذلك يصر البعض على أن كتابة السيرة الحقيقة غير موجودة في عالمنا العربي وبخاصة لدى النساء.

ــ هؤلاء هم أحرار إذ يرون أن السيرة نوع من الستريبتنيز، أي التعري أمام الآخر، أي أنها نوع من الاستعراض، بينما السيرة الحقيقية هي التعري أمام الذات أولاً، ودور الآخر فيها هو التلصّص فقط.

ــ أنا أعرف ذلك، لكن دعيني أتابع موضوعي حول الصداقة؛ أنهيتِ مرحلة الدراسة في باريس، وعدت إلى بيروت لمباشرة العمل، وهنا لاحظت أنك وسّعت شبكة علاقاتك وأصبح لديك العديد من الأصدقاء، فمَن بينهم بقي فوق الغربال كما تقولين؟

ــ فلنتناول العشاء أولاً لأنني أتضوّر جوعاً.

ــ هل تتهرّبين من الإجابة؟

ــ لا، وأعدك بأنني سأتابع معك هذا الموضوع لكن ببطن ملآن لتحلو الجلسة ونتمتّع بنتف الريش، ريشة ريشة، وعلى مزاجنا.

حضّرنا العشاء من بعض الخضرة وحواضر البيت وتوجهتُ إلى الثلاجة حيث أخرجتُ منها زجاجة الفودكا وهو مشروب إلهام المفضل، وبعض الثلج، وقدّمت لها كأساً لم ترفضها بل رحّبت بها، وقدّمت لنفسي كأساً من الوسكي وجلست أحضّر نفسي لسماع ما ستقوله إلهام في أصدقائها. رفعتُ كأسي وقلت: «بصحّة الصداقة». فرفعت إلهام كأسها وأجابت: «الحقيقية فقط».

ــ كما تريدين. أما الآن فلنشرب وننس الموضوع. قلت ذلك لأدفع إلهام إلى الشرب لأنني أعرف أن القليل من الكحول يحوّل كلامها إلى نص من دون ضوابط ولا سدود فينساب كنهرٍ مياهُه نقية، عذبة.

شربنا وتحادثنا بموضوع هبى وزواجها الذي يبدو موفّقاً، وشدّدت إلهام على لفظة «يبدو» لأن الواقع لا ينكشف حقاً ألا في التواجد تحت سقف واحد ولمدة معينة، حيث تُنزع الأقنعة ويعود كل من الزوجين إلى وجهه الحقيقي.

— وهل هبى تمثل أيضاً على نفسها وعلى زوجها؟

— هو ليس تمثيلاً واعياً بل نوع من الانجذاب الذي يعمي البصيرة ويهذّب الطبائع لفترة معينة قبل أن تعود إلى حقيقتها التي ليست مهذّبة دائماً. ففي كل علاقة نوع من الانبهار في البداية، انبهار لا بد أن تخمد شعلته بعد فترة قد تطول أو تقصر وفقاً لكل حالة.

— وهل هبى منبهرة بنوار؟ أفهم أن يكون هو منبهراً بها لأنها جميلة ومثقفة ولا احتمال بأن تأتيه بالأولاد. إنها، فعلاً ما يناسب وضعه. أما هي، فما الذي يبهرها فيه؟

— إنها ليست منبهرة، أنا أعرفها جيداً، لكنها قامت بهذه الخطوة لأنها شارفت على مرحلة حرجة، لا تريد مواجهتها وتقبّلها، هي تهرب فقط. وآمل ألا تكون يقظتها مؤلمة.

— وكأنك واثقة من أن الأمور لن تستمر بينهما.

— لست واثقة، لكنني بسبب معرفتي الجيدة بهبى، أحدس بأن الآتي ليس كما هو الحاضر والظاهر.

أنهت إلهام كأسها الأولى فأتيتها بالثانية قائلة: «فلنشرب لأننا في البيت، وإذا شعرنا بالنعاس نستلقي في أماكننا، فلا قيادة سيارة ولا أمور مزعجة ولا عين تراقب». لم توافق إلهام على اقتراحي ولم ترحّب بالكأس الثانية قائلة: «تعلمين أنني لا أشرب إلا كأساً واحدة». بالفعل بدأت أشعر أنها أصبحت كالخوخة المعسّلة الناضجة فأعدتها إلى موضوعنا السابق:

— عدتِ من باريس وباشرت العمل في الجامعة فمن هم أصدقاء تلك المرحلة؟

ـ لا أصدقاء لي من الجامعة، والغريب في الأمر أنني سأخرج منها من دون أن تترك في داخلي أي أثر يُذكر سوى بعض القصص الصغيرة التي لا تشرّف الجامعة ولا العاملين فيها.

ـ كحادثة تلك الطالبة التي حاولتْ أمها، التي كانت، في حينها، رئيسة القسم، أن تزوّر علامات ابنتها لكي تنجح.

ـ لقد تواطأت يومها مع المدير وكان ما كان إلى أن تولّيت أنا رئاسة القسم وسوّيت الأمور كما ينبغي ووفقاً للقوانين. إنها حادثة علمنا بها وأظن أن هناك الكثير من القصص المماثلة والتي ظلّت مكتومة. على كل حال صداقتي لبعض أهل الجامعة أتت من خارجها لا من الداخل، وهم قلة.

ـ داخل القسم الذي تعملين فيه أعرف اثنين هما حسين وموسى.

ـ صحيح، وصداقتي لهما منطلقها، كغيرها، من إطار الحزب لا من الجامعة. لكن حتى هذه الصداقات بدأت تفتر، مع أنها مرّت بفترات حامية جداً كما تعلمين.

ـ وبخاصة علاقتك بموسى.

ـ علاقة كانت مزيجاً من الحب والصداقة وقد انتهى الحب وبقيت الصداقة التي، بدورها أخذت تتضاءل.

ـ يعني أنهما سقطا من ثقوب الغربال؟

ـ لا، سوف يبقيان فوق الغربال، على ما أعتقد، لكنهما وقفا على الحافة، قرب الإطار.

— ومن خارج القسم؟

— إنهم كثر موزعون بين أصدقاء ومعارف. حين باشرت العمل الحزبي، شعرت أن هناك نوعاً من العلاقات الجميلة تجمع بين الحزبيين، علاقة تصل إلى حدود العيش المشترك. كان هناك همّ جامع، قضية يسهل الموت في سبيلها، أما اليوم فقد تشتّت الربع وذهب كل واحد في اتجاه. هل تتصورين أن قسماً منهم يشكّل ما يسمى اليوم اليسار الديموقراطي المنحاز كلياً لما كان في السابق يعتبر عدوه اللدود؟

— ما لنا وللسياسة، أنا أسألك عن أصدقائك خارج قسم الفلسفة.

— وأنا أجبتك بأنهم جميعاً من إطار الحزب. فرشيد مثلاً كان شبه صديق لأن صورته عندي كانت دائماً مرتبطة بصورة موسى. رشيد هذا ما عدت أعرفه الآن إطلاقاً، لقد تحول إلى طاووس متجوّل، غارق في ذاته ولا يرى في الدنيا أحداً سواه، وكأنه بات مركز الكون، حتى أنه لا يشارك، وحتى لا يسمع، أي حديث لا يكون حوله أو حول كتاباته، فهو بالنسبة لي قد سقط من ثقوب شبكة الغربال ، بينما هو يرى أنه حلّق في الآفاق العالمية.

— أليس من صداقات لك في الحزب خارج الرجال؟

— بلى، لكن دعيني أكمل عن الرجال أولاً؛ هناك حسين وهو صديق لا أراه كثيراً الآن، لكنه لا يزال فوق الغربال لأنني كلما التقيت به شعرت أن باستطاعتي أن أكون معه أنا ذاتي من دون مواربة وبأن أخبره بكل ما مررت به من دون تكلّف. باختصار أشعر أن بيننا مودة صادقة ودائمة. وكان هناك عصام، رحمه الله. إنه من خارج الحزب لكن صراحته وذكاءه وروحه الممزوجة

بالسخرية الجادة، جعلت منه صديقاً لم يسقطه، حتى الموت، تحت الغربال، وأذكره دائماً بنوع من الودّ الذي لن يزول.

ــ وقد رثيته بأجمل ما يمكن بكلمتك التي حملت عنوان «احتقرتَها فهجرتك ورحلتْ». لكن فلنعد إلى المتابعة، تكلمتِ على حسين ولم تذكري أخاه حسن الذي كان لك معه قصة يعرفها الجميع.

ــ قصته معي كانت من جانب واحد؛ كنت أبغي الصداقة وكان يبغي الحب وهكذا انتهت قصتنا، لا صداقة ولا حب، لكن تقدير واحترام متبادلان. كان، رحمه الله، يملك طاقة على الحب كبيرة جعلته يفلت من بين يدي زوجته طوال حياته. لكنها استردته بعد موته وأصبح لها وحدها.

ــ استردّتْهُ هي، بينما ورثه غيرها. وأظن أننا نستطيع الآن الانتقال إلى صديقاتك النساء.

ــ ننتقل ولمَ لا، وأبدأ بخيرية، فهي صديقة لكنها تارة تكون فوق الغربال، وتارة أخرى تحته.

ــ وحياة؟

ــ حياة هي أجمل الجميلات روحاً وشكلاً، إنها دائماً فوق الغربال تنطنط فوقه كحبة الـ(بوب كورن) في المقلاة، هي دائماً تفاجئك بخفة دمها وعفويتها الطفولية الجميلة. أود أن أكتب يوماً ما سيرتها، لكن بلسانها وكما ترويها هي.

ــ ألهذه الدرجة تحبينها؟

ــ الكل يحبها، والصدق يُحَب.

ــ ومَن بعد؟

ــ هناك صديقة من خارج الجامعة ومن خارج الحزب وهي زميلة في لعب البوكر، إنها تيما، المراهقة الناضجة بامتياز، صاحبة الشفتين اللتين تغزّل بهما أكثر من شاعر وعشيق وقد حصل ذلك بحضوري مرات عديدة.

ــ وفي موضوع الصداقة أين هي؟

ــ إنها، بنظري الأصدق والأعمق بين من يسمّين جنوبيات، وأنت تعلمين تقديري للصدق.

ــ يعني؟ هل هي فوق الغربال؟

ــ بالتأكيد لأنني معها لا أحتاج إلى قناع.

ــ لكن بين الجنوبيات من هي صديقتك الحميمة الآن.

ــ تقصدين يسرى؟ هي بالفعل صديقة حميمة، التقيت بها بفضل أحد أعز أصدقائي الرجال، وهو زوجها، عبد، الذي أشعر، وإن لم أره باستمرار، إلا أن لدي فيه صديقاً ثابتاً مهما تقلّبت الظروف. أما يسرى فهي كتلة من العصب المتحفّز لالتقاط المعنى وللقدرة على التعبير عنه. إنها تشكل، بنظري، نموذج الناقد المثقف الحقيقي، بحيث إنها تتناول كتابات الأصدقاء وكتابات الغرباء على السواء ولا تنحاز إلا للموضوعية، وليست كغيرها من الذين يبرّرون عدم كتابتهم عن البعض بكون هذا البعض من الأصدقاء، ولأنهم لا يستطيعون أن يكونوا موضوعيين معهم.

ــ أسمّي هذا الموقف تهرباً، لأن الناقد الحقيقي هو الذي يحاكم

النص لا كاتبه، وإلا تحول النقد إلى واحد من اثنين ؛ إما سباب وشتائم، وإما تحيّة ومديح وكلها خارج مقولة النقد بمعناه العلمي الصحيح. وأنا أعني ما أقول لأنني أعرف من تقصدين، ومع ذلك، كل ما قلتِه في يسرى لا يشكّل الصفات التي تميّز علاقة الصداقة.

ـ لم تتركيني أكمل كلامي فيها؛ فهي تملك كل مقومات الصداقة من حيث الصدق، أولاً مع الذات، ثم مع الآخر، وهي لا تساير، ولذلك تمنح الطمأنينة التي هي من أهم ركائز الصداقة.

ـ أفهم أنها فوق الغربال.

ـ وفي الوسط منه على التحديد.

ـ ومي؟

ـ حبيبة القلب مي، التقينا في باريس مع أنني كنت أعرفها، لكن بالشكل فقط قبل ذلك. التقينا وكان هو اللقاء الذي استمرّ حتى الآن. أرى في مي أحياناً كثيرة مرآة لذاتي، ونحن نتّفق في كل الأمور تقريباً.

ـ لماذا تستعملين كلمات مثل «تقريباً وأحياناً»؟

ـ لأنها ليست صورة عني، ولست صورة عنها، فلكل منا خصائصه التي تختلف عن خصائص الآخر.

ـ أهذا كل ما في الأمر؟

ـ وهل لديك تفسير آخر؟

ــ نعم وأنت تخفينه عني.

ــ لا أخفي شيئاً، لكن لدي بعض التساؤلات.

ــ وأين صراحتك التي تتبجّحين بها؟ ما هي تساؤلاتك هذه؟

ــ بكل صراحة أشعر أن مي لا تبادلني، أحياناً، انفتاحي الكامل عليها، أشعر أنها، أحياناً، تخفي عني بعض الأمور التي أكتشفها أو تُكشّفها هي لاحقاً، وهنا أجدها تشبه هبى التي تحاول أن تخفي بعض الأمور عني، لكنهما لا يقومان بذلك عمداً، إنها طبيعتهما، ولا أملك سوى تقبّلها لأنهما الأقرب إلى قلبي وفكري ومزاجي. وإن أردت أن أصف مي، أقول إنها مزيج مني ومن هبى.

ــ لكل شخص مكوّناته ظروفه التي عليك تفهّمها.

ــ ولهذا السبب مي هي دائماً فوق الغربال وفي الوسط منه.

ــ هل انتهينا؟

ــ أظن ذلك. لكن الكلام في مي، كما في يسرى وحياة وسعاد وربى وتينا التي التقيت بها بعد سبعة عشر عاماً، يطول ويستأهل أكثر من مجرد جواب سريع عن سؤال سريع.

ــ وأين الناقدة حكمت، التي أمضيتِ أكثر من ربع قرن برفقتها وصداقتها؟

ــ بكل بساطة إنها غير موجودة، لا فوق الغربال ولا تحته، إنها ثقب في ذاكرتي.

أمام جوابها الحاسم هذا ما كان مني ألا أن استأذنتها لأنصرف. لكن قبل ذلك طرحت عليها السؤال الأخير، قلت: «لا أريد إحراجك، لكن من هي الصديقة أو الصديق الأعز على قلبك؟».

ــ لا إحراج على الإطلاق لأن أعزّ صديق على قلبي هو شقيقتي أمل التي هي الشقيقة الواعية والصديقة الصدوقة والأم الحنونة في الوقت نفسه. لقد علّمتني التجربة صحّة المثل الذي يقول: «ما حكّ جلدك مثل ظفرك».

ــ جوابك يعني أنني أحرجتك، لكن تهربك من الإحراج أتى مقنعاً.

9

أتى يوم السبت واتصلت هبى بإلهام باكراً تستعجلها المجيء إليها.

ـ لكن، عليّ أن أزور الحلاق وأرتّب نفسي أولاً. كان جواب إلهام.

ـ لستِ بحاجة إلى كل ذلك، تأتين فقط وكل شيء مجهّز؛ الحلاق سيكون موجوداً واختصاصية التبرج والماكياج أيضاً. اجلبي معك فستانك وحذاءك ولا تهتمّي بكل الباقي.

ـ اتركيني على مزاجي، فأنا معتادة على حلاقنا في الحي، أما بالنسبة للتبرج فأنا سأقوم به كالمعتاد. لكن إن كنت بحاجة إلى أي مساعدة، فأنا جاهزة لذلك.

ـ لا، شكراً لست بحاجة إلى أي شيء، لكن إن أردت أن ترسلي زهوراً، فلتكن كلها بيضاء لأن الديكور كله على بياض.

ــ يظهر أن الموضة هذه الأيام للأبيض؟

ــ خفّفي من لؤمك وتعالي باكراً.

أوصت إلهام على سلة من زهور الأركيده البيضاء وأرسلتها إلى بيت هبى وتابعت نشاطها كالمعتاد حتى الظهيرة، فتناولت الغداء واستراحت في قيلولة قصيرة، ثم توجّهت إلى الحلاق وطلبت منه تسريحة للمناسبة وعادت إلى بيتها لترتدي أحد الفساتين التي أهدتها إياها هبى، اختارت اللون الأحمر بعدها تبرّجت بشكل خفيف وجهزت للحفلة باكراً. لكن قبل مغادرتها البيت اتصلت بهبى تسألها إن كانت تريد منها أي خدمة قبل وصولها.

ــ لا شكراً، أنا بانتظارك لا تتأخري. ثم استدركت: «سأرسل السيارة والسائق لاصطحابك، هكذا لا تعودين وحدك في آخر الليل».

ــ تعرفين أنني معتادة على هذه الأمور، فلا داعي للإزعاج.

ــ لا إزعاج على الإطلاق سيصل السائق فوراً.

بيت نوار هو عبارة عن شقة فخمة دوبلكس في الطابق العاشر من أحد المباني الراقية في بيروت. بيت فسيح محاط بتراس واسعة جداً تطل على البحر وعلى الجبل معاً. وصلت إلهام مع السائق الذي أنزلها أمام المدخل الرئيسي، وإذ به مدخلٌ تحوّل إلى حديقة من الأزهار البيضاء المختلفة الأشكال، تفوح منها روائح تنعش القلب. دخلتْ المصعد وإذ به هو أيضاً مزين بالأبيض. خرجت منه في الطابق العاشر ودخلت حديقة أخرى قبل أن تقرع الباب لتلج، هذه المرة، جنة بيضاء على خلفية خضراء تبعث فيها الحياة. وقفت إلهام

مندهشة تتأمّل الديكور قبل أن تقول لها الخادمة إن الست تنتظرها في الطابق الثاني. كانت الخادمة ترتدي مريولاً أبيض وقبّعة بيضاء، كما كان يجول في المكان عدد من الشبان كلهم يرتدون ثياباً بيضاء. نظرت إلهام إلى نفسها وهي ترتدي اللون الأحمر في هذا الجو الأبيض والأخضر وابتسمت قائلة لنفسها: «لقد اكتمل، بحضوري، العلم اللبناني». وقبل صعودها إلى الطابق الثاني تساءلت عن معنى كل هذا البياض وأجبتُها: «لم ترتدِ هبى، يوم زفافها، الثوب الأبيض، كما أخبرتِني، بل ارتدت تايوراً زهري اللون ولهذا السبب تصرّ على الأبيض اليوم لتحوّله إلى يوم عرس لم تحظَ به في باريس».

وافقتني التحليل وتابعت صعودها إلى أن دخلت غرفة هبى حيث كانت مستلقية على ما يشبه الطاولة والماكيوز التي تهتمّ بتجميل الوجه تدلّك رقبتها ووجنتيها وجبينها قبل أن تطليها بمادة لزجة خضراء يسمونها الماسك وهو نوع من علاج سريع، يعيد للبشرة نضارتها. جلست إلهام على كرسي قبالة هبى التي ما أن طلي وجهها بالأخضر حتى صمتت واستراحت كما طلبت منها الماكيوز: «عليك أن تبقي وجهك جامداً لمدة عشرين دقيقة، ثم ننزع الماسك ونبدأ بالتبرج».

ــ وماذا علي أن أفعل؟ سألت إلهام، هل جئت إلى هنا كي أصمت؟

ــ لا، أجابتها المزيّنة سأحاول تصحيح تبرّجك في هذا الوقت.

قالت ذلك ودنت من إلهام وأخذت تضيف بعض المساحيق والكحل و... على وجهها، وإلهام تصرّ على المحافظة على البساطة

التي، ما أن انتهت المزينة من عملها حتى كانت قد اختفت كلياً. نظرت إلهام إلى وجهها في المرآة وشكرت السيدة على عملها، ثم سحبت ورقة كلينكس وأخذت تخفّف من سماكة المساحيق، والمزينة تصيح: «لا تفعلي ذلك لقد خرّبتِ كل شيء».

ـ لم أخرب شيئاً، أجابت إلهام وتابعت مازحة: فقط أستعيد وجهي كي أتعرّف إلى ذاتي في المرآة.

انتهى الوقت وعادت المزينة إلى هبى فأزالت عن وجهها الماسك وأعادت التدليك من جديد، ثم طلته بكريم شفاف، ثم بمسحوق لزج أخفى كل التجاعيد وعلامات العمر، ثم انتقلت إلى العينين حيث ركّبت رموشاً اصطناعية وكحّلتهما بإتقان كبير مازجة عدداً من الألوان، ثم خطّطت الحاجبين وأخيراً ، أمسكت بفرشاة ناعمة، مرّرتها على عدد من العلب الصغيرة التي تحوي مساحيق مختلفة وتنقّلت بها، برشاقة مدهشة، فوق وجه هبى ورقبتها وحتى أطراف كتفيها وأعلى صدرها. وما أن انتهت حتى تحوّل وجه هبى إلى قطعة فنية بكل معنى الكلمة ولا تمتّ إلى الطبيعة بصلة. استدارت هبى نحو إلهام وسألتها: «ما رأيك؟».

ـ تبدين غاية في الجمال، الجميع سيحسد نوار عليك.

ابتسمت هبى ابتسامة الواثق من نفسه وقالت: «الآن أتى دور مصفّف الشعر».

ـ وأنا سأنزل وأجلس مع نوار في هذا الوقت.

ـ الأفضل أن تبقي هنا، لأن نوار هو أيضاً يهتم بنفسه بصحبة الحلاق.

ـ إذاً سأستلقي إلى أن تنتهي من ترتيب كل أمورك.

ـ لم تحتج هبى إلى عدسات لاصقة ملونة، قالت المزينة، فهبى تتمتّع بلون عيون يحسدها عليه كل الناس.

وصل مصفف الشعر وبدأ بتسريح شعر هبى وإلهام مستلقية لا تعيرهما اهتماماً، لقد شردت وراء أفكار بعيدة كل البعد عن أجواء بيت نوار، شردت إلى فرنسا حيث صديقها الذي اشتاقت إليه وصمّمت أن تطلب منه المجيء إلى لبنان في فترة عطلة أعياد الميلاد ورأس السنة. كانت مع جان ميشال حين نادتها هبى:

ـ تستطيعين إلقاء نظرة الآن، لقد انتهينا. عادت إلهام من شرودها ونظرت إلى هبى وتسريحة شعرها فبدا لها أطول من الحقيقة وأكثف، وقبل أن تستفسر قال الحلاق: «إن الشعر الذي أضفته إلى شعرها لا يختلف عن الأصل إطلاقاً. فهو يضيف نوعاً من الحجم والطول فقط».

ـ لكن المهم هو النتيجة وهي رائعة.

هنا لم أتمالك نفسي وتدخلتُ لأسر في أذن إلهام: «لم يبق شيء من هبى، لقد تبدلت كلياً». ابتسمت إلهام وتابعت كلامها مع هبى التي ما أن حصلت على رضا إلهام حتى دخل عليهم نوار وهو بأبهى حلة، وبكل أناقته، في ثوبه الكحلي الغامق وياقة عنقه التي هي مزيج من ألوان فاتنة، وشعره شبه المصبوغ والذي يتموّج بين الرمادي والأزرق و...

ـ ما هذه الأناقة! صاحت إلهام.

أما هبى فقد اكتفت بابتسامة معبّرة، فاقترب منها نوار، أمسك بيدها وقبّلها، ثم توجّه إلى إلهام وقال: «تعالي ننزل ونترك هبى تكمل ارتداء ملابسها». كانت إلهام تودّ ذلك، وسبقته إلى السلّم، فتبعها وهو يثني على أناقتها، مستدركاً أنه لم يقم بذلك من قبل.

وصلا إلى الصالون الكبير واقترح نوار أن يخرجا إلى التراس لإلقاء نظرة على التحضيرات. وكان الطقس جميلاً جداً في الخارج، فالوقت كان بين تشرين الأول وتشرين الثاني حيث يُقال إنه صيف آخر في لبنان. كان الجو معتدلاً وصافياً، والتراس تضجّ بالأبيض، انتشرت فوقها عشر طاولات مستديرة الشكل مغطاة بشراشف بيضاء ومطرزة بالأبيض تتوسّط كل واحدة منها سلة ورد أبيض صغيرة وحولها عشر كراسٍ هي أيضاً مغلّفة بقماش أبيض معقود على الظهر. وأمام كل مقعد، على الطاولة، اسم الضيف مكتوباً بالأسود على بطاقة بيضاء صغيرة. اسم إلهام كان على طاولة الشرف بالقرب من هبى. وفي منتصف الطاولة، بالقرب من سلة الزهور، بطاقة مطوية بيضاء، لم تظهر عليها أي كتابة. «إنها لائحة الطعام على ما أعتقد». قالت لي إلهام. ثم توجهتْ إلى نوار وتابعت:

ـــ سنكون مئة إذاً.

ـــ المدعوون هم مئة وحتى الآن لم يعتذر أحد منهم. لكن ما رأيك بهذا الترتيب؟

ـــ لا يمكن أن يكون أفضل من ذلك، ستكون حفلة ملوكية.

نفخ نوار صدره وقال: «كل حفلاتي هي هكذا، واليوم، كرمى لعيون حبيبتي هبى، أعطيت تعليماتي كي لا يكون هناك أي نقص».

— بالفعل كل شيء على أفضل ما يرام. آمل أن يكون الزوار مرتاحين فهم يستأهلون كل ذلك.

— كلهم من الطبقة الراقية، والإنسان بيعمل قيمتو. ثم إنني وزعت الأسماء على الطاولات بشكل وضعت على كل واحدة المجموعة التي تنسجم فيما بينها.

تابع نوار كلامه في السياق نفسه وراحت إلهام تفكّر بالضيوف وما تراه مستواهم وتساءلت: «من هم هؤلاء الذين ينتمون إلى الطبقة الراقية وماذا يعني هذا المفهوم لدى نوار؟» وسارعتُ إلى إجابتها: «يعني الطبقة الثرية والتي لا تساوي، بنظري، ظفر هبى الصغير». رأيتُها تبتسم وتهزّ برأسها وهي تسير إلى جانب نوار الذي يتفحّص كل تفصيل. وبعد أن استعرض الطاولات واحدة واحدة، قال: «ندخل الآن، ربما بدأ الضيوف بالتوافد».

دخلا من جديد إلى الحديقة البيضاء والخضراء والتي كان مدخلها مشرّعاً لاستقبال الضيوف، وهنا بادر نوار إلى القول، ملاحظاً لون فستان إلهام الذي بدا نافراً وسط كل هذا البياض: «تشكّلين، بثوبك هذا علامة فارقة».

— لكنها تمنح الحياة لكل هذا السكون الملائكي.

— هبى هي التي أصرّت على اللون الأبيض، مع العلم أنني كنت أفضّل المزيج من الألوان، لكنني رضخت لذوقها في كل الأمور التي طلبتها ولم أخالفها إلا باختيار الكرافات فقط».

— حسناً فعلت. وهل كانت تريدك أن تضع ياقة عنق بيضاء؟

ـــ هذا ما كانت تريده ورفضت، لأنني كنت سأبدو كأطفال المناولة الأولى في المدارس الكاثوليكية.

ضحكت إلهام وقالت: «ربما هي تريدك هكذا... بريئاً كالأطفال».

ـــ بعد هذه الشيبة؟ قال ذلك وانفجرا معاً ضاحكين.

بدأ الزوار بالتوافد أزواجاً أزواجاً، ورأت إلهام نفسها إلى جانب نوار ترحّب بهم وتضطر كل مرّة إلى ذكر اسمها كي لا يظنوا أنها الزوجة. وفي أقل من ساعة اكتمل العدد وامتلأت القاعة وقد ضجّت بالألوان المختلفة وتحوّلت الحديقة البيضاء إلى حديقة تحوي كل ألوان الطيف ومشتقاتها.استأذن نوار وصعد السلم لينادي هبى، وما هي إلا دقائق حتى عزفت موسيقى ناعمة وأطلا من أعلى السلم وهو يمسك بيدها. كانت هبى ترتدي ثوباً من الدنتيل الأبيض المفرّغ والمخاط فوق بطانة لحمية اللون، شعرها مرفوع ومرصّع بحبات لؤلؤ صغيرة ويلفّ عنقها عقدٌ من اللؤلؤ والماس الشعشاع، وأقراط في أذنيها من نسيج العقد نفسه. أطلت فعلاً كأميرة ساحرة، حتى أنني وإلهام وقفنا مع الجموع نصفّق مندهشتين بهذا الانقلاب الذي لم يُبقِ من هبى التي نعرف سوى نظراتها وابتسامتها.

نزلا السلم على مهل والتصفيق يعلو إلى أن وصلا إلى القاعة وجالا على الضيوف مرحبين بهم واحداً واحداً. وكانا كلما قطعا عدداً من الضيوف تتعالى الوشوشة التي لم أستطع سماعها لكنها، طبعاً تعليقات، منها الإيجابي ومنها السلبي. وحين جلس الجميع دخل أربعة نوادل يحمل اثنان منهم المشروب المنوّع والآخران يحملان بعض المقبّلات التي اقتصرت على قطع صغيرة من الخبز الإفرنجي

وعليه حبات الكافيار والسومون المدخّن. شرب الجميع نخب الزوجين العريسين وطالبتهما إحدى السيدات بأن يفتتحا الرقص. رحّب الجميع بالفكرة وعزفت موسيقى هادئة، فوقف نوار وانحنى أمام هبى وطلب منها أن تشاركه هذا التانغو. استجابت هبى وعلا التصفيق من جديد قبل أن تمتلئ الساحة بمزيد من الوافدين، وما هي ألا دقائق حتى صخبت الموسيقى وأخذت الأجساد تتمايل وتهتزّ على إيقاعها.

كانت إلهام، خلال ذلك، جالسة تراقب الناس وبخاصة وجوه النساء وأجسادهن؛ كلهن، وللدقة غالبيتهن، نحيلات ممشوقات. هذا بالنسبة إلى الأجساد، أما الوجوه فكانت كلها متشابهة؛ الأنف شبه واحد عند كل السيدات، الوجنتان عندهن كلهن منفوختان، الشفاه مكتنزة ونافرة كأنها مناقيد بط. أما الشعر فهو حيّز الاختلاف اللافت؛ فمنه الأسود الفحمي ومنه الكستنائي ومنه الأشقر الغامق أو الفاتح ومنه الأحمر أو الباذنجاني أو....ومنه المسبول على الكتفين ومنه المرفوع و....

ــ ما من سيدة تحمل وجهها الطبيعي، قلتُ لإلهام التي أردفت: «ولا جسدها حتى ولا شعرها».

ــ كم من مال يُصرف على ذلك!

ــ وما همّهن، ألم تلاحظي أن الطبقة الراقية التي دعاها السيد نوار هي كلها من التجار وأصحاب المصارف وبعض رجال السياسة؟

ــ تقصدين من مصّاصي دم الشعب.

ضحكت إلهام وقالت: «لست أدري كيف ستتكيّف هبى معهم».

ـــ ننتظر ونرى، واعتقادي أنها ستسلك مثلهن إن أرادت أن تستمر في هذا الجو، وإلا تبدو متخلّفة وهذا ما لا ترضاه لنفسها.

ـــ إن كان ذلك يسعدها فما المانع؟ أم أنك تغارين من كل هذا الجمال المدلوق أمامك؟

ـــ ليس من مانع سوى أن هذه الطريق إن وُلجت فقد لا تنتهي.

ـــ لكل شيء نهاية.

ـــ إلا في هذا المجال حيث كل يوم يظهر تحسين جديد.

ـــ ها أنك تستعملين كلمة تحسين، إذاً الأمر جيد حتى لو أنه لا نهاية له.

ـــ يبدو أن وقت الطعام قد حان فهبى ونوار يدعوان الضيوف إلى التراس، هيا بنا.

خرج الجميع واتّخذ كلٌّ واحد مكانه. جلست إلهام إلى جانب هبى فيما توزّع الشبان بين الطاولات يسألون كل ضيف عن نوع الشراب الذي يريده. كانت إلهام قد أتت بكأس الفودكا التي بدأت باحتسائها في الداخل ووضعتها أمامها على خلاف كل المدعوين الذين باشروا بشرب النبيذ الذي يتماشى ونوع الطعام الذي كان على الشكل التالي: في البداية قريدس مع السومون يليه سمك اللقز المشوي مع صلصة أجنبية ثم الفيليه مع الخضرة المسلوقة. أما الديسار فكان موزّعاً على طاولة جانبية وهو مؤلّف من جميع أنواع الفاكهة المحلية والأجنبية وجميع أصناف الحلوى العربية وغيرها.

هكذا توزع الضيوف وأصبحتُ عاجزة عن متابعة كل تعليقاتهم حول العروس أو العريس أو الطعام أو غيره، لكنني كنت أتابع ردّة فعل إلهام وهبى على كل ما يدور حولهما؛ هبى كانت منجذبة كلياً إلى الخارج بينما كانت إلهام صامتة تراقب وقد أخفت عني كل انطباعاتها، فتركتهما وبدأت بجولة على الضيوف لأستمع إلى آرائهم، ووجدت شبه إجماع على أن العروس جميلة ولو أنها غير طويلة القامة مع بعض التعليقات حول لون عينيها وإن كان طبيعياً أو أنها تضع عدسات ملونة، وحول الأنف الذي أجمع الكل على أنه قد خضع لعملية تجميلية. أما الشعر فلم يصدّق أحد منهم أنه أشقر طبيعياً. وبالنسبة إلى فارق العمر بين نوار وهبى فقد اختلفت الآراء، إذ وجد البعض أن الفارق معقول بينما رأى البعض الآخر أنه كبير. وحين ننتقل إلى الزينة والطعام نجد أن الآراء أيضاً قد اختلفت، فمنهم من علّق على اللون الأبيض وسمعت من قال: «شو مفكرين حالن ولاد عشرين؟» بينما أتى قول آخر ليثني على حسن اختيار اللون. وبالنسبة إلى الطعام، أيضاً كانت الآراء متنوعة وهكذا صدق من يقول: إنك مهما فعلت لا تعجب الجميع. أما فستان هبى فقد أخذ القسم الأكبر من حديث النساء؛ فمنهن من أكّدت أنه شغل باريس ومنهن من قالت إنه من تصميم أيلي صعب اللبناني وأخرى أصرّت على أنه من نمط زهير مراد و...

عدت إلى مكاني قرب إلهام وأخبرتها بما سمعت فلم تستوقفها إلا الإشارة إلى أنف هبى ولون عينيها، فما كان منها إلا أن قالت بصوت عالٍ، سمعه كل الحضور: «نشرب كأس العروسين». «وبعد قليل وقفت وقالت: «أما الآن سنشرب كأس عيون العروس الخضراء التي لم تعرف العدسات اللاصقة الملونة يوماً». «شددتها من يدها كي تصمت، لكنها تابعت. «وقبل أن أجلس لا بد لي من شرب

كأس أنف العروس الطبيعي الذي كان وسيظل النموذج لكل من شاءت أن تجمّل أنفها، وكأس شعرها الذي سحر بلونه ونوعيته كل حلاق مد يده إليه».

هنا وقفت هبى ومعها نوار ليشربا كأس إلهام التي هي أكثر من يعرف هبى. وقد قرأت على وجوه الضيوف بعض التعجب كأنهم يتساءلون هل سمعت إلهام وهي بعيدة عنهم ما كانوا يتهامسون به؟ لكن إلهام لم تنسَ الفستان، وما أن جلست هبى من جديد على مقعدها حتى سألتها: «فستانك رائع الجمال، هل أتيت به من باريس؟».

ــ لا، إنه شغل ابن الضيعة.

ــ تقصدين زهير مراد؟

ــ بالضبط، إنه من تصميمه، لكني تدخّلت في بعض التفاصيل. كان يريد أن تكون البطانة سوداء اللون وأصررت على اللون الباج الفاتح الذي يؤاخي لون البشرة. هذا ساكسي أكثر.

ــ بالفعل يبدو كأنه من دون بطانة، يلتصق بالجلد.

عند انتهاء العشاء، وقبل انتقال المدعوين إلى تناول الحلوى، وصل قالب كاتو ضخم يجرّه نادل على طاولة مستديرة وإلى جانبه سيف مذهّب. وضع الكاتو أمام هبى ونوار، فما كان منهما إلا أن وقفا وأمسكا بالسيف، وبضربة واحدة شطرا القالب من أعلاه حتى أسفله وقد علا التصفيق من كل الجهات ووزعت الشامبانيا على الجميع.

انتهت مراسم الاحتفال وتفرّق الجمع. بقيت إلهام إلى جانب نوار وهبى إلى أن غادر الجميع.

ــ تنامين عندنا الليلة، قال نوار.

ــ لا، شكراً، لا أستريح إلا في سريري. أجابته إلهام، وتابعت: إن كان من إزعاج فسأطلب تاكسي.

ضحك نوار وضمّ إلهام إليه وهو يقول: «لن أدع السائق يوصلك، سنرافقك أنا وهبى إلى بيتك».

أصرّت إلهام على أن لا يفعلا، لكنهما أصرا بدورهما على إيصالها.

عادت إلهام إلى هدوء بيتها، خلعت ملابسها ونظّفت وجهها وأسنانها وجلست على الشرفة لتدخن آخر سيجارة قبل النوم. مدّت رجليها على درابزين الشرفة واسترخت. وما أن فعلت حتى سحبتُ كرسيّاً واسترخيت مثلها من دون أن أكلّمها، بادرت هي إلى السؤال: «هل أعجبتك السهرة عند هبى ونوار؟».

ــ كانت جميلة على الرغم من كثرة التصنّع والزهو الطاووسي غير المبرّر في أغلب الأحيان.

ــ إن كان هذا هو الجو الراقي كما يسميه نوار والذي ستعيش فيه هبى، فلست أدري إن كانت ستستمر فيه طويلاً.

ــ ستستمر إن انسجمت مع آلياته، وفي اعتقادي أنها ستفعل، على الأقل في البداية.

ــ استدراكك صحيح. يمكن أن تنسجم هبى مع أجواء كهذه لفترة

آمل أن لا تطول.

ــ وإن لم تطل كما تأملين، فما هو خيارها بعد ذلك؟

ــ لماذا استباق الأمو، فلننتظر ونر.

أنهت إلهام الحديث وانسحبت إلى فراشها ودخلتُ معها السرير لأشاركها أحلامها التي أعادتها طفلة صغيرة، في الخامسة من عمرها تلهو في حديقة بيتها في الضيعة مع الصبية الذين كانوا يحيطون بها، وقد سألها أحد، وكان في سن السابعة: «لماذا لا نتزوج يا إلهام؟». خجلتْ يومها إلهام من سؤاله، لكنها حين كبرت، ظلّت تكنّ له بعض المودّة، فهو أول من طلبها للزواج واستمر في حبّه لها إلى أن تزوّجت وانتهى كل شيء، ما عدا ذلك الإحساس الغريب الذي يجتاحهما كلما التقيا.

10

انغمست هبى في بيئة نوار، وعادت إلهام إلى عملها في الجامعة
وبقيتا تلتقيان بين حين وآخر على الرغم من استمرار تواصلهما يومياً
بواسطة الهاتف، وهكذا ظلت إلهام على علم بكل ما تمر به هبى؛
ففي كل صباح، وبعد توجه نوار إلى مكتبه، تمسك هبى سماعة
الهاتف وتطلب إلهام وتخبرها بكل جديد لديها، والجديد هذا بات
أخباراً تدور كلها حول المجتمع الذي ينتمي إليه نوار وأصحابه
التجار ورجال الأعمال، من سهرات واستغراق في ملذات الدنيا من
مأكل وملبس وزينة و... تصغي إليها إلهام وتنهي المخابرة كل مرة
بعبارة تشبه اللازمة: «المهم أن تكوني سعيدة».وتجيبها هبى: «نوار
شخص رائع».

بعد بدء الدروس في الجامعة بمدة قصيرة، حان وقت التحضير
لانتخابات رئيس القسم، فتدخلتُ مع إلهام لإقناعها بخوض هذه

الانتخابات:

ــ الوضع جيد وقد لمست من العديدين تأييدهم لك، فلماذا تتمنعين؟

ــ هل نسيت المرة الأولى وماذا حدث؟

ــ في المرة الأولى كنـا لا نـزال في حضـن الحرب، وقد أخـذت منحى طائفياً قذراً، أما الآن فقد تغيّر الوضع، انتهت الحرب وخمدت الغرائز الطائفية عند الجميع.

ــ لا يزال يطن في أذني ما قاله ذلك الأستاذ: «لن نقبل برئيس قسم مسيحي هنا».

ــ مجرد قوله هذا يدلّ على أنه ليس على مستوى الشهادة التي يحمل. تعرفينه جيداً، إنه وصولي ومتعصب.

ــ لكنه لا زال يدرّس في القسم وقد يحاربني.

ــ ما تقولينه صحيح، لكني، وبعد جولة على الأساتذة، وجدت أن الأكثرية معك وستكون معركة ديموقراطية بكل ما للكلمة من معنى.

ــ وإنْ فشلتْ؟

ــ تكونين قد بيّنت سخفهم وأن البُعد الطائفي فقط هو الذي يحركهم على الرغم من كل ادعاءاتهم المعاكسة.

ــ في المرة الأولى، أثناء الحرب، نجحتُ ولم أتمكّن من تسلّم مهامي

وانتُخب رئيس آخر، فهل تريدين أن أقوم بالتجربة إياها من جديد؟ بكل صراحة أنا بغنى عن كل هذه الأمور وأفضّل أن أتابع عملي كما هو الآن بين التدريس والكتابة حيث أجد نفسي فعلياً.

ــ أنا أضمن لك النجاح، وأنا أكيدة أنك بتسلّمك القسم ستسعين إلى تحسين وضعه الثقافي وغيره.

أمضيت أكثر من أسبوع وأنا أقنع إلهام بخوض المعركة، لكنها لم تحسم أمرها إلا حين عبّرت الأكثرية في القسم عن تأييدها لها، وهكذا فازت إلهام وتسلّمت رئاسة قسم الفلسفة، وعاهدت نفسها أن تعمل كل ما تستطيع لإنعاشه.

بعد انتخابها اتصلتْ بهبى وأخبرتها بالأمر وتواعدتا على اللقاء في بيت إلهام مساءً. لكن هبى لم تأتِ وحدها بل اصطحبت معها زوجها وقد حملا إليها باقة كبيرة من أرقى أنواع الزهور.

ــ نحيي الرئيسة، قال نوار حين دخلا عليها. أما هبى فقد عانقتها وهي تقول: «مبروك، لقد ثأرت لي من ذلك الوغد الذي لا يقبل بمسيحي في رئاسة القسم في الفرع الأول، وأنا متأكدة أنه لم يعطك صوته لأن التعصب يعميه».

ــ بالفعل لم ينتخبني، وهنا أقدّر موقفه الذي لم يتغيّر.

ــ هذا ليس ثباتاً في الموقف، هذا تزمّت.

هنا تدخل نوار ليقول: «ما لنا وللمتزمّتين، فلنخرج لتناول العشاء في أحد المطاعم».

ــ فكرة ممتازة، هيا إلهام حضّري نفسك. قالت هبى.

— سأفعل، لكن هلاّ رافقتني إلى غرفتي؟

حدسَت هبى بما تريده إلهام، فابتسمت ورافقتها.

ما أن وصلتا إلى غرفة نوم إلهام حتى انفجرت هبى في الضحك وقالت: «أنا جاهزة، هل تريدين أن أختار لك ملابسك؟» بدورها ضحكت إلهام وسألتها: «ماذا أرى؟ ما الذي فعلته بوجهك؟».

— أليس جميلاً؟ ألا أبدو أصغر من عمري بعشر سنوات؟

— أين ذهبت التجاعيد حول عينيك وبين حاجبيك وحول فمك؟

اقتربت هبى منها وقالت بصوت منخفض وهي تضع إصبعها على فمها: «إنه البوتوكس».

— أعرف ذلك، ومفعوله هو شل العضلات، ولهذا السبب يلغي كل التعبيرات في الوجه.

— لكنه يعطي شعوراً بالخفة، يعني أن الإنسى، كما تسمين المرأة، تشعر وكأنها تخفّفت من عدد لا بأس به من السنين.

— للتصويب فقط أقول إن التي تقوم بهذه العمليات هي امرأة وليست إنسى.

— سمِّها ما شئت لأن ذلك لا يغير في مفعول البوتوكس الذي تلجأ إليه اليوم غالبية السيدات الميسورات وحتى غير الميسورات.

— وكم تكلّف هذه...

— فقط ثماني مئة دولار.

ـ وكم تدوم؟

ـ حوالي الستة أشهر.

ـ وستعاودين الكرة بعد ستة أشهر؟

ـ ربما لجأت إلى غيرها، لست مستعجلة. لكن بربّك أليست النتيجة جيدة؟

ـ وماذا قال نوار؟

ـ لم أخبره.

ـ ألم يلاحظ؟

ـ بلى، وقد عبّر بقوله إنني أزداد نضارة وشباباً معتقداً أن الفضل يعود له.

ـ وأنت...

ـ اتركيه على عماه، فالرجل غبي، والإنسى أدهى منه بكثير وتستطيع إقناعه بما تريد. صمتت قليلاً ثم تابعت: «سأقدّم لك جلسة بوتوكس لكي تجدّدي شبابك. ما رأيك في الموضوع؟».

ـ رأيي تعرفينه، فشكراً لك. لكن هل تدرين أنك قد دخلت دهليزاً من الصعب الخروج منه؟

ـ أتوقّف حينما أريد.

ـ لو ترغبين فعلاً بالتوقف لما بدأت. الآن بوتوكس ثم أمور أخرى، لأن الاعتناء بالصورة، على حساب الأصل، هو ركض لا ينتهي

والتقدم الطبي يلبّي هذه الرغبة وبسرعة مذهلة.

ـ سنرى لا حقاً، أما الآن فسأدعك ترتدين ثيابك بعد أن أشبعت فضولك.

في غياب هبى وإلهام اتصل نوار بعدد من الأصدقاء ودعاهم إلى العشاء، ظناً منه أنه يعدّ مفاجأة لهما. بالفعل كانت مفاجأة، وبخاصة لإلهام التي ما أن جلسوا إلى الطاولة، التي كان المدعوون قد سبقوهم إليها، حتى نظرت إلى نوار وهبى باستغراب بينما كانت هبى، وبحسب معرفتها بنوار تتوقّع ذلك.

ـ دعوتهم للاحتفال بك أيتها السيدة المحترمة، قال نوار متوجهاً إلى إلهام التي شكرته وأسرّت إلى هبى بأنها كانت تفضّل أن يكونوا وحدهم.

كانوا خمسة كوبلات على العشاء؛ ثلاثة رجال مع زوجاتهم، وهبى ونوار وإلهام ورجل أتى بمفرده. رحّب نوار وهبى بهذا الأخير وأجلسا إلهام إلى يمينه. كان في العقد السادس من عمره، وسيماً، تبدو عليه إشارات الثراء الذي لم يُعرف إن كان ثراءً مشروعاً أو غير مشروع. أدركت إلهام معنى هذه الدعوة، لكنها تجاهلت الأمر وتصرّفت بكل عفوية، من دون أن تعير جارها أي اهتمام خاص، على نقيضه تماماً، فقد استوقفها اهتمامه الفائض بها. وما أكّد حدس إلهام هو تسرّع هبى في القول: «كمال شخص جيد جداً وهو أرمل ، يبحث عن عروس تليق به».

ـ المتطوعات هن مثل الهمّ على القلب، سارعت إلهام إلى القول.

ـ صحيح، يا سيدة، يا دكتورة إلهام، لكن قلّة منهن يفين بالغرض،

أجاب كمال وتابع: السيدات مثل أفضالك ومثل الست هبى هن نادرات.

لم تعلّق إلهام على ما قاله وراحت تحدّق في وجوه نساء لمحتهن سابقاً في حفل استقبال هبى ونوار من دون أن تراهن جيداً. كلهن يشبهن بعضهن؛ الأنف المرسوم، الحاجبان المخطّطان، الوجنتان المنفوختان، والشفتان المكتنزتان، وباختصار، الوجوه التي تشبه قطعة من رخام لا يجعّدها لا الانفعال ولا الكلام ولا حتى الضحك، مما رمى إلهام في موجة من الضحك لم تستطع إخفاءها، من دون أن يفهم أحد منهم سبباً لها، إلا هبى التي تعرف إلهام جيداً والتي تفهمها «على الطاير»، كما يقال، مما دفعها إلى التدخل، فرفعت كأسها وقالت: بصحة الرئيسة الجديدة لقسم الفلسفة. شرب الجميع نخب إلهام وانتقل الحديث إلى أمور الجامعة، وبسرعة توجّه نحو السياسة التي هي الموضوع المفضّل عند اللبنانيين إجمالاً. ولاحظت إلهام أن كل ما تهتم به هذه المجموعة هو تأثير السياسة على مكسبهم الاقتصادي فقط. «هذه عقلية التجار الدكّنجية» قالت لنفسها وتابعت الاستماع من دون أن تشاركهم.

قبل انتهاء العشاء قال كمال: «أدعو الشلّة إلى بيتي بعد غد، وطبعاً ستكون الدكتورة إلهام ضيفة الشرف».

ـ رحّب الجميع بالفكرة وشكرته إلهام على الدعوة.

في اليوم المحدّد اتصلت هبى بإلهام تذكّرها بالموعد وتعرض عليها أن يمرّا بها، هي ونوار، ليصطحباها.

ـ شكراً أذهب وحدي، ربما تأخرت قليلاً، أعطني عنوان بيت كمال.

دلّتها هبى واتفقتا على اللقاء قرابة الساعة التاسعة عند كمال.

في حدود الساعة التاسعة والنصف رنّ هاتف هبى المحمول في بيت نوار حيث اكتمل العدد ولم يعد ينقصه إلا وصول إلهام.

ــ أين أنت؟ إننا ننتظرك، هل أضعت العنوان؟ قالت هبى في جو من الصمت والترقّب من الجميع.

ــ لا، لن آتي لأنني متعبة وأفضل أن أستريح.

ــ سأرسل لك السائق، هيا اخرجي من كسلك، كلنا في انتظارك.

ــ أعطني كمال، أود الاعتذار.

فهمت هبى ما تقصده إلهام فتوجّهت إلى كمال وسلّمته الخليوي قائلة: «إلهام تريد مكالمتك». أخذ كمال الهاتف من يد هبى ومن دون أي مقدمات قال: «لا نريد أعذاراً، لن تكتمل السهرة إلا بوجودك».

ــ إني بالفعل متعبة ولا أريد تنغيص سهرتكم، أرجو أن تعذرني، ربما التقينا في مناسبة أخرى.

فهم أيضاً كمال الرسالة وقال: «كما تريدين، لكن كان بودنا أن تكوني معنا، إلى اللقاء». أقفل الهاتف وأعاده إلى هبى بصمت. ولإنقاذ الموقف قالت هبى: «لو لم تكن متعبة فعلاً لكانت أتت». لم يعلقّ أحد على كلامها وساد الصمت لفترة قطعه نوار بأن قال بالفرنسية: «إلحق بالمرأة تهرب منك، اهرب منها تلحق بك». وتابع: «تئّل حالك وبتشوف كيف بتلحأك».

لم يعجب هبى هذا الكلام وردت: «إلهام ليست من هذا النوع، إنها تعرف تماماً ماذا تريد».

ـ ألله يوفقها، أجاب كمال، خافياً امتعاضه وجرح كبريائه، أما نحن فسنكمل سهرتنا، لا شيء سيتغير.

بالفعل تابعوا السهرة، وحين انصرفوا سارعت هبى إلى الاتصال بإلهام: «لماذا فعلت ذلك؟ وهل أنت، فعلاً متعبة؟».

ـ تعرفين جيداً لماذا لم ألبِّ الدعوة، فهل تلعبين دور الغبي أم أنك بالفعل غبية؟

بعد تلك السهرة، أدركت هبى أن إلهام لن تجاريها بتطلعاتها الجديدة وبدأت تبتعد عنها قليلاً من دون أن تقاطعها كلياً. أما إلهام فقد انغمست في هموم رئاسة القسم كي تحسّن وضعه قدر استطاعتها وبدأت بدعوة الزملاء إلى اجتماع بعد فوزها بأيام قليلة، لكي يضعوا برنامجاً لتلك السنة. حضر الجميع واعتذرت الرئيسة السابقة. وما أن بدأ الاجتماع حتى سمعوا نقراً على الباب الذي، ما أن فُتح، حتى دخلت منه صبية تحمل بيدها ورقة.

ـ ماذا تريدين، نحن في اجتماع القسم، أراك عند انفضاضه.

ـ أنا قصدت أن أراكِ وكل الأساتذة موجودون كي أعرض عليكم مشكلتي. هنا انبرى أحد الأساتذة وقال: «إنها طالبة، كانت، في العام الماضي، في السنة الثانية ولديها مشكلة تهم كل القسم، فمن المستحسن أن نستمع إليها. استشارت إلهام الأساتذة وبعد موافقتهم، أذنت لها بالكلام، فقالت:

ـــ أنا طالبة، من المفروض أن أكون في السنة الثالثة الآن، لكنني اكتشفت أنني راسبة في إحدى مواد السنة الثانية بعد أن كنت قد نجحت فيها بعلامة ستين على مئة ولدي ورقة رسمية بذلك من الجامعة. لكن هذه العلامة قد تغيّرت، بعد إعلان النتائج وأصبحت عشرين على مئة من دون أن أعلم كيف ولماذا. وأنا هنا، كي أطلب منكم إنصافي. وها هي الورقة الرسمية التي تثبت صحة أقوالي.

قالت ذلك وسلّمت الورقة لإلهام التي ما أن قرأتها حتى قالت: «اذهبي الآن، سنبحث الموضوع لاحقاً».

خرجت الطالبة وأكملت إلهام الاجتماع كما كان مقرّراً، وقبل انتهائه عرضت مشكلة الطالبة، فتبين لها أن المدير، بالاشتراك مع رئيسة القسم السابقة، قد غيرا العلامات بعد إعلانها وتسجيلها في السجلات الرسمية، وأن ذلك قد ترافق مع عملية تزوير ثانية حوّلت ابنة رئيسة القسم السابقة من راسبة إلى فائزة. هنا استنفرت إلهام ووعدت أنها ستعيد الأمور إلى ما كانت عليه قبل عملية التزوير قائلة: «إن بدأنا بالتغاضي عن المخالفات، فلن تستقيم أمور القسم ولا حتى الجامعة، يجب أن يوضع حد لكل هذه الأمور التي ليس لها مدلول إلا تشويه سمعة الجامعة وسمعة من يدرّس فيها، لن أترك هذه القضية تمر».

انفضّ الاجتماع وطلبت إلهام من السكرتير أن يأتيها بسجل العلامات. وبعد أن تبيّن لها صحة ما قالته الطالبة، ذلك أن علامتها وعلامة ابنة رئيسة القسم السابقة كانتا مشطوبتين بواسطة الباتكس وهو أمر غير قانوني على الإطلاق، قرّرت أن تواجه المدير وتطّلع منه على حقيقة الأمر.

تركت القسم وتوجّهتْ مباشرة إلى مبنى الإدارة ودخلت غرفة المدير وسألته عن تلك المشكلة، فشرح لها أن تصحيح المسابقات لم يكن جدياً وأنه اضطر إلى تأليف لجنة ثانية للتصحيح وهي التي غيّرت العلامات.

ـــ لكن ذلك قد حصل بعد إعلان النتائج وهذا مخالف للقانون. وأنت تعلم أنه ممنوع شطب العلامات على السجل الرسمي، ثم إن لدى الطالبة إفادة رسمية من الجامعة بأنها ناجحة، فما العمل؟ إن ما قمتم به عملية تزوير واضحة لمصلحة طالبة أخرى كانت راسبة، وأنت تعلم من تكون هذه الطالبة التي أتحدثُ عنها.

ـــ لم يكن ذلك تزويراً بل تصحيح وضع.

ـــ التصحيح لا يتم بعد إعلان النتائج.

ـــ لكن الطالبة الراسبة طالبت بإعادة تصحيح مسابقتها.

ـــ أفهم ذلك، لكن ما علاقة الطالبة الناجحة في الموضوع؟

ـــ لقد أعدنا تصحيح كل المسابقات وغيّرنا اللجنة الفاحصة.

ـــ هذا العمل يعتبر إساءة لسمعة أساتذة القسم، وأنا لن أقبل به، بالإضافة إلى أن ما قمتم به هو تزوير وفقاً للقانون، وأنا أصرّ على تصحيح الأمر قبل أن تنقلها الطالبة إلى المراجع القانونية وتكبر الفضيحة.

ـــ فلتفعل ما تشاء، لقد انتهى الموضوع.

تركته إلهام وتوجّهت إلى العميد حيث لم تجد أي حل للموضوع

إذ إن رأيه كان شبيها برأي المدير.

ــ اسمع مني وصحّح الأمر ولا تسجّل على نفسك المشاركة في عملية تزوير. قالت له إلهام.

لكنه لم يقتنع منها، فتوجهت إلى رئيس الجامعة الذي تلكأ في البداية، لكنه، وبصفته رجل قانون، لم يستطع، في النهاية، إلا تصحيح الوضع وإعادة العلامات إلى ما كانت عليه قبل عملية التزوير، وهذا ما دفع رئيسة القسم السابقة إلى نقل تسجيل ابنتها من الفرع الأول إلى فرع آخر من الجامعة.

ما أن انتهت إلهام من هذه القضية حتى اقتربت عطلة عيدي الميلاد ورأس السنة، فطلبت إذناً بالسفر لتزور باريس حيث أمضت وقتاً ممتعاً مع صديقها قبل أن تعود لمتابعة نشاطها في الجامعة. لكن ما أن عادت إلهام حتى شعرت باشتياق إلى هبى فاتصلت بها واتفقتا على اللقاء بعد يومين في مقهى الكافيه دي باري في شارع الحمرا. في اليوم المحدّد وصلت إلهام إلى المقهى قبل هبى، وجلست مع شلة من الأصدقاء ممن يرتادون الكافيه يومياً. أطلت هبى بعد قليل فاستدار الجميع نحوها مرحّباً. نظرت إليها إلهام باستهجان كأنها ترى شخصاً لا تعرفه، لكنها سلّمت عليها بحرارة، كعادتها ودعتها للجلوس إلى طاولة أخرى.

حين انفردتا حملقت إلهام في هبى التي لم تتمالك نفسها من الضحك قائلة: «كيف تجدين ما قمت به؟».

ــ ماذا أرى؟ ما هذا التغيير؟

ــ أليس جميلاً؟

ــ لست أدري، قالت إلهام كي لا تقول رأيها بصراحة.

ــ لكن الكل قد أعجب بما قمت به من تحسين في مظهري كي يكون على الموضة.

ــ تباً لهذه الموضة التي تنفخ الشفاه وتجعل من الحاجبين كأنهما مرسومان على لوحة لا على وجه طبيعي.

ــ لقد قلت لك في بداية موسم البحر، في السنة الماضية إنني سأخطط حاجبي وشفتي وعيني وهذا ما قمت به، وقريباً سأبدأ بجلسات الأندرمو لكي أزيل السلوليت من مؤخرتي وفخذيّ و...

ــ وهذا الانتفاخ في وجنتيك؟

ــ فقط لرفع المعنويات ونسيان العمر الذي بدأ يشوه الوجه.

ــ وهل نسيته فعلاً؟

ــ حين أنظر إلى وجهي في المرآة أرى أنني صغرت في العمر وها أنني أبدو كشقيقتك الصغيرة. وتابعت ممازحة: «كي لا أقول كابنتك».

ــ وما رأي نوار في هذا التغيير؟

ــ لقد قمت به أثناء غيابه لمدة أسبوعين.

ــ وحين عاد، ألم يلاحظ؟

ــ بلى، لكنه أثنى على ما قمت به.

صمتت إلهام واعتراها شعور مباغت بالأسى، أحسّت أن المسافة بدأت تتّسع بينها وبين هبى. لكنها تجالدت وأخفت مشاعرها وتابعت حديثها مع هبى حيث أخبرت كل منهما الأخرى عن أحوالها قبل أن تفترقا من جديد لتعود كل منهما إلى عالمها.

في تلك السنة كانت بيروت قد أعلنت عاصمة للثقافة العربية وابتدأت التحضيرات لمهرجانات ثقافية وندوات فكرية وغيرها لإنجاح ذلك الإعلان. استفادت إلهام من تلك المناسبة وقامت بتحضير اجتماعات لرؤساء أقسام الفلسفة في الجامعة اللبنانية ليقوموا بنشاطات تواكب الحدث، واتفقوا على سلسلة لقاءات تجمع بين طلاب كل الفروع وأساتذتها ضمن برنامج ثقافي وترفيهي وتعارفي في الوقت نفسه. ضجّت الجامعة بنشاطات أقسام الفلسفة وكان اللقاء الأول في الفرع الأول، الفرع الأم حيث قُدّمت المحاضرات الفلسفية وفقاً لبرنامج تم درسه مسبقاً وحيث أعلن عند انتهائه بيروت عاصمة للفلسفة العربية، وقد سبق لإلهام وبعض الأساتذة أن اتصلوا بوزارة الثقافة للحصول على مساعدة مادية مكّنتهم من إتمام برنامجهم، بدعوة كل المشتركين من طلاب وأساتذة إلى عشاء إفطار في أحد مطاعم العاصمة.

انتهى المهرجان كما كان مخططاً له، وأهم ما انبثق عنه كانت تلك الفكرة التي دعا إليها أحد الأساتذة بإنشاء تجمّع فلسفي يعنى بالفلسفة ويضم بين أعضائه من يرغب من الأساتذة وبعض الطلاب الذين قد أتموا مرحلة الإجازة وهم يحضرون الدراسات العليا أو الدكتوراه. بعد جهد جهيد مع وزارة الثقافة وبعض الإدارات العامة تمكّن الأساتذة من تحقيق حلمهم فأعلن «اللقاء الفلسفي» وانتخب صاحب الفكرة رئيساً له، وإلهام نائباً للرئيس وبدأ نشاط اللقاء

الذي تمحور حول نقل الفكر الفلسفي إلى العربية بهدف إنشاء
حقل فلسفي وتكوين لغة وإنضاج قول يشكل أرضية لقول فلسفي
عربي جديد. وقد نجح اللقاء في إصدار أول عدد من مجلته التي
سماها «فلسفة»، لكنه عجز، بسبب قلة الموارد المادية عن إصدار
العدد الثاني الذي جهزت كل مواده. حاول كل الأعضاء اللجوء
إلى منظمات دولية وغيرها لإنجاح مشروعهم لكن محاولاتهم باءت
جميعها بالفشل.

ــ العالم العربي لا يهتم بالفكر وبخاصة الفلسفة، قالت لي إلهام.

ــ وحتى المنظمات العالمية أيضاً.

ــ كلما طرقنا باباً قيل لنا: نموّل مشاريع إنمائية وكأن مشروعنا هو
ضد الإنماء، شيء مضحك فعلاً.

ــ وماذا ستفعلون؟

ــ سنتابع بإمكاناتنا الذاتية حتى تستنفد.

ــ هل ستستمرين في رئاسة للقسم السنة القادمة؟

ــ حتماً لا، سآخذ فرصة السنة السابعة لأكتب رواية بدأ موضوعها
يراودني الآن و يضج في رأسي.

ــ عن أي موضوع هذه المرة؟

ــ عن عمل الذاكرة. سأكتب رواية بعنوان «أيهما هو».

ــ وماذا تقصدين؟

ــ سأقرأ لك البداية التي سأفتتح بها الرواية؟

ــ هل بدأتها؟

ــ كتبت فقط التوطئة وهي تقول: «حين ينقر اسم أحدهم باب ذاكرتها، تفتح ذاكرة ليال بابها ليخرج منه اثنان، رجلان لا يشبه أحدهما الآخر. تنظر إليهما بدهشة وتتساءل بصمت: «ترى أيهما هو»؟...

ــ هل تغيرت عليك هبى إلى هذه الدرجة؟

ــ غبية، لا أقصدها هي بل أتكلم على رجل.

ــ ننتظر عملك لنرى ما هو جديدك هذه المرة.

11

أنهت إلهام تلك السنة في الجامعة فيما علاقتها بهبى تزداد تباعداً. ومع بداية السنة التالية انعزلت في بيتها لإنجاز روايتها «أيهما هو» التي ظلّ موضوعها يضج في رأسها كما قالت. وفي بدايات الصيف انتهت روايتها وسلمت المخطوطة إلى دار رياض الريس التي نشرت الرواية وحدّدت موعداً للتوقيع في أول يوم من أيام المعرض السنوي للكتاب العربي في بيروت. حضرت هبى، برفقة نوار التوقيع وهنأت إلهام على إنجازها الجديد، فما كان من نوار إلا أن دعا إلهام، ومن تختار من أصحابها، إلى العشاء للاحتفال بالمناسبة. في اليوم الثاني، اتصلت هبى بإلهام وقالت: «من الضروري أن أراك لأمر مهم».

ــ ما هو هذا الأمر المهم؟

ــ لا يحكى بواسطة الهاتف، يجب أن أراك واليوم بالذات، ما

عدت أستطيع الانتظار.

ــ أنا في البيت.

ــ إنا آتية على الفور.

بعد دقائق معدودة طُرق باب بيت إلهام ودخلت هبى كالعاصفة.

ــ أهلاً بك، لكن لمَ كل هذه...

ــ قولي لي مبروك.

ــ على ماذا أخبريني.

ــ إنني حامل. أنتِ انعزلتِ سنة لكي تلدي كتاباً جديداً وأنا سألدُ طفلاً بعد أقل من سنة.

صُدمت إلهام بما قالته هبى، لكنها انفجرت من الضحك وهي تقول: «إن كنت أنت حاملاً من نوار، فأنا، بالتأكيد، حامل من الروح القدس».

تجمّدت هبى في مكانها وفمها مشدوه من الدهشة وهي تتمتم: «أعيدي، لم أفهمك جيداً.

وتابعت إلهام وهي تضحك: «إن صحّ أن روح القدس قد فعلها مرة مع مريم العذراء فلماذا لا يفعلها مرة ثانية معي أنا؟».

ــ أنا لا أمزح، لقد مرّ أكثر من شهر على انقطاع الطمث عندي وقد بدأت أشعر ببعض التغيرات.

ـ بكل صدق، اعتقدت أنك تمزحين لأنني لا أعتقد أنك غبية إلى هذا الحد. وهل أخبرت نوار بذلك؟

ـ لا، أنت أول من يعلم.

ـ حسناً فعلت. هل تعتقدين أن تغيير الملامح لنبدو أصغر سناً يؤثر في سننا الحقيقية؟

اصفرت هبى وقالت: «ماذا تقصدين هل....؟».

ـ إنه بالضبط ما تفكرين به الآن، لقد بدأتِ الصفحة الثانية من عمرك ولن يغيّر في الأمر أي تحسين في الصورة الخارجية.

ـ إنها كارثة، لن أتحمّل ذلك إطلاقاً، لقد انتهت حياتي.

ـ إنها سنّة الحياة وعلينا تقبّلها كما هي، ولكل مرحلة حلاوتها.

ـ حلاوتها! صرخت هبى.

ـ انظري إلى الأمر كفعل تحرّر.

ـ تحرر من أنوثتي؟

ـ الأنوثة لا تحدد بالدم الذي ينزف بين فخذيك كل شهر.

ـ لكنه العنوان الرئيسي. على كل حال، أنا لا أصدّق قولك، سأرى طبيباً لأستشيره.

ـ وأنا أيضاً سأستشير طبيبي لمعرفة ما يجب فعله. سأتصل به الآن وأطلب موعداً لك ولي.

تردّدت هبى قليلاً قبل أن توافق، وحاولت تأخير الموعد، لكن إلهام كانت حاسمة، وحُدّد الموعد في اليوم الثاني.

ــ ماذا لو كنت حاملاً؟ سألت هبى.

ــ تصبحين أمّاً في آخر هذا العمر. لكن هل لا يزال لديك جلد على تربية الأولاد؟

ــ ما زلت في عزّ قوتي.

ــ لو افترضنا أنك حامل، هل يقبل نوار أن يصبح أباً من جديد بعد هذه الشيبة.

ــ لم أبحث الموضوع معه، لكن لا أظنه يمانع.

ــ لو كان بنيته الإنجاب من جديد لما اختار إنسى بسنك.

ــ تزوجني وأنا أنثى بكل معنى الكلمة. أجابت هبى بنبرة متوتّرة.

ــ تعلمين جيداً أن الإنجاب في مثل سننا هو مخاطرة كبرى، وعلى الوليد بالدرجة الأولى.

ــ لكن الطب تقدم وباستطاعته...

ــ كل ما يستطيعه هو إبلاغك أن الجنين غير طبيعي ويترك لك الخيار في الاستمرار بالحمل أو الإجهاض. وأظن أنك ستختارين الإجهاض فأنتِ لا تتحمّلين تربية طفل معوق.

ــ هذا صحيح، لكن هناك احتمال أن يكون الجنين سليماً وأعرف الكثيرات اللواتي أنجبن وهن في مثل عمري.

ـ إنها حالات نادرة، وفي أغلب الأحيان لا يكون هذا حملهن الأول، كما حالتك أنت.

ـ كل الملامة تقع عليك لأنك، في سيرك الثلاث، جعلتني إنسى من دون أولاد.

ـ وما ذنبي أنا إن كان زوجك الأول لا ينجب؟ ثم إنني متيقّنة أنك كنت ترفضين تحمّل مسؤولية الأولاد.

ـ رفضتهم لأنك اخترتِ لي زوجاً كنت متأكدة أنني لن أستمر معه.

ـ لم أختر لك شيئاً، أنت التي اخترت، وأنا لم أفعل إلا تسجيل ما حصل لك فقط.

ـ ما لنا وللماضي. إننا الآن أمام احتمال جدي بأن أكون حاملاً، فما العمل؟

ـ أنا غير مقتنعة بجدية الاحتمال، وإلا فما يفسر انقطاع الطمث عندي أنا؟

صمتت هبى وكأنها تبحث عن وجوه الاختلاف بينها وبين إلهام لتبرّر صحّة احتمال حملها، لكن إلهام حسمت الموضوع بالقول: «ننتظر استشارة الطبيب في غد ونحدّد ما سنفعله بناءً عليها».

ـ لن أنام هذه الليلة، فأنا متوتّرة جداً.

ـ وماذا يوترك، هل احتمال الحمل أو انقطاع الطمث؟

ــ كلاهما، لكن أفضل الاحتمال على الانقطاع ولو اضطررت إلى الإجهاض لاحقاً.

ــ أتفهّم وضعك وهو أمر عادي، أما بالنسبة لي، فأشعر بالتحرّر من مشكلة شهرية، ولا أشعر بأن انقطاع العادة الشهرية سيؤثّر على مجرى حياتي، فقدراتي هي هي وإنتاجي سيستمر وغرامياتي ستستمر.

ــ هل ستستمر كما هي الآن؟

ــ بكل تأكيد لأن لا علاقة للعادة الشهرية بالرغبة والمتعة الجنسية، ويقال إنها سوف تزداد.

ــ وهل علم صديقك بما جدّ معك من تحوّل؟

ــ آخر همي أن يعلم أو لا يعلم، المهم قبولي لذاتي في كل تحوّلاتها، والتقدم في العمر لا يخيفني ما دمت قادرة على الكتابة والحب.

ــ هل تعتقدين أن الأمور ستستمرّ على ما هي الآن مع نوار في حال...

ــ الأمر يتعلق بك أنت وبتقبّلك لوضعك الجديد، ولا أظن أن شيئاً ما سيتغير بالنسبة لنوار. وحتى لو تغير الوضع، فما المشكلة، ستعودين إلى متابعة حياتك العادية وستحبّين غيره وتعيشين مغامرة ثانية، ربما كانت أمتع وأنضج.

ــ لقد زرعت الفوضى في رأسي، دعيني أنصرف وأحضّر نفسي لرؤية الطبيب غداً.

انصرفت هبى وسارعتُ إلى الحديث مع إلهام:

ـ ألا تظنين أنك بالغت في التهكم؟ من أين أتتك فكرة روح القدس هذه؟

ـ لم يخطر ببالي غيرها حين سمعت هبى تقول إنها حامل. مسكينة هبى، فهي لا تتقّبل فكرة أن تكبر في العمر. وإن أردتِ الحقيقة، أول ما خطر في بالي هو أن أسأل هبى إن كان قد أجريت لنوار عملية البروستات أم لا، لكنني عدلت عن الفكرة حين لمعت في رأسي أنوار روح القدس.

ـ دعينا من مزاحك، فهبى ليست وحدها في عدم التقبل هذا، حتى الرجال لا يتقبلون ذلك بسهولة.

ـ لكن لدى الإنسى مؤشر واضح على التقدم في العمر غير موجود عند الرجل، ولهذا السبب يمكنه التلاعب والاحتيال أكثر من الإنسى.

ـ لا أوافقك الرأي لأن لدى الرجل مؤشراً مهماً هو عدم قدرة عضوه على الانتصاب كما في عمر الشباب، ولهذا السبب اخترع الفياغرا، بينما الإنسى لا تتغيّر رغبتها الجنسية وتظل هي هي بعد انقطاع الطمث. التغيير الوحيد هو في انعدام قدرتها على الإنجاب فقط.

ـ وهذا غير صحيح، فإن لجأ الرجل إلى الفياغرا ليستمر في استمتاعه برجولته حتى ولو كانت مزيفة، فالطب مكّن الإنسى من الإنجاب حتى بعد انقطاع العادة الشهرية.

ــ لكن هذا الانقطاع يتمظهر بإشارات عديدة على الوجه وعلى الشكل وعلى العظام و...

ــ وهل إشارات الشيخوخة لا تظهرعلى الرجل؟ على وجهه وشعره وقامته وقدرته و...

ــ بلى، لكن لست أدري لماذا تتأثّر الإنسى بهذا الموضوع أكثر من الرجل.

ــ الإنسى لا تتأثر، بل المرأة هي التي تتأثر؛ الإنسى التي تمكّنت من تحويل نفسها إلى ذات، لا تشعر بالتغير لأن الذات ثابتة، بينما المرأة التي ارتضت لنفسها أن تكون موضوعاً، هي التي تتأثر لأن التغير يطرأ على الموضوع مع تقدم السن.

ــ هل تعتقدين أن هبى لا زالت موضوعاً؟

ــ هذا ما أخشاه.

انصرفت هبى وهي تتأرجح بين الأمل واليأس. وصلت إلى بيتها ولم يكن نوار قد عاد بعد، فدخلت الحمام وملأت الجاكوزي بالماء الساخن وتمدّدت فيه تستعيد كل ما سمعته من إلهام. وما هي إلا دقائق حتى فُتح باب الحمام ووصلها صوت نوار يسأل: «أين أنتِ؟» وما أن رآها حتى قال: «فكرة ممتازة، سأخلع ملابسي وأوافيك».

جلسا معاً في الجاكوزي وأخذ نوار يداعب ثدييها ويلثم شفتيها وعنقها وجسداهما متلاصقان والماء يفور من حولهما. حين بلغت بهما الإثارة حداً ما عاد يحتمل، نهضا من الماء ووضع كل منهما

منشفة على جسده وتوجّها إلى السرير حيث عاشا لحظات الحب بكل اندفاع وشهوة قبل أن يستلقيا جنباً إلى جنب ويقول نوار: «هيا سنخرج، فأنا أدعوك لتناول العشاء في أفخم مطعم في هذا البلد». نهضا وجهّز نوار نفسه بسرعة وخرج إلى الصالون لمشاهدة التلفزيون ومتابعة الأخبار بانتظار أن تجهز هبى.

بقيت هبى في الغرفة وهي تفكر بما قاما به وقد اتخذ هذه المرة معنى مختلفاً ومطمئناً إذ إن نوار لم يتغير معها من دون أن يخطر بباله وضعها، وهي أيضاً استمتعت كما في السابق: «لن يتغير شيء، ربما كانت إلهام على حق. لكن إن علم نوار أنني ما عدت أحيض، فهل سيستمر على ما هو عليه الآن من اندفاع نحوي ونحو جسدي؟ لن أتركه يعلم، وسأستحضر دائماً الأدوات التي تدلّ على استمرار العادة الشهرية من كوتكس وأولويز وغيرهما وسأضعهما في خزانة الحمام بشكل ظاهر. لكن إن كنت حاملاً، فماذا ستكون ردّة فعله؟ سأحاول هذه الليلة تبيان كل الأجوبة على كل الاحتمالات».

خرجتْ من تساؤلاتها ورأت نفسها جاهزة بكامل أناقتها. تركت الغرفة إلى حيث ينتظرها نوار الذي ما أن رآها حتى قال: «ما هذا الجمال ! لو لم أعدك بالعشاء لكنت أعدتك إلى السرير لأشبع شهوتي لك من جديد». فرحت هبى بما سمعت وازدادت ثقتها بنفسها فاقتربت من نوار وطبعت قبلة على وجنته، فما كان منه إلا أن رفع يدها وقبلها وهو يقول: «أنا بأمرك سيدتي الجميلة فلنخرج، لكن منذ الآن أنبهك إلى أننا سنعود باكراً، فأنا لم أشبع منك بعد». ابتسمت هبى بدلال، أمسكت يده وتوجّها نحو الباب الخارجي وهو يلف كتفيها بذراعه.

توجها إلى المكان الذي حدّده نوار للسائق، وهو نايت كلاب في شارع من متفرعات شارع الحمرا والذي كانت هبى قد أبدت، في مرة سابقة، إعجابها به. وهو بالفعل مكان هادئ، يدخله المرء كأنه يدخل كهفاً نصف مضاء بالأنوار الحمراء، في جو من الموسيقى الناعمة، وكل رواده من العشاق. جلسا إلى طاولة صغيرة وطلب نوار، لكل منهما، مشروبه المفضل مع المازة المعهودة؛ الكافيار والسومون.

رفع نوار كأسه وقال: «أشرب نخب أجمل سيدة عرفتها».

ــ كأس أروع الرجال. أجابت هبى وهي محتارة كيف تبدأ معه الحديث.

ــ هبى أريد منك أن تنسي كل شيء هذه الليلة، فأنت لي وحدي ولا أريد أن يشاركني فيك حتى ولا مجرد فكرة.

ــ لكنك أنت لست لي وحدي.

ــ ماذا تقصدين؟ أجابها مستغرباً.

ــ أنت لديك ولدان وأعرف أنهما كل حياتك.

ــ الأمر مختلف، فهما يحتلان حيزاً وأنت تحتلين حيزاً آخر.

ــ أما كنت ترغب بابنة جميلة؟ فالبنات أحنّ على الأهل من الصبيان.

ــ صحيح، لكن هذا حكم ربنا وأنا ممتنّ له.

أرادت هبى أن تدفع بالحوار حتى النهاية، استجمعت قواها وسألت: «ماذا لو منحنا الله ابنة؟».

أجاب نوار من دون أي تردّد: «كنت أتمنى ذلك قبل عشرين سنة لكنني لم أصادفك في تلك الفترة، أما الآن فما عاد لدي الوقت لكي أراها صبية جميلة، وأنا مكتفٍ بك أنت». أطرق قليلاً ثم تابع بتردّد: «ربما كنت أنت ترغبين بذلك لكن...

ظننت أنه سيقول إنه عاجز بسبب عملية البروستات كما فكّرت اللئيمة إلهام، لكن هبى قاطعته وقالت:

ـ وأنا أيضاً ما عاد لدي الوقت لتربيتها إن أتت.

ـ أنت زوجتي وابنتي وحبيبتي وصديقتي وكل ما يضفي البهجة على حياتي.

فرحت هبى بجوابه وقبل أن تفتح فاها لتسأل مجدّداً قال بكل جدية: «هبى أحبك كنفسي، لكن الأعمار بيد الله ولهذا السبب وضعت، في حسابك في المصرف، مبلغاً يفرج عنه بعد موتي و...

ـ لا تكمل، لا أريد أن أسمع هذا الكلام فالمال لا يعني لي شيئاً.

ـ أعرف، وهذا ما ثبت لي حين أصرَرت على أن يكون زواجنا مع عقد بالفصل في الأموال. لقد قدّرت ذلك عالياً. أنا أعرف إمكاناتك المادية المحدودة، وأشدد على كلمة مادية لأن إمكاناتك الأخرى لا تقدّر بثمن، لكن هذه الإمكانات، على أهميّتها المعنوية، لا تؤمّن لصاحبها الحد الأدنى من العيش الكريم، ولا أرضى أن تكوني بحاجة إلى أحد حتى لو، لا سمح الله افترقنا.

قدّرت هبى موقف نوار عالياً وحاولت تغيير الموضوع: «ما رأيك لو رقصنا على هذه الموسيقى الناعمة؟».

ــ فكرة جيدة. قال وهو ينهض.

أحاط خصرها بذراعيه ورفعت، هي، ذراعيها حول عنقه وبدآ بالتمايل على إيقاع الموسيقى الدافئة، وحين وضعت هبى رأسها على كتفه، ضمّها إليه ووشوش في أذنها: «فلنطلب العشاء بسرعة ونرحل، ما عدت قادراً على التحمّل أكثر». «عادا إلى مكانيهما وأشار نوار بيده للنادل كي يأتي إليهم، وطلب منه الاستعجال في تقديم العشاء الذي اقتصر على قطعتي فيله بالحر.

عادا إلى البيت ودخلا مباشرة غرفة النوم، حيث تحرّر نوار من ثيابه بسرعة وطلب من هبى أن تفعل مثله، لكنها استأذنت لدخول الحمام للقيام بتنظيف وجهها و... ، فما كان منه إلا أن أجلسها على حافة السرير وأخذ يعريها وهو يلثم كل نواحي جسدها، وحين أصبحت عارية تماماً مثله، حملها بين ذراعيه ومدّدها على السرير وهي لا تبدي أي ممانعة. تمدّد بالقرب منها والتصق جسداهما وغاصا في تجرع الحب وكأنهما يكتشفان بعضهما في لقاء أول. وفي الصباح تأخّرا في النوم حتى منتصف النهار. بعدها انصرف نوار إلى عمله وبقيت هبى لتفاجأ بما لم تكن تتوقّعه.

حين غادر نوار كانت هبى لا تزال في السرير تتمطى وهي عارية. لكنها لم تكن مرتاحة تماماً إذ إنها بدأت تشعر بألم خفيف في أسفل بطنها، ألم طالما اعتادت عليه في أيام حيضها. استغربت الأمر ونهضت إلى الحمام، وهنا حدثت المفاجأة؛ قليل من الدم على كيلوتها. انتابها شعوران متناقضان: من جهة، فرحت باستعادة

أنوثتها وبالتالي شبابها، هذه الأنوثة وهذا الشباب اللذان لا تريد التخلي عنهما بأي وسيلة، حتى بالكذب على الذات، ومن جهة ثانية شعرت بالانقباض وتساءلت: «هل هو إجهاض بعد ممارسة الحب بالشكل العنيف كما فعلنا البارحة؟». فرحت بالاحتمالين معاً مع تفضيلها لاحتمال الإجهاض لأنه يثبت أنوثتها مرتين. الآن أصبح باستطاعتها أن تخبر نوار أنها كانت حاملاً. ولم يخطر ببالها إلا أن تتّصل بإلهام لتحطّ على عينها:

— عزيزتي الدكتورة إلهام، لن أذهب معك إلى الطبيب اليوم. قالت بنبرة المتشفي والمستعلي.

— لماذا؟ هل جدّ لديك ما هو أهم من استشارة الطبيب؟

— أهم بكثير، لأنني ما عدت بحاجة إلى استشارته.

لم تفهم إلهام ماذا تقصد هبى وقالت: «أخبريني، ماذا جرى معك؟».

— كل خير، لكن لن أخبرك إلا إذا أتيت لشرب القهوة معي.

— سأحضر حالاً.

لم تنتظر إلهام، بل سارعت إلى بيت هبى التي استقبلتها بطلّة مشرقة وابتسامة عريضة تملأ وجهها.

— أراك سعيدة، هيا أخبريني ما هو جديدك.

— فلنشرب القهوة أولاً. قالت هبى بكل خبث.

ــ كما تريدين، فأنا لست سوى مستمعة وأنت التي تملك الأخبار السارة.

ــ إنها بالفعل سارة، لكن لست أدري إن كانت سارة بالنسبة إليك.

ــ إن كنتِ ترينها سارة فستكون كذلك بالنسبة إلي أيضاً.

لم تستطع هبى السكوت لوقت أطول وقالت: «لقد أخطأتِ في تحليلاتك البارحة».

ــ أي تحليلات، ما عدت أذكر.

ــ تذكرين جيداً لأننا لم نتكلّم إلا في موضوع واحد.

ــ وأين أخطأتُ؟

ــ في التقدير.

ــ بقّي البحصة وتكلّمي بوضوح.

ــ أنا في حالة من حالتين: إما أن العادة الشهرية لم تقطعني بعد أو أني كنت حاملاً.

ــ ...

ــ لقد حضتُ من جديد، وهذا يعني أنك أصبتني بالعين وتوقف حملي، أعتقد أنه إجهاض.

فهمت إلهام ماذا حصل مع هبى وسارعت إلى القول: «وهذا ما

يستدعي استشارة الطبيب أكثر من الأول».

ـ هل سيعرف ماذا جرى بالتحديد؟

ـ طبعاً، فهذا هو دوره. لكنني أعلم أن انقطاع العادة الشهرية عند بعض النساء قد لا يحصل، أحياناً، دفعة واحدة وقد تبدأ تتقطع تدريجياً هكذا قبل انقطاعها نهائياً. ربما كنت، أنتِ من هذا الصنف.

ـ تصرّين على رأيك إذاً.

ـ لست مصرّة على شيء، ولهذا السبب ألجأ إلى المرجع الصالح. وأنصحك بالذهاب معي لاستشارة الطبيب فهي نافعة في كل الأحوال.

ـ سأرافقك فقط لأحط على عينك.

ـ وأنا راضية بذلك.

ـ إذاً تتناولين الغداء معي هنا في البيت، ونذهب، عند الساعة الثالثة إلى الطبيب.

رحّب بهما الدكتور زياد لحظة أدخلتهما السكرتيرة إلى مكتبه، وبعد عبارات المجاملة، جلستا قبالته فسأل: «ما المشكلة وممّ تشكوان؟».

ـ أمر عادي قالت إلهام، لقد انقطعت عادتي الشهرية منذ الشهر

الماضي وأنا هنا لأستشيرك بما يجب فعله.

ــ أما أنا، قالت هبى، فلدي مشكلة أخرى. وأخبرت الطبيب بما حدث معها وأنهت كلامها: «هل تظن أنني كنت حاملاً؟».

تردّد الطبيب قليلاً ثم قال بتقطع: «لا.. أظن.. في.. هذه السن. على كل حال سأطلب منكما فحصاً يوضح لنا كل شيء، وهو لمعرفة نسبة الهورمونات في جسديكما، وبعدها سنرى.

أجريتا الفحوص وعادتا بالنتائج إلى الدكتور زياد الذي قال: «نتائج متوقّعة، لقد قلّت نسبة إفراز الهورمونات الأنثوية عندكما، لكن لا مشكلة، فلدينا العلاج لذلك وهو بالتعويض عن هذا النقص بواسطة هورمونات طبّية».

ــ أمن الضروري أن نتابع هذا العلاج؟ سألت إلهام.

ــ أفضّل ذلك لأنه يساعد على عدم ترقّق العظام وعدم الشعور بالهبّات الساخنة ويحافظ على نضارة الجلد، وبخاصة يقي من مرض تصلّب الشرايين ويمنع ارتفاع الكولستيرول و... له منافع عديدة وهذا ما أثبتته كل الدراسات الإحصائية حتى الآن.

ــ كما تريد. قالت إلهام.

ــ وهناك ما هو أفضل من كل ذلك وهو المحافظة على المعنويات لدى السيدة.

ــ ما هو؟ سارعت هبى إلى السؤال.

ــ هناك طريقتان لاستعمال الهورمونات؛ طريقة تحافظ على العادة

الشهرية، ولو كانت اصطناعية، وطريقة لها نفس المفعول الصحي لكنها لا تعيد الطمث.

ــ أنا مع الطريقة الثانية، قالت إلهام، بينما قالت هبى: «لا، أنا أفضل الطريقة الأولى».

ــ كلاهما واحد، تابع الدكتور، الفرق الوحيد هو في كيفية الاستعمال. الطريقة الثانية هي الأبسط إذ على السيدة أن تبتلع حبة مركّبة من نوعين من الهورمونات، البروجستيرون والأوستروجين، بنسب مدروسة، كل يوم من دون توقف، بينما الطريقة الأولى تقوم على ابتلاع الهرمونات منفصلة وكل واحدة لعدد معين من الأيام كل شهر.

ــ لن أبدّل رأيي، قالت إلهام، من فضلك اكتب لي الوصفة الثانية.

ــ وأنت سيدة هبى؟

ــ أنا لا أبدل رأيي.

كتب الدكتور زياد وصفة لكل منهما وانصرفتا.

عادت إلهام إلى بيتها لتجدني في انتظارها جاهزة للدردشة.

ــ غريب أمر هبى، إنها لا تتقبّل الواقع وتفضّل التحايل عليه من دون أن تدري أنها تحتال على نفسها.

ــ أتفهم وضعها، أجابت إلهام، لقد عاشت كل حياتها وهي محطّ أنظار كل الناس الذين يعرفونها، أمها أدّت دوراً كبيراً في نشأتها على هذا النحو. لقد كانت هبى الطفلة المدلّلة التي حاولت والدتها

أن تجعل منها دمية جميلة، من دون أن تدري أنها تؤذيها في ذلك. لقد حوّلتها، في نظر الآخرين وحتى في نظرها هي، إلى موضوع يتمتّع بكل مقومات الجمال ويصلح للعرض على الرفوف كتحفة فنية. كانت تتفنّن في تسريحات شعرها وتشتري لها أجمل الملابس ولا ترضى إلا أن يراها الجميع الأجمـل، لا بـل نمـوذج الجمـال بالذات. ثم إن وضعها الاجتماعي في الضيعة جعل منها المثال الذي تطمح كل فتاة للتماهي معه.

— لم يكن وضعك مختلفاً عن وضعها ولا والدتك تختلف عن والدتها، فلماذا اختلفت رؤيتكما؟

— إننا وجهان لشخصية واحدة لكنها متناقضة؛ هبى استمرت في السائد بينما خرجت أنا عنه بعدما خبرته.

— والسائد هو القاعدة التي تشذّين عنها.

— للأسف هذا صحيح، السائد هو القاعدة، لكنها قاعدة مزيفة وليست حقيقية.

— لكن عندما يسود أمر ما يصبح هو الحقيقة حتى لو كان مزيفاً.

— وهذا ما نحاول إقناع أنفسنا به كي نتهرب من المواجهة الصعبة، ومواجهة السائد هي من أصعب المواجهات.

— أظن أن الطريقة التي اختارتها هبى للعلاج بالهورمونات هي الطريقة التي كانت ستختارها كل واحدة في هذا المجتمع.

— لا تعمّمي فلا بد أن هناك، من بين النساء، من تحوّلت إلى إنسى بعد مكابدتها لوضع المرأة. أنا ضد التعميم في هذا الموضوع.

ـ لكنني أعرف الكثيرات ممّن اخترن كما اختارت هبى.

ـ وأظن أن غالبيتنهن متزوجات.

ـ ليس بالضرورة، وأغلب اللواتي أعرفهن خارج إطار الزواج ويعشن مع صديق.

ـ المهم أنهن يرفضن جميعاً الواقع ويحاولن، مثل هبى، إيهام أنفسهن قبل إيهام الآخر أنهن لا يزلن شابات، وإلا فكيف تفسرين كل عمليات التجميل التي يلجأن إليها؟

ـ الاستمرار في مرحلة الشباب باتت سمة العصر للجنسين معاً.

ـ الشباب ليس في المظهر فقط، وكما قلت لك سابقاً الذات لا تشيخ حتى لو بدت عليها إشارات الشيخوخة الظاهرية، بينما الموضوع هو عرضة لتقلّب الموضة ولهذا السبب يشيخ لأنه أصبح خارج التداول.

ـ لكنك أنت أيضاً ارتضيت العلاج بواسطة الهورمونات.

ـ ارتضيته للمحافظة على صحتي لا على مظهري، وذلك لأنني أحب الحياة ولكنني أحبها في حقيقتها لا في زيفها.

ـ أما هبى فقد حافظت على صحتها وعلى زيف الحياة في الوقت نفسه.

ـ هي حرة وأنا أتفهم وضعها حتى لو أنني لا أوافقها الرأي.

12

بعد ثلاثة أشهر من البدء بكتابة روايتها الجديدة، كانت إلهام قد أنجزت قسماً منها وقرّرت أن تستريح وتقوم بسفرة إلى فرنسا لزيارة صديقها. اتصلت به واتفقا على الموعد. وقبل سفرها بيومين، اتصل بها المحامي الذي يتابع دعوى الطلاق، ليخبرها أن الحكم بالطلاق قد صدر أخيراً، وأنها باتت حرّة منذ لحظة صدوره. شكرته وتساءلت: «ماذا يعني أنني أصبحت حرة الآن؟ هل لم أكن حرة من قبل؟».

ـ يعني أنك تحرّرت من رابط قد يمنعك من القيام بأمور كثيرة. أجبتُها.

ـ ممّ كان يمنعني؟ فأنا منذ اللحظة التي قرّرت فيها الطلاق، أصبحت متحرّرة من هذا الرابط الذي اشتغلتْ به المحكمة أكثر من خمس سنوات لكي تتوصل إلى حلّه.

— اشكري ربك أن الزواج كان مدنياً وإلا لكان استغرق الحل أكثر من عشر سنوات كما حدث في طلاقك الأول.

— في كلتا الحالتين ما كنت أنتظر الحكم بالطلاق كي أمارس حياتي كما أريد، لكنهما علماني أن الزواج خدعة كبرى والطلاق عملية استغلال وابتزاز ليس إلا.

— لكن لما كنت تمكنت من الزواج مرة ثانية لولا أن الطلاق الأول بقي عالقاً، وهذا يعني أنه حرّرك من قيد.

— ليته لم يحررني ولم أقدم على الزواج الثاني لأنه كان غلطة العمر.

— أعرف أنك كنت ضد الزواج فما الذي دفعك إلى القيام به؟ وتتذكّرين أنني كنت أحذّرك منه.

— إنه الغلط الذي نقع فيه أحياناً. لكن قراري بالزواج كان مبنياً على اتفاق بأن ننفصل ما أن أراد أحدنا ذلك ونبقى أصدقاء كشخصين عاقلين يقرّران مصيرهما كما يريدان.

— والآن ماذا ستفعلين؟

— سأتابع حياتي كما هي وكما أريد.

— هل أصبحت مع فكرة المساكنة إذاً؟

— بكل تأكيد وبخاصة في مثل عمرنا.

— أفهم ذلك في سننا، لكن في مرحلة الشباب حيث يأتي الأولاد و...

ــ الأمر بسيط؛ ففي حال الإنجاب، الأم هي الأم ولا مجال للشك في أمومتها، يبقى أن يعترف الرجل بأبوّته وينتهي الموضوع ويُسجّل الولد في القيد الرسمي أنه ابن فلان وفلانة.

ــ وماذا لو طلب منك صديقك الجديد الزواج؟

ــ هل أنت مجنونة؟ هو لن يفعل، ويعرف رأيي في الموضوع جيداً. سأذهب إليه بعد يومين وأعود إلى عالمي الخاص لأتابع حياتي العادية. سأتصل به الآن وأخبره عن الطلاق.

اتصلت إلهام بصديقها وأكّدت موعد لقائهما، وفي نهاية الحديث قالت له إنها حصلت على الطلاق. يبدو أنه فرح بالخبر وهنّأ إلهام وسمعتها تقول له شكراً، شكراً. لكن بعد قليل سمعتها تقول: «ماذا تقصد؟».

ــ ...

ــ هل جُننت؟ تعرف جيداً أن هذا الموضوع مقفل نهائياً.

ــ .....

ــ إن كنتَ تريد الزواج، فأنا لست له، فلننفصل بكل هدوء ونبقى أصدقاء.

ــ ...

ــ الأمر محسوم. وإن كانت هذه هي رغبتك فأنا سألغي سفري لأفسح لك في المجال كي تبحث عن غيري.

ــ ...

— لا، لا، المساكنة غير ممكنة وكل واحد منا في بلد، فلا أنا قادرة ولا راغبة في العيش في فرنسا، ولا أنت تستطيع المجيء للعيش في لبنان. فإما أن تبقى علاقتنا على ما هي عليه حالياً أو أنسحب منها وأحرّرَك.

أنهت إلهام المكالمة وقالت: «الرجل سخيف ويعتقد أن الزواج أهم ما تبتغيه الإنسى. تصوّري أنه كان يعتقد أن تمنّعي السابق عن الزواج، كان يعود إلى كوني غير مطلّقة بعد، مع أنني قد شرحت له كل وجهة نظري في الموضوع».

— يعني أنه طلب الزواج؟

— قال إنه ما عاد يستطيع العيش وحده وإنه غير قادر على الاستمرار هكذا.

— هذا يعني أن لديه، ربما...

— فليكن لديه ما يشاء وأتمنى أن يكون لديه صديقة تقبل بالزواج.

— الرجل ليس كالإنسى، فهو عاجز عن العيش وحده. أنا أتفهم وضعه.

— وأنا أتفهم وضعه، لكن لن أحل مشكلته على حسابي. فليحلها وحده.

— هل ألغيت سفرك فعلاً؟

— بالتأكيد. إلا إذا غيّر رأيه وبقيت علاقتنا كما هي.

رن جرس الهاتف وإذ بجان ميشال:

— ...

— أنا لست غاضبة، قالت إلهام، فقط أنا آسفة لأنك لم تفهمني جيداً.

— ...

— الزواج غير ممكن وانتهى الموضوع يا صديقي العزيز.

— ...

— أتفهّم جيداً وضعك وعجزك عن الاستمرار وحدك ولهذا السبب أحرّرك من علاقتنا كي تتمكّن من البحث عما يلبّي متطلباتك.

— ...

— فكرت جيداً وهذا هو قراري النهائي. وداعاً، سأقفل الخط.

أقفلت إلهام الخط من جديد وقالت: «تصوري أنه لا زال يقنعني بالزواج، ما هذا الغباء؟ من المؤسف حقاً أنه لم يفهمني. على كل حال لقد انتهى الموضوع وسأعتبر نفسي، منذ الآن، متحرّرة من هذه العلاقة حتى ولو أنها كانت جميلة وجان ميشال شخص رائع... لكن يبدو أنه رجل لا يختلف عن سائر الرجال».

— أعترف بأن الإنسى في هذا المجال هي أقوى من الرجل. الإنسى تستطيع العيش بمفردها من دون رجل معها، لكن الرجل يبقى طفلاً باستمرار ويعجز عن العيش بمفرده. ألا تلاحظين أن الأرملة تعيش طويلاً بعد موت زوجها بينما أغلب الأرامل من الرجال يرحلون

بعد موت زوجاتهم بمدة قصيرة؟

ـ هذا صحيح وبخاصة إن كانت الإنسى منتجة ولا تحتاج إلى معيل.

رن جرس الهاتف من جديد، لكن هذه المرة كانت هبى وسمعت إلهام تقول: «أنا في البيت أنتظرك».

بعد أقل من نصف ساعة وصلت هبى وهي ترتدي الجينز الضيق وتيشرت ملوّناً وأقراطاً كبيرة تتدلّى من أذنيها، وشعرها مسبول على كتفيها.

ـ ما هذه النحافة؟ قالت إلهام، هل هو مفعول الأندرمو؟

ـ الأندرمو والحمية معاً. كنت قد بدأت أحضّر نفسي لموسم البحر.

ـ لماذا تستعملين صيغة الماضي «كنت» ألا تستمرين بتجميل نفسك؟

ـ بلى سأستمر لكنني أمرّ بأزمة وقد لذت بالصمت على مدى اليومين السابقين، لكن الأمور، على ما يبدو، ما عادت تطاق. لقد اكتشفت أن نوار واحد «عكروت».

لاحت على وجه إلهام ابتسامة، سرعان ما أخفتها وسألت هبى: «ما هو الجديد وهل تغيّر نوار عن كونه الرجل الرائع؟».

ـ هو لم يتغير، بل أنا التي كنت غبيّة ولم أكتشف الأمور من قبل. على كل حال ما كان يبدو عليه أي إشارة.

ــ إذاً؟

ــ إذا سأخبرك بما حصل وأنت ستحكمين: منذ يومين، اتصل بي نوار من مكتبه وقال لي إننا مدعوّان إلى العشاء في فندق الفينيسيا والداعي هو شريكه الخليجي،ــ وفهمت لاحقاً أنه ولي نعمته ــ. حين عاد في المساء إلى البيت كنت شبه جاهزة للخروج، فجهّز نفسه بسرعة وتوجّهنا نحو الفندق وهو يقول: «سيكون عشاءً واجتماع عمل في الوقت نفسه، ستكون صفقة كبيرة إن نجحنا».

دخلنا إلى البهو الكبير وإذ بنوار يتّجه نحو مكان تجلس فيه سيدة، سلّم عليها وقال: «هبى زوجتي» وتابع متوجهاً إلي وهو يشير إليها: «لولو». سلّمت عليها كالبلهاء من دون أن أفهم شيئاً. جلسنا وسارع نوار بطلب شريكه على الهاتف الجوّال وإبلاغه أننا ننتظره في الهول. لم أتمكّن من سؤال نوار عن لولو ومن تكون، لكن كل هندامها كان يدل على أنها من بنات الهوى.

ــ وهل من فرق اليوم بين هندام بنات الهوى وهندام البنات اللواتي يسمّين بنات عائلات؟ سألت إلهام.

ــ إن لم يعد من فارق في الملبس والهندام، يبقى هناك شيء ما في المسلك أو الـ «attitude» يجعلك تميّزين بسرعة بين العاهرة وبين التي تتبع الموضة فقط. لكن دعيني أكمل؛ وصل الرجل الخليجي ورحّب بي ثم توجّه نحو لولو ليسلّم عليها وهو يقول: «ذوقك يا نوار، هذه المرة، ممتاز فالست لولو هي لؤلؤة بكل معنى الكلمة». نفخت لولو صدرها وجلسنا جميعاً لنحتسي مشروباً خفيفاً قبل أن ننتقل إلى المطعم حيث دخلنا والخليجي يمسك بيد الست لولو. تناولنا العشاء وأنا أتساءل كيف يسمح نوار لنفسه أن أجلس مع

إنسى تتاجر بجسدها؟ لكنني كظمت غيظي وصمتُّ إلى أن انتهى العشاء والغضب يملأ قلبي.

ــ ولماذا لم تغادري؟

ــ كنت أرغب في ذلك لكن فضولاً ما دفعني إلى الانتظار لمعرفة النهاية.

ــ لكن النهاية، وبحسب ما تروين، هي واضحة ومقروءة.

ــ دعيني أكمل قبل أن تسترسلي في إرشاداتك. تناولنا الديسار وانتهى العشاء من دون أن يتفوها بكلمة واحدة عن العمل؛ كل الحديث كان يدور حول بنات بيروت الجميلات وعن المتنزهات الرائعة في لبنان، وقد علّق الخليجي بأن لبنان هو درّة الشرق وأنه يتمنى العيش فيه وأردف: «إن كانت كل بناته مثل لولو والسيدة هبى فلبنان هو الجنة التي وعدنا بها القرآن الكريم». هنا لم أتمالك أعصابي وقلت بنبرة متوتّرة متوجهة إلى نوار: «لقد انتهى العشاء فهيا بنا إلى البيت».

ــ سنرحل، قال بصوت منخفض، لكن علي أن أختلي بشريكي لفترة قصيرة لنبحث في العمل، ثم ننصرف.

ــ وهل ستتركني وحدي مع هذه الساقطة أنتظر هنا في البهو؟ لا، يا حبيبي أنت غلطان، فأنا سأرحل حالاً.

استودعتهم وتوجّهت نحو المخرج وأنا أسمع نوار يقول: «إنها متعَبة قليلاً سأوصلها وأعود». وحين لحق بي طلبت منه أن يتركني وحدي ويعود إلى عالم أعماله: «لا تخف، يوصلني السائق ثم يعود لانتظارك».

ــ لن أتأخر، فشريكي مستعجل أكثر مني.

ــ لكي يستمتع بالهدية التي قدمتها له. قلت وأنا أغلق باب السيارة.

كانت هبى تروي وإلهام تصغي من دون أي تعليق مهم سوى بعض الاستفسارات.

ــ وصلتُ البيت فخلعت ثيابي بسرعة، تابعت هبى، ودخلت الحمام لأغتسل، شعرت أن علي أن أتطهّر من هذا الجو الموبوء، ثم ارتميت على الفراش أفكر.

ــ وهل الأمر يحتاج إلى تفكير؟

ــ يحتاج، طبعاً لأنه وضع كل حياتي مع نوار على المحك. لكن نوار لم يطل الغياب وعاد ليدخل مسرعاً إلى غرفة النوم:

ــ هل لا زلتِ سهرانة؟ قال.

ــ أنتظر عودة القواد، أجبته من دون تردّد.

ــ إن شريكي يقيم وحده في الفندق وقد طلب مني أن...

ــ لا تكمل، طلب منك أن تأتيه بإحدى بنات الهوى وليست هي المرة الأولى كما فهمت. فمن أين تعرف هؤلاء البنات؟ لقد لاحظت أن الست المصونة لولو تعرفك جيداً.

ــ لقد أتيت بها في مرّات سابقة لبعض الأشخاص.

ــ لكن من أين تعرفها لكي تطلب منها مثل هذا الطلب؟

حاول نوار أن يتهرّب من السؤال ويغير الموضوع لكنني أصررت على متابعته وقلت: «لم تجبني من أين تعرف الست لولو؟»

ـ ما عدت أذكر المناسبة، لكني تعرّفت إليها بواسطة أحد الأصدقاء. أجابني متلعثماً.

ـ وكيف عرفت أنها تقوم بهذا الدور؟ هل عاشرتها؟ هل نمت معها؟

ـ وهل تحاسبينني على ما قمت به قبل أن أتعرّف إليك؟

ـ لا أحاسبك، فقط أستوضح لأنني شعرت بالمهانة فعلاً. ثم لماذا طلبت مني أن أرافقك إلى هذا العشاء ما دامت تعرف أنها آتية، لا بل طلبت منها أن تأتي؟ هل تساويني بها؟ انطق، أين كرامتي وكرامتك؟

وهنا أتى الجواب الذي ما كنت أتوقعه إطلاقاً؛ بكل برودة قال: «أولاً، لولو ليست من بنات الهوى الرخيصات، كما تعتقدين، إنها نسيبتي وسيدة محترمة في المجتمع، طبعاً ليس مجتمع المدرّسات في الجامعة، بل المجتمع الراقي. ثم كيف تجرؤين على القول إنني لا أحافظ على كرامتك؟ اشكري ربك على أنني لم أستعملك لمثل هذه المهمة كما يفعل بعض أصدقائي حين تستأهل الصفقة هذا».

ـ اصمت أيها السافل المنحط الذي لا قيمة عنده إلا للمال، صحت به، وجوابك هذا يعني أنك مستعد لتقديمي لرجل آخر إذا كانت الصفقة تستأهل بنظرك. أعرف منذ الآن أيها السيد المحترم الذي ينتمي إلى الطبقة الزفت الراقية أنك غلطان في الموضوع، فأنا أرفض هذا الجو رفضاً مطلقاً، لا بل أحتقره وألعن الساعة التي

تعرّفت فيها عليه. صمتّ قليلاً ثم تابعت: هل حاولت تقديم زوجتك السابقة للعب هذا الدور ولهذا السبب تركتك؟

صمت بدوره كأنه فوجئ بسؤالي ثم قال:

ــ سأبعدك نهائياً عن عالم الأعمال، أنت عاجزة عن فهمه.

ــ لماذا فوجئ بعد ما أقر به؟ سألت إلهام. لكن هبى تابعت: «فأجبته: لا بل ستبعدني عن حياتك كلها، أو بالأحرى لقد خرجتَ أنتَ من حياتي».

ــ لماذا تضخمين الأمور؟ هذا هو الواقع الذي يعيشه كل الناس. أجابني بكل برودة أعصاب ومن دون أن يرفّ له جفن. قالت هبى.

ــ واقعك أنت وواقع النفسية الحقيرة التي لا قيمة عندها إلا للمال وكيفية اقتنائه، لا واقعي أنا. لن أقبل بأيّ شكل من الأشكال أن أكون زوجة قواد أيها الحقير. أهذا هو المجتمع المحترم الذي تتبجّح بانتمائك إليه؟

صمت للحظة وحاول متابعة الكلام، لكني أسكتّه قائلة: «سأباشر دعوى الطلاق ابتداءً من غد، لن أعيش بعد الآن في هذا الجو الموبوء».

ــ وهل تظنين أنك ستحصلين عليه بسهولة؟ سألني.

ــ أكثر مما تتصور. أجبته.

هنا تدخلت إلهام وقالت: «يمكنه أن يمانع وأن يجرجرك في المحاكم

لسنوات عديدة)).

— إن حاول فسأنشر مقالاً في الصحف أفضح أمره وأمر شريكه وأمر لولو وبالأسماء، وهذا ما قلته له. على كل حال فليحاول ما يشاء، سأباشر دعوى الطلاق وسأترك البيت. هل ما زلت تقبلين بي في بيتك؟

— إنه بيتك أنت وغرفتك بقيت على حالها، لم أغيّر فيها شيئاً.

— هل نتصل بالمحامي؟

— الآن؟

— نعم الآن لأنني ما عدت قادرة على المكوث في البيت، بيت نوار أبداً. من فضلك اتصلي بالمحامي واطلبي لي موعداً في غد. وفي غد أكون قد انتقلت إلى هنا.

— ما أن انتهيتُ أنا حتى بدأت أنتِ مع هذا المحامي. قالت إلهام.

— ماذا تقصدين؟ هل...

— لقد اتصل بي صباحاً وأخبرني عن صدور حكم الطلاق.

— ولماذا لم تخبريني حتى الآن؟ مبروك وعقبالي.

— كنت سأخبرك لكنك لم تفسحي لي في المجال، لقد أعميت قلبي بأخبارك.

— هيا سنحتفل بطلاقك وسأنام الليلة عندك.

ــ أنصحك بألا تتركي البيت قبل البدء بالدعوى.

ــ لكن ذلك يتطلّب عدة أيام.

ــ وعليك قضاؤها في البيت كي لا يكون له عليك ممسك قد يلعب ضدك في المحكمة.

ــ لا شيء سيلعب ضدي، إني أمسك بكل خيوط اللعبة لأنني أعرف كم يهتم نوار بسمعته وبصورته أمام الرأي العام.

اتصلت إلهام بالأستاذ عمار وطلبت منه موعداً وهي تقول له: «بخصوص طلاق جديد».

ــ ...

ــ هذه المرة لصديقتي هبى، تعرفها.

ــ ...

ــ إنها مستعجلة لأنها اكتشفت زوجها على حقيقته.

انتهت المكالمة وتوجهت إلهام إلى هبى بالقول: «لقد أثرتُ فضوله وهو جاهز لاستقبالنا الآن. انتظريني سأرتدي ثيابي بسرعة ونتوجه إلى مكتبه.

دخلتا عليه فبادرهما بالترحيب وبارك لإلهام بالطلاق ثم قال وهم يجلسون: «كلّي سمع، ما المشكلة؟».

بعد سماعه قصة هبى، طلب منها توكيلاً ووعدها أنه سيبذل كل جهده في الموضوع. وحين سألته عن مغادرة البيت، كان رأيه

مشابهاً لرأي إلهام، فانزعجت هبى وطلبت الإسراع في إنجاز المعاملات.

ـ تهيئين التوكيل الآن عند كاتب العدل، وأعدك بأن أسهر الليل بكامله لأكتب المطالعة وسأتقدم بالدعوى غداً. ألا يسرك ذلك؟

شكرته هبى واستأذنتا بالانصراف وكانت وجهتهما مكتب كاتب العدل حيث حصلتا على المطلوب وسلمتاه إلى الأستاذ عمار. حين أتمتا المعاملة طلبت هبى من إلهام أن ترافقها إلى بيتها وأن تنام عندها:

ـ لا، أريد الكلام مع نوار ووجودك سيساعدني كثيراً.

ـ كما تريدين، أنا جاهزة لكل مساعدة.

ـ وستظلين معي إلى أن أتمكن من مغادرة البيت.

ـ الأستاذ عمار محامٍ نشيط وسينجز كل ما هو مطلوب بسرعة.

دخل عليهما نوار مساءً، وحين رأى إلهام قال: «الدكتورة إلهام عندنا؟ هذا شرف عظيم».

ـ حقاً إنه شرف عظيم. أجابت هبى بنبرة عالية. وحين أشارت إليها إلهام بأن تهدأ، تابعت: «لقد رشّت بيتها اليوم ضد الحشرات وعليها إقفاله إلى الغد فدعوتها للمبيت عندنا».

ـ فكرة ممتازة وأنا أدعوكما إلى العشاء.

ـ لا أشكرك. أجابت إلهام، أفضّل البقاء في البيت.

ــ وأنا أيضاً. قالت هبى.

ــ إذاً سنشرب كأساً هنا. سأغيّر ثيابي وأعود.

ــ يتصرّف كأن لا شيء قد حصل. قالت هبى.

ــ وأنت تصرفي كأنك لم تخبريني بما حصل بينكما.

عاد نوار إلى الصالون وتوجه مباشرة إلى البار حيث أخرج زجاجة الوسكي، ثم توجّه إلى المطبخ وأتى بزجاجة الفودكا من البراد. سكب الكؤوس واستهلّ الكلام بأن توجّه إلى إلهام بسؤال حول الأوضاع في البلد. وهكذا مرّت السهرة التي أنهتها هبى بالقول: «لقد نعسنا، أفضل شيء نفعله بعد هذه السهرة الممتعة هو أن ننام. هيا إلهام سأرافقك إلى غرفتك. «لم يعلّق نوار إلا بكلمة تصبحان على خير، أنا سأكمل كأسي وأذهب إلى النوم لأنني منهك».

بعد أن جلستا معاً لبعض الوقت طلبت إلهام من هبى أن تذهب إلى غرفتها.

ــ لا أستطيع أن أتمدد إلى جانبه، مجرّد ملامسته أصبحت تقزّز بدني.

ــ افعلي ما أقوله لك. لا تتركي ممسكاً بيده.

ــ وما هو الممسك إن نمت في غرفتك؟

ــ ربما اتهمك بأنك سحاقية مقابل اتهامك إياه بأنه قوّاد.

انقلبت هبى على ظهرها من الضحك وقالت: «بأمرك، سأعود إلى غرفتي. لكن إن حاول الاقتراب مني لا أدري ماذا سأفعل».

— لن يقترب. كوني مطمئنة، لن يفتعل مشكلة بوجودي.

ذهبت هبى إلى غرفتها واندسّت في السرير العريض محاولة النوم الذي تمنّع. وبعد أكثر من نصف ساعة دخل نوار الغرفة ومن دون أن يشعل النور تمدّد على السرير محاولاً عدم إزعاجها. لكن بعد وقت قصير قال: «هبى هل أنت نائمة؟» لم تجب هبى لإيهامه بأنها غافية، لكنه تابع وكأنه حدس بأنها لا زالت واعية: «هل أخبرت إلهام؟».

— وهل أنا مجنونة؟ لقد قلت لك إنني لن أخبر أحداً إلا إذا عارضت فكرة الطلاق.

— أنا سأطلب الطلاق، سأبادر إلى طلب الطلاق وسأقايضك بمبلغ من المال.

— إنك أحقر مما كنت أتصور.

— سيكون مبلغاً قيماً.

— اصمت وإلا تسبّبت لك بفضيحة.

— فكري بالموضوع وأعطني الجواب غداً.

ولكي تنهي النقاش الذي أشعرها بالغثيان قالت: «طيب إلى غد».

خرج نوار باكراً تاركاً إلهام وهبى نائمتين. لكن ما أن تأكّدت هبى أنه ترك البيت حتى نهضت من فراشها وتوجّهت إلى غرفة إلهام التي كانت مستيقظة تنتظرها.

— تصوّري أن هذا المنحط حاول مقايضة الطلاق بالمال. باشرت

هبى بالقول.

ــ هل عرض عليك مالاً كي تبقي معه؟ ما هذه الوساخة؟

أخبرت هبى إلهام بما دار بينها وبين نوار قبل النوم، فما كان من إلهام ألا أن بصقت وهي تقول: «تفو على المال وأصحابه».

ــ إنه يعتقد أن الشرف والكرامة والعزة و... كلها سلع صالحة للبيع والشراء. هل يعقل أن يصل الإنسان إلى هذا الدرك؟

ــ يبدو أنه يصل، والبرهان هو أمامنا.

ــ أرجو أن يكون المحامي قد أنجز المطالعة كي نرحل من هذا الماخور بسرعة.

حوالي الظهيرة، اتصل الأستاذ عمار بهبى وأبلغها أنه لم ينم قبل إنجاز كل ما هو مطلوب لتقديم الدعوى، وأنه قد سجل طلب الطلاق في المحكمة.

ــ هل أستطيع الآن مغادرة البيت؟

ــ كما تريدين، لكن زوجك لن يُبلّغ قبل يومين أو ثلاثة.

ــ وهل يستطيع إرجاعي قبل ذلك؟

ــ لا، فالدعوى قد قدّمت وانتهى الموضوع.

ــ ألف شكر، قالت ثم توجّهت إلى إلهام وطلبت منها أن تساعدها بجمع أغراضها وهي تتأرجح بين الحزن والفرح.

ــ ألست مقتنعة بما تقومين به؟ سألتها إلهام.

ـ بلى، فمن المستحيل أن أستمر مع نوار. لكن لماذا هذا الحظ التعيس؟ لماذا لم أقع إلا على وغد ومنحط؟

ـ لأنك انبهرتِ بالمال والجخ والفخفخة، بكل بساطة لأنك خرجت من ذاتك.

ـ هل تشمتين بي؟

ـ كلام فارغ. أكملي جمع أغراضك قبل أن أطلب تاكسي.

وصلتا إلى بيت إلهام، دخلت هبى غرفتها، أفرغت أغراضها في الخزانة والأدراج التي كانت قد بقيت فارغة بعد رحيلها.

ـ هل كنت تتوقّعين عودتي حتى تركت كل شيء على ما كان عليه في هذه الغرفة؟

ضحكت إلهام وقالت: كنت أتمنى ألاّ تعودي، لكن أنت من قرّر.

ـ لا بل سوء طالعي هو الذي قرر.

ـ على كل حال أهلاً بك في بيتك.

ـ سأعود إلى الجامعة.

ـ بالتأكيد وكلنا ننتظرك هناك.

ـ حسناً فعلتُ بإعطائك سيارتي.

ـ لا زالت محلها في الكاراج. كنت أشغل محركها من وقت لآخر فقط.

ــ كانت تجربة مرّة.

ــ من حسن حظك أنها لم تطل كثيراً.

ــ سأخرج منها بسرعة وأستعيد كل ما أوقفته.

ــ واحتفالاً بعودتك سأتصل بالأصدقاء وسنحيي بأقرب وقت حفلة تستمر حتى الفجر. سأعيدك إلى الجو الذي خرجت منه معتقدة أنك...

ــ لم أعتقد شيئاً، تجربة فاشلة وانتهت، حمداً لله، بأقل الخسائر.

في المساء اتصل نوار بهبى وسألها أين هي.

ــ أنا عند إلهام وسأبقى عندها هذه الليلة لأنها متوعّكة قليلاً ولن أتركها وحدها، ربما احتاجت إلى طبيب أو دواء أو...

ــ أصبحت ماهرة بالكذب. قالت إلهام.

ــ هذا كل ما اكتسبته من الجو الذي دخلته بفضل نوار.

ــ حسناً فعلتِ، يجب أن لا يشعر بشيء قبل أن يُبلّغ من قبل المحكمة.

ــ أما الآن فأود أن أستريح لأنني لم أنم ليلة البارحة.

دخلت هبى غرفتها وبقيت إلهام وحدها في الصالون كأنها تنتظر مجيئي، لكنني كنت أنا أيضاً متعبة بسبب تسجيلي لكل ما حصل، فاستأذنت منها ورميت قلمي كي أستريح حتى الصباح. يئست إلهام من إمكانية أن تحادثني فنهضتْ من مكانها ودخلت غرفتها وتمدّدت على السرير، لكنها لم تستطع النوم واستعادت كل ما

مرّت به هبى منذ دخولها زمننا هذا حتى الآن. ووافاها النوم وهي تقول لنفسها: «آمل أن لا تُحبط هبى بسرعة من هذا العالم الذي خرجت إليه».

13

أول ما قامت به هبى بعد عودتها إلى بيت إلهام أنها توجّهت إلى الجامعة لطلب إلغاء إجازتها ومباشرة العمل من جديد. الأمر لم يكن سهلاً لأن تلك السنة الدراسية كانت قد شارفت على النهاية، لكن رئيس الجامعة، وبعد أن علم بما مرّت به، من دون الدخول، طبعاً، في كل التفاصيل، حسم الموضوع لمصلحتها واستعادت هبى موقعها في قسم الفلسفة إلى جانب الزملاء الذين لم يُشبعوا فضولهم لمعرفة ماذا حصل معها، مما أفسح في المجال لكل واحد منهم بأن يتكهّن بسيناريو على مزاجه من دون أن تُعرف الحقيقة.

بعد مكابدة كبيرة، عادت هبى إلى سابق عهدها في تحضير الدروس وإلقاء المحاضرات التي تجهد نفسها في إعدادها، واستمرت إلهام في كتابة روايتها وأقفل موضوع نوار نهائياً بينهما، إلى أن اتصل المحامي بهبى بعد أقل من شهر ليقول:

ــ إنها أسرع عملية طلاق تسلمتها في حياتي.

ــ هل صدر الحكم؟

ــ لقد وافق مباشرة نوار على طلب الطلاق، فهل لديك من...

ــ ليس لدي شيء أطلبه على الإطلاق، أريد فقط الخلاص من جورة الخراء هذه.

ــ الحكم سيصدر الأسبوع القادم.

بالفعل صدر الحكم كما كان متوقعاً واستعادت هبى حريتها التي أرادت أن تدشنها بإحياء سهرة تجمع كل الأصحاب:

ــ كما تريدين، أجابتها إلهام، وأنا أيضاً أشعر أنني بحاجة إلى نوع من التفريغ défoulement بعد أن أنجزت القسم الأكبر من روايتي. سأتصل بكل الأصحاب ونحدّد الموعد ليلة السبت، بعد يومين.

ــ أنا أتكفّل بكل المصاريف.

ــ هل خرّبك نوار إلى هذه الدرجة؟ منذ متى تفرّقين بين ما هو لي وما هو لك؟

ــ اعذريني، لكن يبدو أن آثار بيئة نوار السيئة لها ارتدادات. أجابت هبى وهي تضحك.

في هذه السهرة حدث التجاذب بين مُخلص وهبى، لكنه تجاذب لم يستمرّ إذ إنه انتهى مع انفضاض الجلسة. لكن تكرار اللقاءات فيما بعد ثبّته وبدأت الغيرة الخفية تطلّ بقرنيها بين إلهام وهبى.

ــ هل يندرج هنا الفصل الأول الذي بدأت به الرواية؟ سألتُ إلهام.

ــ لم يحن وقته بعد لأن هبى لا تزال تتمتّع بكل حضورها، لم تشعر بعد بالامّحاء الذي ذكرتِه في بداية الفصل الأول. ستعرفين من دون أن أخبرك متى يحين وقت إحالة القارئ إلى الفصل الأول. أو أنه سيعود إليه من تلقاء ذاته.

واصلت هبى جلسات الأندرمو والريجيم إلى أن حلّ الصيف وبدأ موسم البحر.

ــ هذه السنة ستكون الصيفية على البحر. قالت هبى.

ــ وهذا ما ترغبين به. لكنني حزينة جداً.

ــ وهل هدّ البيت في الضيعة وبناء بيت جديد مودرن يزعجك إلى هذا الحد؟

ــ ليتك تقدّرين ما شعرت به حين أُبلغت أنهم هدّوا البيت.

ــ إنه شعور مزعج، أعرف ذلك، لكن البيت قد أصبح غير مريح وقد يتهاوى لو ترك.

ــ أعرف كل ذلك، لكن هذا لا يمنع أنني شعرت بأن جزءاً مني قد دفن إلى الأبد. أنا كنت مع فكرة ترميمه ليبقى رمزاً ومعْلماً من تراث هذه الضيعة الغالية.

ــ لقد نوقش الموضوع وثبت عدم إمكانية ترميمه. عليك تقبّل الواقع كما هو.

ــ أحياناً يكون الواقع قاسياً جداً ومن الصعب تقبله بكل طيبة خاطر. هذا البيت قد بني ما قبل القرن الماضي، قبل سنة ١٩٠٠ وكان البيت الوحيد في الضيعة الذي بُني على الطراز الذي كان عليه بالقرميد والقناطر والحجر و...

ــ لكنه أصبح مهلهلاً.

ــ لا بل مشبعاً بالذكريات؛ لقد شهد ولادة والدي وإخوتي وولادتي أنا، لقد شهد حفلة تخرّج والدي طبيباً من كلية الطب الفرنسية.

ــ وشهد مأتمه الذي نقلني من حال إلى حال.

ــ وشهد كل فترات الانتخابات النيابية التي كان يخوضها أخي البكر.

ــ ما زلت أذكر كيف ضجّت الدار بكل أهالي الضيعة حين فاز بالانتخابات سنة ١٩٧٢ وكان أول نائب منها.

ــ ألا تذكرين حفلة عرسه التي ظلّت مدار أحاديث كل الضيعة لمدة طويلة؟

ــ بالفعل كانت حفلة رائعة أرادها والدي مهرجاناً انتخابياً وقد نجح في ذلك.

ــ هبى، صحيح أن الدار تحوّلت مع مرور الزمن وقد ألغي منها قسم وأضيف إليها أقسام جديدة، لكن البيت الأساسي كان لا يزال على حاله كما ورثناه عن جدي، وهدم هذا البيت بالتحديد هو الذي أثّر في وجداني.

ــ في مطلق الأحوال سيستغرق بناء البيت الجديد عدّة شهور ونحن سنمضي الصيف على شاطئ البحر.

ــ هذا هو همّك، أن تستعرضي جمالك وجسمك الذي أصبح الآن نحيلاً وأملس بعد جلسات الأندرمو.

ــ بالطبع، فأنا لا أشعر أنني أمتلك جسدي كلياً إلا حين يكون كما أرغب.

ــ أي على الموضة.

ــ فكّري كما تشائين، المهم أنه لا مفر لك، هذه السنة، من البحر.

ــ قد أستأجر بيتاً صيفياً صغيراً في ريفون أو عجلتون أو...

ــ فكرة ممتازة، لكن سيكون هذا البيت، فقط، للويك إند، لأن العجقة في المسبح هذين اليومين لا تطاق.

بدأ موسم البحر فعلاً ورافقت إلهام هبى إلى المسبح العسكري في أول يوم حيث لاحظت التغيّر في سلوكها؛ خرجتا من الكابين وهبى تتبختر من دون أن تضع الباريو على خصرها كما كانت تفعل في الماضي وكأنها كلها ثقة لأن السلوليت في جسمها قد تضاءل إلى درجة كبيرة. وحين أرادتا النزول إلى الماء، رفعت هبى شعرها ووضعت قبّعة بلاستيكية على رأسها وغطست في الماء بكل جسدها.

ــ هكذا السباحة أمتع قالت لها إلهام.

ــ بالفعل، وبخاصة حين نكون على ثقة أنها لن تغيّر شيئاً من

ملامحنا؛ سأخرج الآن من الماء ولن يفسد الكحل في عينيّ أو تبهت شفتاي ولن...

ـ يعني أن الماء لن يقوى على إلغاء التنكّر.

ـ سمّه كما تشائين، لكنه منحني ثقة وخفّة لم أكن أمتلكهما من قبل.

ـ هنيئاً لك بهذه الخفة المزيفة.

ـ ربما كنت تودين التمتع بها، لكن مكابرتك تمنعك.

ـ لماذا تسمينها مكابرة لا قناعة وقبولاً للواقع من دون تزييف؟

ـ لأنك ما عدت تحبّين البحر كما في السابق حين كان الجميع يعجب بجمالك ونضارتك.

ـ إنك بالفعل سخيفة، كل ما في الأمر أنني ما عدت أتحمل الشمس، هذا من ناحية، أما من ناحية ثانية فبتّ أفضّل قضاء الصيف في الجبل وبخاصة في الضيعة.

ـ حنين إلى الطفولة وحضن الأم.

ـ وهل يوجد أرحم منه حضناً؟

داومت هبى على الذهاب إلى المسبح كل يوم تقريباً، بينما كانت إلهام ترافقها أحياناً وتتمنّع أحياناً أخرى، وتمضي وقتها في القراءة أو الكتابة أو البحث في الإنترنت عن ومواضيع متفرقة، إلى أن ألحّ عليها البحث عن موضوع المينوبوز عند الإنسى، حيث عثرت على

دراسة نشرها أحد المتخصّصين في هذا الميدان ويتحدّث فيها عن مضار الهورمونات التي تلجأ إليها الإنسى في تلك المرحلة من عمرها؛ «لقد ثبت، تقول الدراسة أن اللجوء إلى الهورمونات يسبّب أمراضاً سرطانية».

أقفلت إلهام الحاسوب واتصلت بالدكتور زياد لتسأله رأيه في الموضوع وأتاها الجواب:

ــ بعد مرور أكثر من عشر سنوات على اللـجوء إلى هـذه الهورمونات، تبيّن للباحثين أن أضرارها أكثر من منافعها.

ــ وهل تتسبّب بأمراض سرطانية؟

ــ وبخاصة في الثدي كما أثبتت الدراسات.

ــ وما العمل؟

ــ هناك علاجات أخرى بديلة وغير مضرّة سنلجأ إليها.

ــ يعني ذلك أن علينا التوقّف عن أخذ الهورمونات.

ــ بالتأكيد. كنت سأتصل بك لإبلاغك ذلك لو لم تتصلي. على كل حال مرّي بي لنتفق على العلاج الجديد.

عادت هبى إلى البيت بعد يوم ممتع على البحر حيث حظيت بإطراءات عديدة، عادت وكلها اعتزاز بكونها لا زالت تلفت الأنظار، بكونها «لم تتغير أبداً» كما قال لها الجميع. عادت وهي كالطاووس الناثر ذيله تيهاً. دخلت البيت ورمت بأغراضها، ثم استحمّت ودهنت جسدها بالكريمات المعطرة قبل أن تجلس مع

إلهام لتخبرها عن إنجازاتها في ذلك اليوم. استمعت إليها إلهام وحين انتهت قالت لها:

— سنذهب غداً إلى عيادة الدكتور زياد، لقد حدّدت الموعد.

— لماذا؟ هل تشعرين بشيء؟

— لا، زيارة روتينية.

— وهل من الضروري أن أرافقك؟

— طبعاً، لقد مرّ أكثر من سنتين على زيارتنا الأخيرة له وعلى تناولنا الهورمونات من دون أن نجري الفحوص المطلوبة.

عرض عليهما الدكتور زياد ما توصّلت إليه الأبحاث الطبية الحديثة وأنهى كلامه بضرورة التوقّف عن تناول الهورمونات واستبدالها بعلاج آخر. وأتى سؤال هبى السريع: «هل الدواء الجديد يحافظ على العادة الشهرية؟»

— للأسف لا. أجابها الطبيب. وتابع، على كل حال لقد أخبرتك سابقاً أن استمرار العادة الشهرية مع الهورمونات هو نوع من الوهم وليس حقيقياً.

— لكنه وهم منعش يُشعر الإنسى بأنها لا تزال شابة.

— دعينا من الأوهام، قالت إلهام، ولنتحدث عن الواقع الحقيقي، فبماذا تنصحنا الآن؟

— إن أهم تأثير لنقص الهورمونات هو على العظام حيث تبدأ بالترقق ولدينا علاج وقائي لذلك هو الفوزوماكس، وهناك علاج

آخر هو الإيفيستا الذي له مفعول الهورمونات من دون أن يكون هورموناً، لكن يتوقّف أمر استعماله على الإنسى وقدرتها على تحمله، لأنه يسبّب ما يسمى الهبّات الساخنة وبعض الإزعاج.

ــ إن كان له مفعول الهورمون، فلماذا لا يحافظ على العادة الشهرية؟ سألت هبى.

ــ بالضبط لأنه ليس هورموناً، لكنه علاج وقائي ضد سرطان الثدي. والفوزوماكس له أيضاً سلبياته إذ إن بعض النساء لا يتحمّلنه لأنه يحدث أحيانا إزعاجاً في المعدة أو الأوزوفاج.

ــ يعني ذلك أن جيلنا هو جيل اختبار للطب. قالت إلهام، لقد تحوّلنا إلى فئران مختبر، ولهذا السبب سأوقف كل شيء وأترك للطبيعة أن تسير كما تريد.

ــ أنا لست من رأيك، قال الطبيب، وأنصحك باستعمال الفوزوماكس لأن لترقق العظام نتائج سلبية كبيرة.

ــ أما أنا فسأجرب الإيفيستا. قالت هبى.

ــ جربيه وتخبرينني لاحقاً عن النتيجة. لكن عليكما مراقبة الكوليستيرول والدهون في الدم لأنها مضرّة جداً في الشرايين... ومراقبة الوزن و... عليكما ببعض التمارين الرياضية وبخاصة المشي والسباحة و...

ــ لا مفرّ من سنّة الحياة مهما فعلنا، قالت إلهام وهي تنهض من مكانها لاستئذان الطبيب بالانصراف.

انصرفتا والإحباط يغمر هبى التي لم تتفوّه بأي كلمة طيلة مسافة

الطريق وهي جالسة إلى جانب إلهام التي تولّت قيادة السيارة. قبل وصولهما إلى البيت، توقّفت إلهام أمام صيدلية حيث ابتاعت، لها ولهبى، ما وصفه الطبيب وعادت لتقول: «سنرمي الهورمونات ونخضع لاختبار جديد، آمل ألا نحتاج إلى تغييره بعد فترة».

وصلتا إلى البيت وهبى لم تخرج عن صمتها، وحين استقلتا المصعد قالت إلهام: «أما الآن فسنشرب كأساً احتفاءً بالمرحلة الجديدة».

ــ احتفاءً أم جنازة يا ست إلهام؟

ــ ومن هو الفقيد.

ــ لا أتحمل المزاح، أرجوك قدّري حالتي.

ــ وما بها حالتك وما الذي تغيّر سوى أنك سترمين علب الأولويز من خزانتك.

ــ كم تسخّفين الأمور، ألا تشعرين أن شيئاً ما منك قد انتهى؟

فتحت إلهام باب الشقة وهي تقول: «أنا لا أشعر بأي تغير لأنني خرجت، منذ أكثر من سنتين، من الوهم الذي تمسّكت أنت به، لكني أتفهّم وضعك، فسقوط الوهم ليس سهلاً على من يعيش على القشور».

ــ اصمتي كي لا أصفعك وأفش خلقي بك.

ــ هيا، كأس من الوسكي سيعيد إليك مزاجك المرح، ولكي لا أتحمّل وحدي رؤية وجهك المتجهم، سأدعو الشلة إلى السهرة.

ــ إن فعلت فلن أخرج من غرفتي.

ــ سأفعل نكاية بصغر عقلك، وتصرفي كما تشائين.

دعت إلهام الأصحاب وكانت سهرة صاخبة شربت فيها هبى حتى تلاشت من دون أن تشارك الشلة في الرقص والغناء والصخب.

كانت إلهام منتشية حين جالستها. لم تشرب أكثر مما اعتادته، وتصرفت كأن شيئاً لم يتغيّر على خلاف هبى التي لاحظ الجميع سوء مزاجها.

ــ لا أفهم هذا الإحباط عند هبى. قالت إلهام.

ــ الكثير من النساء يصبن بنوع من الإحباط، يشعرن كأنهن انتهين كإناث ليتحولن إلى جنس ملتبس لا هو ذكر ولا هو أنثى، وهذا ما يسرّع شيخوختهن، يتصرفن كمن يهرب إلى الأمام، فلا يعدن يهتممن بهندامهن ولا بمظهرهن، والغالبية منهن يتحولن إلى جدّات يهتممن بأحفادهن وكأنهن بذلك يستعدن دورهن كأمهات مع أطفالهن الصغار، وهذا ما يفسّر القول الشائع: ما أغلى من الولد إلا ولد الولد.

ــ لا أعتقد أن هبى ستهمل نفسها، قالت إلهام وليس لها أحفاد تهرب إليهم، أنا واثقة أنها ستخرج بسرعة من هذا الوضع.

ــ آمل ذلك، لكنها لن تحبط بشكل جدي إلا حين تبدأ بملاحظة التغيرات في جسدها ووجهها وبشرتها، هذا إذا سلمت من بعض الأمراض التي ترافق هذه المرحلة. وأنت ستتغيّرين حين تبدئين باكتساب بعض الوزن وترين التجاعيد تزداد في وجهك و...

ــ أتوقّع كل ذلك لكنني واثقة أنني سأبقى أنا أنا على الرغم من

كل التحولات الخارجية.

ــ إنها ليست فقط خارجية بل ستطال كل قدراتك.

ــ حسناً أن هبى نائمة ولا تسمع ما تقولينه.

ــ إنها الآن على قمّة القوس وأمامها احتمالان: إما أن تنزل المنحدر الهابط بكل طيبة خاطر أو تعاند وتحاول المكوث حيث هي.

ــ لقد عانينا عملية الصعود التي لم تكن سهلة وعلينا الآن التمتع بنعمة الهبوط الذي هو أسهل.

ــ لن تتخلي عن سخريتك حتى في أحلك الظروف.

ــ الحياة تسخر منا، وما علينا إلا مجابهتها بلغتها.

ــ لكنها ستظل الأقوى.

ــ ليس علينا وحدنا.

ــ لكنها أقسى على الإنسى.

ــ لا أظن ذلك، فعمر الرجل هو أيضاً قوس فيه المنحنى الصاعد والمنحنى الهابط.

ــ هذا صحيح، لكن لست أدري لماذا يظهر هذا في حياة الإنسى أوضح.

ــ لأن تربية الإنسى تقوم على حصر كل مكوّنات شخصيتها بجسدها فقط بحيث إنها أمٌّ فقط ووظيفتها تنتهي مع انتهاء إمكانية لعب هذا الدور.

ــ ألهذا السبب رفضتِ الأمومة حين كان بإمكانك أن تنجبي؟

ــ ربما كان موقفي هو ردّ فعل على هذه العقلية السائدة، لكن هناك عوامل أخرى أبعدتني عن هذا الدور.

ــ لن نعود إلى الماضي وكل ما أتمنّاه هو أن لا تحبطي كهبى.

ــ اطمئني. حتى هبى ستخرج من حالتها الراهنة وإن بطريقة مختلفة. أما الآن فتصبحين على خير لقد بدأت بشائر الصباح تطل.

أين المفر؟ تركتُ إلهام الصاحية لأدخل أحلامها التي أرجعتها شابة تضع بين فخذيها منشفة صحية لتمتصّ دم العادة الشهرية. أيقظتها وانفجرنا معاً في الضحك.

14

رمت هبى ما بقي عندها من هورمونات في سلة النفايات، تماماً
كما فعلت إلهام وأخذت تراقب جسدها لترصد التغيرات المنتظرة.
أقامت في البيت ولم تعد تتركه، بينما ثابرت إلهام على الذهاب
إلى البحر لممارسة السباحة. وفي نهاية الأسبوع كانتا تقصدان المنزل
الصغير الذي استأجرته إلهام في ريفون حيث لا يعرفان أحد. وفي
نهاية كل نهار كانت إلهام تحثّ هبى على المشي لمدة ساعة تقريباً
على رصيف البولفار الذي يربط ريفون بالقليعات. تتمشيان وتنهيان
المشوار بجلسة في مقهى «الريليه» حيث تشربان البيرة قبل أن تعودا
إلى البيت ويبدأ الكلام. تجلسان على الشرفة التي يضيئها نور القمر
وتصمتان لفترة قبل أن تفتتح إلهام القول الذي، غالباً ما، كان يدور
حول السياسة وشؤون البلد وتأتيها أجوبة هبى مختصرة لرفع العتب
فقط. دامت هذه الحالة لأكثر من شهر قبل أن تخرج هبى عن
صمتها:

ــ لست أدري إن كنتُ سأستمر بتناول الإيفيستا لأنني بدأت أشعر بهبات ساخنة مزعجة جداً وبخاصة في الليل حيث تتكرّر لأكثر من مرتين أو ثلاث.

ــ استعملي الفوزوماكس، فأنا لا أشعر بأي تغير معه. على كل حال من الأفضل أن نستشير الطبيب.

ــ ثم إني بدأت أشعر بانتفاخ في ثدييّ.

ــ هذا أمر جيد، فالنساء، اليوم، يلجأن إلى تكبير صدورهن ونفخها، وأنت تتم العملية معك من دون جراحة أو غيرها.

ــ دائماً تأخذين الأمور بالمزاح وتحاولين التركيز على القسم الملآن من الكأس. ثم تعلمين جيداً أنني لست بحاجة إلى مثل هذه الجراحة لأن حجم صدري هو الحجم المثالي وكل زيادة تشابه النقصان. هذا من جهة، أما من جهة ثانية فما يزعجني كثيراً هو أنني بدأت أشعر بانتفاخ في بطني وهو أمر لا أتقبله إطلاقاً.

ــ ألهذا السبب ما عدت تحبين الذهاب إلى البحر؟

ــ كي أكون صريحة لا أستطيع أن أنكر ذلك، لكن عدم نزولي إلى البحر سببه عدم رغبتي، لا أدري لماذا تبدّدت كل رغباتي حين أوقفت الهورمونات. أشعر كأن صفحة قد طويت من حياتي.

ــ وما المانع من ذلك؟ فلكل صفحة بياضها والكتابة التي تناسبها.

ــ لكن لماذا لا تشعرين أنت بالهبات الساخنة والتوتر و...

ــ لأنني، بكل بساطة، لا أشعر أنني اختلفت عما كنت عليه، فأنا

ما زلت على حالي من دون أي نقصان.

ــ كيف لا تشعرين بالتغيير وقد فقدت ما يميزك كإنسى؟

ــ تريدين القول ما كان يميزني كامرأة.

ــ سمها ما شئت، المهم أنني أشعر بنقصانٍ ما، والأدهى من كل ذلك أنني أشعر بإشفاف متواصل.

ــ أهو مصطلح جديد؟

ــ لا أدري كيف أترجم كلمة transparence الفرنسية ولم أجد إلا هذا المصطلح لأن مصطلح شفافية لا يفي بالغرض، أنا أقصد الاسم الذي يدلّ على التتالي أو الاستمرار في...

ــ على كل حال سأتبنّاه لأنه يعبّر عن الفعل لا عن الحالة فقط. لكن ماذا تقصدين بهذا الشعور؟

ــ أقصد أنني ما عدت أمتلك تلك الكثافة التي تصدم نظر الآخر فلا يستطيع تلافيها.

ــ فهمت. لكني أرى أن هذا الشعور هو نفسيّ أكثر منه فعلياً.

ــ لا تواسيني لأنني بدأت أشعر بهذا كلما اخترقتني نظرات الآخرين.

ــ وهل تريدين أن يشتهيك كل من يراك؟

ــ لا بل أن يعجب فقط كما كان في السابق.

ــ كل هذه المشاعر تراكمت خلال هذا الشهر وأنت لم تخرجي من البيت إلا نادراً؟

ــ لهذا السبب ما عدت أخرج.

ــ وربما للسبب إياه أكثرت أنا من الخروج لأنه يشعرني أنني ما عدت موضوعاً أو صورة. أشعر أنني تحرّرت من نظرات الآخر التي كانت تشيئني، وبخاصة نظرات الرجال الذين لا يبغون من الإنسى إلا ما هو بين فخذيها. وأستطيع أن أطمئنك أنك لم تتغيّري إطلاقاً حتى الآن و...

ــ ماذا تقصدين بعبارة حتى الآن؟

ــ أقصد أن التغير في الصورة سيستمر، وإن لم يكن هذا التغير في الصورة إغناءً للجوهر، فسيتهاوى الجوهر والصورة معاً وتصبحين عجوزاً متقوقعة على ذاتها.

ــ توقفي، لا أريد سماع المزيد.

ــ ستسمعين كي تخرجي من حالتك الهابطة. ثم إنني ما زلت ألاحظ نظرات الآخرين إليك وما زلت أقرأ الإعجاب، وحتى الشهوة، في نظرات بعض الرجال.

ــ مثل من، هيا أنعشي قلبي.

ــ ستعلمين، لا تتسرعي. كل شيء في أوانه.

بعد هذا الحوار الذي انتهى ببثّ التفاؤل في نفسية هبى، افترقتا لتذهب كل منهما إلى غرفتها، وكالعادة بيننا، حضرتُ إلى جانب إلهام في السرير فبادرتني: «هل كل النساء هن مثل هبى ويصبن بالإحباط لمجرّد انقطاع العادة الشهرية، ولماذا لم ينتبني أنا الشعور نفسه؟».

ــ لأن النساء تعوّدن على سماع الشائعة القائلة بأن الانقطاع في
العادة الشهرية هو بداية سن اليأس.

ــ وما هذه التسمية؟ ولماذا اليأس، فقط، في هذه السن؟ أليست
كل الحياة مأساة؟

ــ يبدو أنك قد بدأت هذه المرحلة باكراً جداً.

ــ إنها ليست مرحلة، هي حالة مستمرة، لأن الإنسان هو مشروع
فاشل كما يقول أحد أصدقائي. ما دام الموت هو نهاية الحياة فماذا
تريدينها أن تكون إلا تلك الفسحات الصغيرة التي ننسى فيها
النهاية.

ــ إنك تنسفين كل شيء، وإن فكّر الجميع مثلك لانتهت البشرية
بسرعة.

ــ وما كانت الإنسى لتسقط في ما يسمونه سن اليأس.

ــ فلنعد إلى هبى، يجب أن تساعديها على الخروج من هذه الحالة.

ــ لن تخرج إلا إذا وجدت معنى لحياتها في هذه المرحلة، ذلك
يعني أن عليها البحث عن تحقيق ذاتها بعمل ما أو أن تغرم من
جديد، الغرام هو الوهم الوحيد الذي ينجّي المرء من اليأس والكآبة.

ــ والعمل؟ هل هو وهم؟

ــ بالطبع، لكنه وهم ممتع لدرجة أننا نستبدله بالواقع الحقيقي
وتنقلب المقاييس، وهنا لا بد من أن أروي لك هذه الطرفة.

ــ دائما تأخذين الأمور بالمزاح، هات ما عندك.

ــ يروى أن صياداً كان يصطاد كل يوم سمكة أو سمكتين، ينظّفهما ويشويهما ويأكلهما ثم يمضي وقته مرتاحاً، إلى أن يأتي اليوم الثاني، وهكذا كل أيام السنة، حتى مرّ به أحدهم وسأله عما يفعل. وحين أخبره الصياد عن طريقة حياته، استغرب السائل وقال: «لكن إن اصطدت ثلاث سمكات، وأكلت واحدة أو اثنتين وبعت الثالثة، تجمع، مع مرور الوقت، مالاً كثيراً. «وماذا سأفعل بالمال؟» أجاب الصياد. «تجمع هذا المال ثم تشتري بناية وتؤجّرها وتصبح ملاّكاً تدر عليك البناية مدخولاً شهرياً مهماً فتجلس وترتاح». فما كان من الصياد إلا أن ضحك وقال: «وها أنا مرتاح من دون أن أقوم بعناء كل ما نصحتني به».

ــ وما الحكمة؟ هل المطلوب أن لا نفعل شيئاً في حياتنا؟

ــ ليتنا نستطيع، لكانت الحياة ممتعة بالفعل. لكانت كسلاً بشهده ألذّ بألف مرة من العسل بشهده.

ــ يبدو أن إقامتك في ريفون قد نقلت إليك من أهلها حبهم للكسل. فهم معروفون بذلك، وهناك مئات الأخبار حول الموضوع.

ــ أسمعيني خبرية واحدة كي أنام بمزاج حسن.

ــ يقال إن أحد الريفونيين احترقت لمبة غرفة الجلوس في بيته ولم يكن له جلد للانتقال إلى المطبخ لإحضار السلم، فوقف ورفع ابنه على كتفيه وطلب منه أن يغيّر اللمبة. وبعد أن وقف الولد على كتفي أبيه هل تعرفين ماذا فعل؟

ــ ركّب اللمبة.

ــ لكن كيف؟

ــ ...

ــ لقد قال لأبيه: «بابا بروم، بروم، اللمبة طلعت ألووظ مش مسمار».

ضحكت إلهام وقالت: «أما الآن فابرمي لي ظهرك كي أرتاح منك وأغفو قليلاً قبل رؤية وجه هبى الذي ما عاد يضحك للرغيف الساخن كما يقال في الضيعة».

مرّ الوقت ولم تفلح إلهام في إخراج هبى من حالتها إلا لفترات قصيرة حيث أصرت إلهام على إقامة السهرات وجمع الأصدقاء والصديقات اللواتي يماثلنهما سنّاً. تكرّرت هذه اللقاءات وهبى على حالها لأنها بدأت تلاحظ تحولاً في جسدها، وأول ما لَفت انتباهها هو النشاف في بشرتها الذي لجأت إلى الملينات لمعالجته. لكن حين ظهرت بعض التجاعيد فوق شفتها العليا وبين حاجبيها حدث تحوّل آخر في شخصيتها، شعرت بالهرم وبأنها ما عادت جميلة المنظر ورغبت أن لا تُرى كما هي، وهذه الرغبة اللاواعية جعلتها تلاحظ أن الآخر ما عاد يراها، وهنا بدأت رحلة الإشفاف. وما زاد في رغبتها تلك هو التحوّل الذي بدأ يطرأ على جسدها حيث تضخّم خصرها وتراكمت حول منطقته الشحوم. حاولت معالجة الأمر بالتمارين والريجيم، لكنها لم تفلح كما يجب، فغيّرت كل نمط ملابسها وبدأت ترتدي ما يحجب تلك التضاريس غير المرغوب بها وتردّد في سرها: «كلما تكثف جسدي ازددت شفافية».

لكن وجود إلهام معها كان يخفّف من تأزّمها وبخاصة أن إلهام كانت تهتم بالناحية الصحية من خلال تلك التحولات أكثر من

الناحية الشكلية، ولهذا السبب كانت ترغم هبى على المراقبة الطبية التي أظهرت، وبعد أكثر من سنة على إيقاف الهورمونات، أن الشحم بدأ يظهر في الدم عندهما، إذ تبيّن أن إلهام بدأت تشكو من الكوليستيرول وهبى من التريغليسيريد، مما استدعى تناول بعض العقاقير للعلاج. هذا الأمر لم يزعج هبى بقدر ما أزعجها تحوّلها الخارجي، لكن كثرة لقاءاتها بمُخلص في السهرات التي كانت إلهام تحييها أو التي كانتا تذهبان إليها، دفعت بهبى إلى تحويل اهتمامها عن حالها كي تسجّل انتصاراً. وحين دخلت مرّة على شلة الأصدقاء في المقهى وشعرت أن لا أحد يراها، قرّرت أن تستعيد نفسها باصطياد مُخلص الذي كان يميل إلى إلهام.

ــ قد تستطيعين إدراج الفصل الأول الذي بدأت به هنا. قالت لي إلهام.

ــ لقد أمهلتني كثيراً بعد انقطاع الطمث عند هبى.

ــ لم أمهلك أكثر من سنتين لأنني علمت من قراءاتي عن الموضوع، أن التحوّل يحصل بقفزات سريعة يسمونها coups de vieillesse حيث تلاحظ الإنسى أنها فجأة تغيّرت.

ــ لا أظنها ستتحمّل مثل هذا التغير السريع.

ــ ستتحمّله إذا ساعدتها في استمالة مُخلص، وهذا ما فعلتَه وقد رويتِه في الفصل الأول من دون أن تعرفي دوافعه الحقيقية. لقد رويتِ أن مُخلص لم يستطع أن يمارس الجنس مع إلهام ولم تلاحظي عدم الرغبة عند إلهام والذي انعكس على سلوك مُخلص.

ــ هل تقصدين أنك تمنّعتِ، وهذا ما أدّى إلى تلاشي الرغبة عند مُخلص؟

ـ لست متأكدة بشكل قاطع. لكن النتيجة أتت كما أريد. وما قمتُ به في المرة الثانية حقّق رغبة هبى التي استعادت ثقتها بنفسها.

ـ وهل ما عادت تشعر بالشفافية؟

ـ تضاءل هذا الشعور من دون أن يختفي كلياً.

ـ وأنت هل تشعرين مثلها؟

ـ ربما، لكني منذ فترة طويلة مرّنت نفسي على الاستخفاف بهذا الشعور وأقنعتها أن من لا يراني هو أعمى ولست أنا من لا يُرى.

ـ ما هذه المكابرة! وإلى أي مدى تعبّر عن الحقيقة؟

ـ ليست مكابرة على الإطلاق لأن من نعرفهم جميعهم في مثل سننا، وكما تقول صديقتي، تيما، عن الرجال بشكل خاص: «إنهم كلهم expired date، منتهية مدة صلاحيتهم. لم يسبقها أحد إلى هذا التعريف المطابق جداً للموضوع».

ـ ولهذا السبب لم تصاحبي أحداً منهم؟

ـ كلهم أصحابي.

ـ أقصد الصحبة الأخرى.

ـ هناك استلطاف للبعض ليس أكثر. أما الصحبة التي تقصدينها فهم تخلّوا عنها لأنهم أصبحوا «بروستاتيين» وبحاجة إلى الفياغرا. هم الآن يتخوّفون من المصاحبة.

ـ فلنعد إلى الفصل الأول؛ لماذا تهكّمت على هبى حين قالت لك إنها ستقوم بعملية شد لوجهها؟

ــ تقصدين نكتة أبي العبد؟ لقد رويتها كي أسخّف الموضوع وأجعل هبى تستخفّ بكل هواجسها.

ــ وهل نجحت؟

ــ لقد نجحت في تحويل انتباه مُخلص إليها، لكن، يبدو أنني فشلت في أن أدفع بهبى إلى الاستخفاف بما تشعر به من جرّاء التحولات التي تطرأ على وجهها وجسدها.

ــ وهل لا تزال مع مُخلص؟

ــ قلت لك في الفصل الأول إن الموضوع لا يهمني. قد تكون معه أو مع غيره فالأمر يتعلّق بها. على كلٍّ، أظن أن الحالة لن تطول.

ــ لماذا؟

ــ لأن الإنسى في هذه السن هي أكثر قوة جنسية من الرجل وإن تشابها في الرغبة.

ــ لكن الفياغرا أنقذ الرجل من عجزه كما تعرفين.

ــ المشكلة أن حبة الفياغرا لها مفعول لمرة واحدة، فهو ليس علاجاً بل إنقاذ فقط، لماء الوجه وتلبية الرغبة التي ما عاد الجسد يستطيع تلبيتها من تلقاء ذاته.

ــ وأين يصبح الحب في علاقات من هذا النوع؟

ــ لست مسؤولة عنه، لكنني أعتقد أنه، في هذه السن، يصبح نوعاً من التعلّق بالحياة التي يرى صاحبها أنها شارفت على النهاية وهو يرفض ذلك.

— عملية إنقاذ من اليأس إذاً؟

— ليس بالتحديد، إنه مواصلة للحياة بشكل مقبول، وغالباً ما يلجأ إليه من يشعر بالفراغ أو بأنه بدأ يكرّر ذاته. فإن كان في بداية الحياة دليلاً على الفيض، فهو في نهاياتها دليل على النقص. لكن من ينظر إلى التقدم في العمر كإثراء للشخصية بدل إفقارها، فهو يعتبر الحب أحد عناصر هذا الإثراء ويدخله بنفسية الممتلئ بذاته لا بنفسية المتلهف على ملء الفراغ، يدخله كملك يتحكّم بمملكته ولا يسمح لأحد بأن يتحكّم به.

— وهل هبى قادرة على دخول الحب كما تصفينه؟

— كل ذلك يتوقّف على نظرتها لذاتها؛ فإن ظلت مهووسة، كما غالبية النساء الفارغات، بمظهرها وتفاصيل جسدها، فإنها ستظل سلعة خاضعة للعرض والطلب، وستتعب وهي تلهث وراء الشاري، أو أنها ستتمسّك بأول طارق على بابها.

— لماذا تسمينهن فارغات.

— لو لم يكنّ كذلك لما نشطت عمليات التجميل بالشكل الذي نراه الآن.

— وهل أنت ضد الجمال والتجميل؟

— أنا لست ضد الجمال إطلاقاً لكنني ضد التجميل حتماً.

— وما الفارق إن كانت النتيجة واحدة وهي المحافظة على الجمال؟

ـ من يلجأ إلى العمليات التجميلية هو بالضرورة الرافض لذاته، ومن يرفض ذاته ليتشبّه بغيره، أو بذاته قبل عشر سنوات، هو حتماً فارغ وإلا لما رفض ذاته.

ـ ربما كان الرفض فقط للشكل الذي غيّرته السنون وليس للذات.

ـ يعني أنه يريد إلغاء كل ما فعلته السنون وكل ما راكمته من خبرة ومعاناة و... وكل ما يجعل منه ما هو عليه الآن ليعود شكلاً، وشكلاً فقط، إلى ما كان عليه قبل خمس أو عشر سنوات. أين تذهب الإنسى بكل القبلات التي لثمت ثغرها ومصت شفتيها؟ أين تذهب بالوهج الذي اعتصر به الرجال ثدييها؟ أين تذهب بالورود التي طوقوا بها خصرها؟ أين تذهب بتنقّلها في أحضان العشاق؟ أين تذهب حتى بأولادها الذين أصبحوا آباءً وأمهات لأحفاد صغار أو كبار؟ باختصار أين تذهب بتاريخها؟

ـ الرجال يلجأون اليوم إلى عمليات التجميل وليس النساء فقط.

ـ هذا لا يغيّر قناعاتي، وقد كلّمتك عمن يلجأ إلى هذه العمليات وليس فقط عمن تلجأ إليها.

ـ بعض الرجال يطلبون من زوجاتهم أو عشيقاتهم أن يخضعن لهذه العمليات.

ـ أعرف ذلك، وهو أمر مفهوم في الذهنية السائدة.

ـ يعني؟

ـ يعني أن الرجل الذي يطلب ذلك من زوجته أو عشيقته هو بالفعل ابن هذه الحضارة الذكورية التي تنظر إلى الإنسى كسلعة أو

كموضوع لا كذات، والإنسى التي تلبّي رغبته هذه تثبّت له أنها
بالفعل سلعة أو موضوع وليست ذاتاً بكل معنى الكلمة. هوّامات
الرجل هي أن يتمتّع بإنسى لم يمسها غيره. وهو يتوهّم أنها تعود
عذراء على كل الأصعدة إذا ما أجريت لها هذه العمليات. فحين
تختفي الخطوط حول ثغرها، تزداد فحولته، وحين يتورّم ثدياها
ينتصب عضوه استعداداً لاحتلال القلعة. فما أسخف من الإنسى
هذه إلا هذا الرجل.

ــ لكن هذه العمليات تجتاح كل العالم وكل المجتمعات.

ــ إنها عملية تجارية لا تختلف عن اجتياح التلفزيون أو البراد، مثلاً،
لهذه المجتمعات.

ــ لكن هناك ميل عالمي للمحافظة على الشباب ولا يستطيع فرد
واحد مثلك أن يقف ضده أو يوقفه.

ــ إن كانت المحافظة على الشباب بالشكل فقط، فأنا ضدها،
وليقف العالم بأسره ضدي، هذا مع يقيني أنني لن أغيّر شيئاً من
السائد. لكن على الأقل أبقى منسجمة مع ذاتي. والأهمّ من ذلك
أنني أقبل نفسي، لا بل أنا فخورة بنفسي وممتلئة بها. وكل رجل لا
يقبلني كما أنا مع كل تاريخي، هو مرفوض ولا يستأهل مني حتى
التفاتة.

ــ لقد أتعبتني بغرورك هذا وأنا من سيطلب منك الآن أن تتركيني.

ــ هذا ليس غروراً على الإطلاق، يمكن أن نسميه كبرياء إن
أردت. وهو كبرياء القناعة، وللتحديد هو كبرياء القناعة المتمرّدة.

ـــ لقد قلت لك إنني تعبت وأود أن أرتاح من كل فلسفتك.

ـــ سأتركك ترتاحين، لكن غياب هبى لن يطول وفضولك سيستيقظ من جديد ويتبخّر تعبك.

ـــ ماذا أفعل بك، لقد نقلت إليّ جرثومة الكتابة.

ـــ وفي موضوع الكتابة، أخبرك أنني شارفت على الانتهاء من روايتي الجديدة.

ـــ تكتبين بالسر؟ لم يمضِ بعد سنة على روايتك الأخيرة «أيهما هو».

ـــ لقد مضت سنتان، ها نحن في منتصف ربيع السنة ٢٠٠٥.

ـــ وهل استطعتِ الكتابة مع كل ما مرّ على لبنان من أحداث خلال هذه السنة؟

ـــ كنتِ أنت وهبى تتسمّران أمام التلفاز لمتابعة الأخبار وكنت أجلس في غرفتي وأتابع برنامجي.

ـــ صحيح، لقد استغرقتنا الأخبار السياسية، لكن يجب الاعتراف أن الأحداث كانت جساماً.

ـــ أعترف بذلك، وكنت أتابعها ولهذا السبب كتبت عن علاقة الحياة بالموت. وكيف أنهما خطان متوازيان لا يلتقيان إلا لبعث الحياة من جديد.

ـــ وما هو عنوان روايتك الجديدة؟

ـــ كنت أريد أن أعنونها: «العَوْد الدائري» لكن تبيّن أن هذا العنوان

لا يصلح لرواية، والآن وجدت عنواناً يتطابق مع المضمون وليس للتسويق كما يفعل بعض الكتاب أو دور النشر، وهو «بالإذن من سفر التكوين».

ــ وما علاقة سفر التكوين بالعَوْد الدائري؟

ــ القصد هو أن يسمح لنا سفر التكوين برواية مختلفة عن روايته. أما الآن فسأسمح لك بالانصراف لتتمكّني من الاستراحة قليلاً قبل مجيء هبى.

ــ قبل أن أتركك عندي سؤال مهم، ألم تؤذك رؤية صورة أخيك اللواء يرفعها المتظاهرون مطالبين بعزله مع الجنرالات الآخرين؟

ــ تأذّيت جداً، لكنني وفي الوقت نفسه كنت مطمئنة عليه لأن نعل حذائه يشرّف رؤوس كل الذين حملوا صورته وكل من كان وراءهم. فهم بنظري مجموعة عملاء لا تعرف سوى النباح ويديرهم بالريموت كونترول بعض السفراء تنفيذاً لمصالح بلادهم. وهو من جهته كان مرتاحاً ومطمئناً، وحين كنت أساله عن موقفه، كان دائماً يبتسم ويردّد: «لا يصحّ إلا الصحيح وستظهر لهم الأيام تجنيهم عليّ وتسرّعهم». وينهي كلامه بالقول: «سامح الله صغار النفوس».

ــ لن أتابع معك لأنني أعرف رأيك وهو ليس بعيداً عن رأيي.

15

ما كدتُ أستلقي قليلاً حتى عادت هبى من الجامعة، دخلت غرفتها، وقفت أمام المرآة لدقائق تتفحّص وجهها وجسدها قبل أن تجالس إلهام في الصالون حيث كانت تنتظرها.

ــ ظننتُ أنك كنت تبدّلين ثيابك كل هذا الوقت، قالت إلهام، لقد بردت القهوة.

باشرتا بشرب القهوة وحين قدّمت إليها إلهام سيجارة، اعتذرت هبى وقالت: «لقد أوقفتها».

ــ جيد، إنك تتبعين إرشادات الطبيب، بعكسي أنا.

ــ أوقفها لشهر فقط الآن.

ــ ممتاز، فإن استطعت توقيفها لمدة شهر تكونين قد تخطيتِ المرحلة

الصعبة. لكن لماذا هذا القرار المفاجئ؟

ـ سأسافر، خلال عطلة الصيف إلى البرازيل. أجابت هبى من دون أن تردّ مباشرة على سؤال إلهام.

ـ البرازيل؟ ومن لك هناك وما سبب اختيارك لها؟ على كل حال إنها بلد جميل وزيارته مستحبّة، ربما ذهبنا معاً. لكن بربّك، ما الرابط بين البرازيل وإيقاف التدخين؟

ـ لقد حدّدت موعداً مع الطبيب ك... وقد طلب مني أن أوقف التدخين قبل ذهابي بشهر.

ـ ما بك؟ هل تشكين من مرض ما؟

ضحكت هبى وقالت: «أشكو من مرض في المظهر وأريد تصحيحه».

فهمت إلهام قصدها وقالت: «لدينا أطباء جراحون مشهود لهم ببراعتهم في هذا الميدان، فلماذا الذهاب حتى البرازيل؟

ـ لا أريد أن يعلم أحد هنا بما سأقوم به.

ـ لكن الكل سيعلم بعد أن تقومي به.

ـ إن سُئلت فسأنكر ولا يستطيع أحد إثبات العكس.

ـ الإثبات «منّو وفيه» كما يقال. لكن ما الغاية من تحسين مظهرك؟

ـ الغاية هي العودة إلى ما كنت عليه في كل هذه الصور أمامك على الرفوف. سأخضع لعملية «ليفتينغ» للوجه وعملية شفط دهون

من البطن والأفخاذ و... وهكذا تتناسق رشاقة الجسد مع شباب الوجه.

ـ أما عاد يكفي البوتوكس والفيلينغ وكل الوسائل الأخرى غير الجراحية؟

ـ هذا ما قاله لي أحد الاختصاصيين.

ـ ألم أنبّهك منذ البداية أنك تدخلين سرداباً لا نهاية له؟

ـ لست مستاءة من دخوله ما دامت النتيجة جيدة وتلبي طموحاتي.

ـ أصبحت الأن كل طموحاتك هو أن تبدي دائماً شابة؟

ـ أطمح إلى أن أستمر في الحياة، تماماً كما تطمحين أنت، بواسطة الكتابة، أن تستمري في الحياة. والكتابة ليست سوى محاولة لإثبات الذات والهرب من الموت وهي بذلك لا تختلف عمّا أقوم به أو سأقوم به. أنت تكتبين جسدك على الورق كي يقرأه الآخرون وأنا أكتب جسدي مباشرة في حقل نظرهم. يقرأونك في الكتب ويقرأونني في الواقع، بالنظر واللمس وكل الحواس.

ـ لا تستفيضي، أنت حرّة وأنا لا أقف في وجه مشاريعك، ألاحظ فقط أن تغيراً ما قد حصل في حياتك. هل ما زلت مع مُخلص؟

ـ انتهى مُخلص منذ زمن، لقد حقّقت به ما كنت أبغيه وانتهى الأمر.

ـ وما كنت تبغين؟

ـ كان همي أن أثبت لك أنني أهم منك، وما أن توجّه مُخلص نحوي حتى سقط التحدي وسقط هو معه.

ـ والآن؟

ـ الآن تعرّفت إلى رجل ممتع جداً ويقدّر جسد الإنسى. لقد قال لي وبكل وضوح، بعد أن مارسنا مرة الجنس في بيته، إنه لا يريد مني شيئاً وعلاقتنا هي محض جسدية، قالها بالفرنسية c'est purement physique وأنا لا أطلب إلاّ ذلك، وهذا دليل على أنه مغرم بجسدي وأنني ما زلت أتمتّع بكل أنوثتي.

صمتتْ إلهام وتذكرتُ ما حدث مع بطلة إحدى رواياتها حين قال لها عشيقها تلك العبارة. تذكّرتُ أن البطلة استاءت وأسقطته نهائياً من حياتها لأنها شعرتْ بالمهانة، لقد أذابت ذلك العشيق المعشوق، كحبة ملح في الماء. انتظرتُ جواباً من إلهام لكنها ظلّت صامتة، فما كان مني إلا أن تدخّلت وطلبت منها أن تسأل هبى، إن كان مغرماً بجسدها فلماذا تسعى إلى تغييره؟ وأتاها الجواب:

ـ كي يغرم به أكثر. فحين أستعيد رشاقتي ونضارة وجهي، سأغرم أنا بحالي أكثر.

ـ افعلي ما تشائين إن كان ذلك يسعدك ويخرجك من إحباطك. وتابعت كلامها سائلة: «متى قرّرتِ السفر إلى البرازيل؟» وكان صوتها هادئاً كأنها لا تريد الغوص في قناعات هبى.

ـ في أول الصيف.

ـ أنسيت أن الانتخابات النيابية ستجرى أوائل الصيف هذا؟ هل

تتركيننا وحدنا نخوض هذه المعركة وأنت تعلمين أن أخي البكر هو مرشّح لهذه الانتخابات.

ــ لن أدوس أرض الضيعة قبل أن أكون بأجمل حالاتي، يكفيني ما عانيته في زيارتي الماضية لها. الضيعة لا تعني لي إلا تميّزي عن كل نسائها.

ــ وهل التميّز هو في الشكل فقط؟ ثم لماذا التميّز؟

ــ أنت تتميّزين بالكتابة ولم يبقَ لي سوى الشكل كي تكتمل الصورة.

ــ فكري كما تشائين، لكن لدي اقتراح هو أن تقومي بما قرّرت القيام به هنا في لبنان لأنني أكون بالقرب منك، عوض أن تكوني وحدك في البرازيل.

ــ سأفكر بالموضوع. لكن كل ما كنت أنوي القيام به هو مفاجأة صديقي من دون أن يعرف سبب التحوّل. صمتت قليلاً ثم تابعت: يمكن أن تظبط الأمور هنا، فهو قد يسافر لمدة شهرين إلى الولايات المتحدة ، وهكذا سأخضع للعمليات هنا وأكون على أحسن صورة حين يعود.

بقيت هبى في بيروت وذهبت إلهام مع العائلة إلى الضيعة لمواكبة الحملات الانتخابية التي جرت تلك السنة في جو جنائزي واصطفاف طائفي غير مسبوق على أثر استشهاد رفيق الحريري. وأتت النتائج في البقاع الشمالي لمصلحة حزب الله، كما كان متوقعاً، وفشل شقيق إلهام في تلك الانتخابات وعاد كل إلى موقعه وحياته العادية. لكن إلهام كانت على موعد مع طموحات هبى

التي سارعت فور عودة إلهام إلى المنزل لتخبرها بأنها ستدخل المستشفى بعد يومين لعملية الشفط وبعدها بأسبوع ستخضع لعملية الليفتينغ.

أجريت العملية الأولى بنجاح شبه تام وعادت هبى إلى المستشفى للعملية الثانية التي لم تظهر نتائجها سريعاً. كان عليها الانتظار حوالي الشهرين حتى يضمر الورم ويختفي الازرقاق، وهذا يعني أنها ستمكث في البيت كل هذا الوقت، الأمر الذي رحّبت به إلهام وبخاصة أنها كانت قد انتهت من كتابة روايتها «بالإذن من سفر التكوين»، وسلّمتها لدار النشر وهي تنتظر أن يعيدوها إليها لتقوم بمراجعتها وببعض التصحيحات الأخيرة قبل النشر.

حين انتهت الانتخابات في كل لبنان، دعا رئيس المجلس النواب الجدد لجلسة افتتاحية. جلست إلهام إلى جانب هبى في الصالون أمام التلفاز لمتابعة الجلسة. غصّت قاعة الاجتماع بكل النواب الذين لم تتعرّف إلهام إلا إلى القليل منهم.

— من أين أتونا بهذه الوجوه والأسماء التي لا يعرفها أحد؟

— إنه المال يا عزيزتي، فهو يحيي الميت وهو رميم. أجابت هبى.

— ولا تنسي الاصطفاف الطائفي الذي حوّل الناخبين إلى قطعان وراء زعمائهم.

— لكنه مجلس مودرن، ألا تلاحظين وجود السيدات بين النواب؟

— إنهن الزهرات التي تزيّن هذه الغابة من الذكور. إنهن باقة زهر قدمها المجلس لنفسه، وقد خطر على بالي أن ألون تلك الزهرات،

هيا ساعديني لنجد لكل واحدة منها اللون الذي يناسبها، وهكذا نقطّع الوقت من دون أن نستمع إلى ما يقولون.

ــ أنا جاهزة لأنني بدأت أملّ من المكوث في البيت أمام التلفاز.

ــ التلفاز سيكون اليوم مسلياً، لن أتركك تملّين وسأكون جديّة.

ــ فلنبدأ أولاً بجمعهن في باقة واحدة ثم نبدأ بالتلوين لأنه لا يعقل أن تكون زهرة من دون لون.

ــ لكن على التلوين أن يكون وفقاً للديموقراطية.

ــ طبعاً الديموقراطية التوافقية لأنها هي الخاصة بلبنان.

ــ وإن أول شروط هذه الديموقراطية أن يكون عدد نواب الأمة مناصفة بين المسلمين والمسيحيين.

ــ بالتأكيد. وها هي الجلسة تبدأ حيث أخذ كل واحد يدلي بدلوه حول الأوضاع الراهنة فلنستمع.

ــ إنه إجماع لا مثيل له في آراء النائبات وهذا يخرجهن كلهن بلون واحد.

ــ وطبعاً تسقط الديموقراطية لأننا في لبنان ضد اللون الواحد وأحادية الرأي. فلنحاول مقياساً آخر.

ــسننتقل إلى الانتماء الديني لتلك الزهرات. لكن هنا أيضاً ستسقط المعادلة وتتعثّر الديموقراطية لأن هذه الزهرات موزعة على الديانتين الكبيرتين في لبنان، لكنه توزيع أتى بأرجحية كبيرة لمصلحة

المسيحيات مع احتفاظ المسلمات بالثلث المعطّل.

ــ يعني ذلك سقوط الديموقراطية، فلننتقل إلى مقياس آخر لأنه لا بد من إنقاذ الديموقراطية حتى ولو كانت توافقية. وأقترح الانتقال إلى الشكل والنوعية.

ــ فلنستعرضهن واحدة واحدة، ماذا نجد؟ إنهن كلهن أنيقات جميلات على الرغم من بعض التمايزات لكنها تمايزات تدخل في باب النيصات nuances وليس في الأساسيات، مما يجعل الباقة من لون واحد متدرّج.

ــ وهذا يسقط المحاولة، مع العلم أنني سمعت بعض التعليقات التي صنّفت زهرات البرلمان بين أوركيده وزنبق وقرنفل و...

ــ إنها تعليقات خبيثة لن أتوقّف عندها.

ــ قد تكون خبيثة، لكنها صحيحة.

ــ أما الآن فسننتقل من الشكل الخارجي الذي تعوّلين عليه كثيراً إلى الداخل.

ــ وماذا تقصدين بالداخل وهل نعرف ما هي دواخلهن؟

ــ أقصد المواقف. لكن هنا الرؤية غير واضحة والسماء ملبدة بالغيوم وأعترف بعجزي عن معرفة موقف كل زهرة منهن مثلاً من القرار ١٥٥٩.

ــ لعلهن ذبن في الجو العام الغامض حيث المضمر غير المعلن وحيث المسكوت عنه غير المنطوق به و...

ــ وحيث المنطوق به يحتمل تأويلات عديدة. لهذا السبب أراني عاجزة عن إعطاء لون واحد لكل زهرة، وإذا ما أسقطت عليها ألواناً متعدّدة تحوّلت إلى زهرة اصطناعية.

ــ وهن زهرات طبيعيات جداً.

ــ ننتقل إلى موقفهن من سورية.

ــ هنا نجد أن خمساً منهن هن من أتباع: «إي يلاًّ سوريا طلعي برا». وواحدة فقط قالت: «إلى اللقاء سورية». مما يفقد التوزع الديموقراطي توازنه ليسقط في سلة الغالب والمغلوب عددياً وذلك على الرغم من أنهن كلهن من بنات تظاهرة ١٤ آذار.

ــ صحيح، تظاهرة ٨ آذار لم تنبت أي زهرة.

ــ لكن والحمد لله لقد توحّدت المظاهرتان وتلاقحتا وأنجبتا مولودهما الجديد القديم رئيساً لمجلس النواب.

ــ لكن الولادة أتت بسرعة.

ــ تلمّحين إلى ما يقال همساً إن الزواج قد تم حتماً قبل إعلانه بكثير.

ــ بالفعل، تعرفين أنني أتابع هذا الهمس الفضائحي.

ــ سأنتقل إلى التربة التي استنبتت فيها هذه الزهرات، زهرات المجلس النيابي. ماذا نجد هنا؟

ــ تعرفين أنه علي عدم الكلام كثيراً قبل أن تلتئم الجروح في

وجهي. تابعي ولا تسأليني.

ــ إنها تربة منوّعة وخصبة تحتوي على أسمدة مختلفة، أهمها الشهادة والسجن والمنفى، وقد أتى توزيع الزهرات على الشكل التالي: ثلاث منهن استنبتن من تربة الشهادة، وواحدة من تربة المنفى وواحدة من تربة السجن.

هنا أشارت هبى برفع إصبعها للقول إنه يبقى واحدة، ابتسمت إلهام وقالت سأتابع: «أما الزهرة الباقية فقد استنبتت استطراداً وكجملة اعتراضية، من تربة النحيب على الشهيد».

ــ لا أستطيع الصمت هنا، إنك لئيمة جداً.

ــ المهم أنني وجدت نفسي أمام أربعة ألوان حيث لا مجال للعدالة العددية وللديموقراطية والعيش المشترك والـ...

ــ يكفي سخرية.

ــ لكن المراقب يستطيع، إن صفت نيته أن...

ــ كما نيتك. قالت هبى معلّقة.

ــ... أن تُوحّد كل هذه الألوان لأن زهرات المجلس كلهن تفتحن تحت الخيم، على الرغم من الخلاف الذي وقع بين رافعي تلك الخيم في آخر المشوار. لكن التوحيد كما التنوّع غير الموزون يفشل البحث عن الديموقراطية المنشودة.

ــ والآن عليك أن تعترفي بالفشل وتنهي البحث.

ـ سأحاول في أماكن أخرى لأنني مصرّة على إنقاذ الديموقراطية التوافقية اللبنانية وإلا سقط الوطن بتداعي أهم أسسه. لهذا السبب سأنتقل إلى الشعارات التي أطلقت في مناخ الانتخابات الأخيرة والتي أوصلت هذه الزهرات إلى البرلمان.

ـ هناك شعارات كثيرة وربما تعدّى عددها عدد الزهرات.

ـ صحيح، لكن هناك شعار مهم إن لم يكن الأهم بين كل الشعارات وهو أن من لا ينتخب «معك» فهو قاتل أو من أنصار القتلة. فماذا أفرز التصويت الشعبي؟

ـ خمس زهرات «معك» وواحدة ضد.

ـ هنا أيضاً طغى لون واحد على الآخر مما يسقط الديموقرلطية وهو أمر مرفوض في بلد مثل لبنان الذي يمثّل النموذج الحي للتعايش والوفاق والمساواة.

ـ ربما كان الانتماء العائلي محدِّداً.

ـ إن العائلات والنسب هي من مكونات كل زهرات الباقة التي أهداها المجلس الكريم لنفسه. كلهن ينتمين إلى عائلات كريمة؛ فاثنتان منهن زوجات لرئيسي جمهورية سابقين، وواحدة شقيقة رئيس وزراء سابق، وواحدة ابنة نائب سابق، وواحدة ابنة قائد سابق وعائد.

ـ والسادسة؟

ـ هي أيضاً ابنة عائلة عريقة ومقرّبة من رئيس وزراء سابق. مما يضعنا أمام لون واحد وتسقط المعادلة المنشودة.

ــ ربما استطعنا أن ننعش الديموقراطية المحبطة حتى الآن، إذا نظرنا في التوزيع المناطقي لهذه الزهرات.

ــ لكن واقع الحال يظهر لنا أن اثنتين منهن استنبتتا في بيروت.

ــ ولو أن إحداهن كانت جائزة ترضية.

ــ تتهمينني باللؤم وأنت اللؤم بذاته.

ــ لا أستطيع الضحك براحة، تابعي.

ــ من بين الباقيات، واحدة استنبتت في جبل لبنان وواحدة في الجنوب واثنتان في الشمال.

ــ أين واحدة البقاع؟

ــ الجواب جاهز: البقاع، وبخاصة الشمال منه، هو منطقة متخلّفة ومهملة إنمائياً ومعيشياً و... والزهور العطرة لا تنبت في السهول المهملة المتخلّفة، فلكي يرقّ ملمس الزهرة ويفوح عطرها، عليها أن تنبت في حدائق القصور المترفة.

ــ المهم هو أن الديموقراطية قد تعثّرت هنا أيضاً. أما أنك تتكلّمين عن العطر والملمس فما رأيك لو اتخذناهما مقياساً للديموقراطية، ربما وجدنا في هذا الحقل ضالتنا.

ــ هنا أقر بعجزي عن التحليل لأنني لا أعرف عطر كل من زهرات المجلس النيابي الست وملمسها. لا أعرفهن إلا عبر الصوت والصورة من على شاشات الفضائيات. أقر بفشلي، لكن العارفين بخفايا الأمور يصرّحون أن كل زهرات البرلمان، ما عدا واحدة، لهن

ملمس الحرير وعطر الخليج الساحران. أما الأخيرة فعطرها أتت به، ربما، من المنطقة الحرة في أحد مطارات باريس.

ـ لكنني مع العطور الجميلة مهما تنوّعت مصادرها.

ـ أوافقك الرأي، لكن إذا عدنا إلى الصوت والصورة، ألا ترين أنه أصبح بإمكان المجلس النيابي أن ينظّم مباراة لانتخاب ملكة جمال البرلمان لسنة ٢٠٠٥-٢٠٠٦ و..

ـ لكن الأمر محسوم سلفاً.

ـ حتى ولو كان الأمر محسوماً سلفاً فربما سمحت لنا مثل هذه المباراة أن ننصّب الديموقراطية على قدميها.

ـ آتني بالحل ولننهِ الموضوع.

ـ هذه المباراة ستوزّع الزهرات ثلاثاً بثلاث، أي ملكة الجمال والوصيفتان من جهة والثلاث الباقيات من جهة أخرى فتتحقق العدالة العددية وتستطيع ريشة المراقب أن تلوّن الزهرات بلونين واضحين يمثلان التوافقية والعيش المشترك. هذا في الشكل الذي تركزّين دائماً عليه، أما بالنسبة للصوت فالسامع يدرك جيداً أن هناك أصواتاً تخدش الآذان وأخرى تريحها. لكن هنا أيضاً ستبقى القسمة غير عادلة لأن إحدى الزهرات لم تسمعنا صوتها حتى الآن ولا يجوز الحكم قبل اكتمال عناصره.

ـ وحيث إننا في مجال الصوت والنطق، خطر ببالي مقولة الفجور وهي مقولة ملصقة بالنساء عادة ولا أقصد بالفجور إلا ما يتعلّق منه بنبرة الصوت وارتفاعه لا الفجور اللاأخلاقي.

— في هذا المجال المحدّد أظهرت لنا المرحلة الأخيرة زهرتين فاجرتين، إحداهن لا تزال صورتها عالقة في ذاكرة المراقب وهي تقفز في ساحة الشهداء وهي تصرخ بأعلى صوتها حين استقالت حكومة الرئيس عمر كرامي: «فرطوا فرطوا»، بينما الثانية، وهي من الزهرات القديمة، والتي لم نسمع صوتها إطلاقاً إلا في المرحلة الأخيرة وهي تنتحب على الشهيد الكبير؛ مما دفع بالبعض إلى القول إن نحيبها كاذب لأنه ظهر في بعض الأحيان وكأنه يفوق نحيب الشقيقة المفجوعة فعلاً.

— إذاً نحن أمام توزيع عددي غير موزون وتسقط مجدداً محاولتك إرساء الديموقراطية على أسس سليمة. لكن ما رأيك لو وزّعنا زهرات البرلمان إلى قديمة وجديدة؟ فقد نصل إلى الحل لأنهن منقسمات بالتساوي، فثلاث منهن قديمات وثلاث جديدات.

صمتت إلهام لبرهة كأنها اقتنعت بما وجدته هبى لإرساء الديموقراطية التي يبحثان عنها، لكنها سرعان ما انتفضت وسألت: «بماذا يتميّز القديم؟».

— بالتراكم على ما أظن. أجابتها هبى.

— وهنا ستختلّ المعادلة التي اعتقدتِ أنها أوصلتنا إلى الحل، فماذا راكمت السابقات من أفعال ومن مواقف أو... حتى من كلام يجعل منهن فعلاً موجودات قبل الزمن الراهن؟ فإذا عدتُ إلى تاريخهن، لا أجد إلا تراكم السنين، وهو تراكم تأنف منه الإنسى وأنت خير دليل على ذلك. هنا أيضاً أجد أن المعادلة ساقطة وعلينا متابعة البحث حتى نجد الحل الذي لا يرقى إليه الشك.

— أقترح عليك البحث في نشاط هؤلاء النساء بما يتعلق بموضوع

الإنسى، ربما وجدنا ما يخرجنا من هذا اللعب الذي لا ينتهي، لأنني، وبكل صراحة بدأت أشعر بالجوع.

ـــ سأطلب من «جوها» أن تحضّر لك الحساء وآمل أن نكون قد انتهينا قبل جهوزه.

ـــ حلّلي أنا كلي سمع.

ـــ ليتني أجد المناصفة هنا كي أقفل الموضوع وأستنتج أن شرط وصول النساء إلى البرلمان هو أن يكون عددهن منقسماً بالتساوي بين من يردن أن تنال الإنسى حقوقها وبين من لا يردن ذلك.

ـــ وهو شرط يوافق عليه الذكر البرلماني حتماً، لأن المعادلة تلك توصلنا إلى لجم كل مناداة بحقوق الإنسى.

ـــ فلنستعرض واقع الحال، ألا يفاجئك هذا الفراغ المخيف وهذا الصمت المدوّي؟

ـــ ربما، لكن يمكن أن نعزّي أنفسنا ونفكّر بكل جدية أن هؤلاء البرلمانيات لا يهتممن بهذا الموضوع لأنه موضوع كثر «علكه»، وهنّ مع معالجة المواضيع الأكثر أهمية. فموضوع حقوق الإنسى هو من اختصاص الجمعيات النسائية وتوابعها، بينما هن نائبات عن الأمة، كل الأمة، ولا يجوز لهن الاهتمام بنصفها فقط.

ـــ إنه تبرير موضوعي بكل ما للكلمة من معنى، فلنبحث إذاً في اهتمامات ممثلاتنا الكبيرة والتي تطال كل الأمة من دون التفريط بأي جزء منها.

ـــ أنصحك بألا تبحثي لأنه سبق لي أن قمت بهذا العمل.

ـ لقد سبقتك إلى ذلك أيضاً وفوجئت بأنني لم أعثر إلا على بعض التصريحات الصحافية الظرفية ونصوص بعض الكلمات، التي أجمع كل العارفين على أنها ليست من تأليفهن، بل كُتبت وشُكلت أيضاً لهن من قبل المساعدين والمستشارين والمقربين جداً من ممثلات الأمة، ولأنهم مقربون جداً فهم يعرفون تماماً ما تريد إحداهن قوله أو كتابته.

ـ ولهذا السبب يأتي قولهم مطابقاً كلياً لقولها لو أرادت هي القول أو الكتابة.

ـ يبدو أن الأمّية عند العرب، ليست عيباً للنساء. لكن ما يهمني الآن هو أننا عجزنا عن العثور على المقياس الذي على أساسه نستطيع بناء المناصفة التوافقية. وهو أمر محبط جداً ولربما أضعف قابليتك على الطعام الذي أصبح جاهزاً.

وما أن طلبتا الطعام حتى طُرق الباب ودخلت عليهما إحدى الجارات التي قلّما تفرحان بزيارتها لأنها، إن تميزت بشيء، فبالسذاجة، إن لم نقل بالهبل. لم ترحّب بها إلهام كعادتها، لكنها بادرت إلى القول بلهجتها الكسروانية الصحيحة: «ما شفتُش تلفيزيون؟»

ـ لقد أقفلناه منذ لحظة.

ـ ما اشتلأتيش عشي؟

ـ ما في شي مهم.

ـ كنت مفكّرة إنو النايبات خمسة، طلعوا ستة، تلاته منهن شقر وتلاته سمر.

حين سمعتها إلهام اقتربت منها وقبّلتها وهي تردّد بصمت: «خذوا الحقيقة في لبنان من أفواه الهبلان». ثم توجّهت إلى هبى وقالت: «الآن أستطيع أن أضع الألوان على الزهور، سألون ثلاثاً بالأحمر وثلاثاً بالأبيض، ولكي يرفرف العلم اللبناني سألوّن الوريقات بالأخضر فيسلم لبنان وتنتعش الديموقراطية».

وتكريماً للجارة التي أتى على لسانها إنقاذ الديموقراطية أصرتا عليها بأن تشاركهما الطعام. لكنها قبل أن تجلس نظرت إلى هبى وسألت: «ما بك لماذا هذا الورم والازرقاق في وجهك؟» وأتى جواب إلهام سريعاً: «لقد تعرضت لحادث، أكسيدان سيارة، وهي الآن في طور النقاهة».

ــ أيش بهنْ هالنسوان؟ ابشفش غير لعامله أكسيدان وفاكي نيعها.

16

انتهت فترة النقاهة وكانت كعملية تظهير الصورة الفوتوغرافية، تبدأ ضبابية ثم تأخذ بالوضوح شيئاً فشيئاً إلى أن تنجلي كلياً. انتهى الورم من وجه هبى وغابت آثار الازرقاق وبرز الوجه الجديد، الوجه الذي لم يفاجئ إلهام لأنها كانت تواكب عملية التظهير لحظة بلحظة، ولهذا السبب كانت عاجزة عن تقدير ردّ فعل الآخرين على هذا التغيير في وجه هبى. أما الجسم فيمكن القول أنه خرج من عملية الشفط وشد الجلد المترهّل وكأنه نحت من جديد. لكن ما أن نظرت هبى إلى جسدها في المرآة حتى برز أمامها عدم انسجام بين هذا الجسد المنحوت وبين ترهّل الثديين اللذين بدوا كأنهما ينتميان إلى جسد آخر. رفعتهما هبى بكفيها ونظرت إلى جسدها من جديد. كان ذلك كافياً لأن تتّخذ قرارها:

ــ سأرفع صدري.

— هل ستخضعين لعملية جديدة؟ سألتها إلهام مندهشة.

— بكل تأكيد، ألا ترين الضرورة؟ فمن غير الممكن أن يكون شكل هذين الثديين المتهدّلين لمثل هذا الجسد الفتي.

— وبعد رفع الصدر ما هو الجديد؟

— لا يظهر شيء حتى الآن.

— بلى يظهر شيء مهم هو أنك بحاجة لعملية في دماغك كي تخرجي من هذا الهوس الذي لا ينتهي.

— فكري كما تشائين، أما أنا فمقتنعة كلياً بما أقوم به. يبقى أنني غير قادرة مادياً الآن أن أفعل ذلك. هل تقرضينني بعض المال؟

— وإن رفضت؟

— سأقترض من غيرك، لن أتأخر أبداً في إعادة الانسجام الكامل لجسدي.

— جاهزة يا ست هبى، سأعطيك المال ولو أنني لا أملك سوى القليل كما تعلمين.

— سأرده إليك بالتقسيط الشهري من راتبي. أما الآن فسأتصل بالطبيب لتحديد الموعد.

كالعادة، رافقت إلهام هبى إلى المستشفى في اليوم الذي حدّده الطبيب، وبعد يومين عادت هبى إلى البيت لتمضي فيه فترة نقاهة جديدة حُدّدت بشهر على الأقل مع زيارات للطبيب لمتابعة المراقبة. لكن ما أن عادتا إلى البيت حتى رن جرس هاتف هبى الجوال وحين رأت هبى نمرة هاتف صديقها مسجلة على شاشة هاتفها،

حتى نادت إلهام، أعطت الهاتف لإلهام طالبة منها أن تقول له إنها خارج البلاد لمدة شهر.

— لم تخبرني، حين كنت أتصل بها، بهذا السفر المفاجئ. قال سمير.

— إنه بالفعل مفاجئ لنا أيضاً؛ لقد قرّرت الجامعة إرسال بعض الأساتذة لدورة في الخارج وتمّ اختيار هبى من بين المجموعة. إنها فرصة لا تفوّت ولهذا السبب لم ترفضها حتى لو أتت مفاجئة وسريعة.

— أين تُنجز هذه الدورة، ربما تمكّنت من اللحاق بها.

— في فرنسا، لكنني لا أعرف العنوان بعد، وأنا أنتظر اتصالاً منها.

بات سمير يتصل كل يوم بإلهام لمعرفة عنوان هبى، وهي تتهرّب منه ومن الإجابة، حتى مرّ الشهر وأصبح بإمكان هبى أن تفرج عن نفسها وتخرج من سجنها. لكن قبل أن تظهر للعلن، ابتاعت ثياباً تبرز جمال شكلها الجديد وصبغت شعرها بلون يتناسب مع سنها الجديدة أيضاً. وحين رضيت عن صورتها تماماً ردّت هي على اتصال سمير الذي أتى معاتباً:

— أين كنت ولماذا لم ترسلي عنوانك إلى الدكتورة إلهام؟ أنا في غاية الشوق إليك، أنتظرك في «السيتي كافيه».

— لا، أفضل أن تنتظرني في شقتك. سأصل فوراً.

ذهبت هبى للقاء سمير وبقيت إلهام في البيت تتساءل عن كيفية ردّ فعل سمير على ما سيراه من تغيّرات في جسد هبى ووجهها.

ــ إننا حتى الآن لا نعرف مَن هو سمير، قلتُ لها، ولذلك لا يمكننا توقع أي ردّ فعل بالتحديد.

ــ سيفاجأ بالتأكيد، ولهذا السبب طلبتْ منه هبى أن يلتقيا في شقته.

ــ أرادت أن تمتحن به ردّ فعل الآخرين. فإن كانت المفاجأة سارة تواجه هبى الآخرين بكل ثقة. أما إن كانت غير سارة؟

ــ تعرفين هبى، ستتخلى عنه وتواجه بكل قوّة لأنها مقتنعة بما قامت به. هي ترفض أن تتقدّم في السن، وهذا هو همها الأساسي.

ــ لكن إن لم يكن لعدم التقدم في السن مفاعيله العملية فما النفع منه؟

ــ له بكل تأكيد مفاعيله وبالدرجة الأولى على هبى. ألم تلاحظي أن سلوكها قد تغيّر؟

ــ عادت مراهقة من جديد.

ــ هذه العودة هي للهروب، وما التغيير في الشكل إلا لإخراج هذا الهروب بقالب مقبول.

ــ يعني أن الرغبة في الهروب من العمر والزمن هو الذي حتّم على هبى القيام بكل تلك العمليات التجميلية؟

ــ وهذه العمليات تساعد، بدورها على الهروب.

ــ لكنها عملية غش بكل معنى الكلمة. فإن استطعنا أن نغش

الآخر فكيف نقبل بأن نغش ذاتنا؟

ـ إنك تتكلّمين على أناس يمتلكون وعياً بذواتهم لا على عن العامة من الناس الذين ليسوا سوى انعكاس شخصيتهم في عيون الآخر.

ـ لكن هبى، وكما ظهرت لي في السير الثلاث، هي إنسى تعي ذاتها وترفض أن يحدّدها الآخر.

ـ وقد أتى الوقت الذي يكشف فيه الداخل على حقيقته.

ـ ماذا تقصدين؟

ـ أقصد أن مرحلة ما يسميه المجتمع سن اليأس عند الإنسى هي المحدِّدة؛ قبل هذه المرحلة تكون الإنسى متمتّعة بكل مقوماتها الخارجية والداخلية التي تساعدها على فرض نفسها وعدم التأثر بالآخر وبآرائه، لكن مع تقدم السن، وصولاً إلى سن اليأس، تخسر الإنسى من مقوماتها الخارجية، وينتج من ذلك تبدلٌ في نظرة الآخر إليها. فالتي كانت تركّز على الخارج تبدأ بالانهيار وفقدان التوازن، فتلجأ إلى كل الوسائل التي تعيد إليها هذا الخارج الذي بدأ بالزوال وهذا هو وضع هبى؛ صحيح أنها كانت لا تكترث بالآخر لأن شكلها الخارجي ساعدها جداً، لكن حين بدأت تفقد هذا الخارج ظهرت على حقيقتها وظهر مدى تأثير الآخر عليها، هذا التأثير الذي، على ما يبدو، كانت تخادع نفسها برفضه، فيما كان ولا يزال، هو العامل الرئيسي في تماسك شخصيتها، بينما التي كانت، قبل سن اليأس مقتنعة بذاتها كلياً وقابلة لهذه الذات بكل معنى القبول، من دون أن تؤثر فيها نظرة الآخر إليها، فهي التي تستمر في قبول ذاتها في كل تحوّلاتها. لا بل تزداد ثقتها بنفسها لأنها تكون قد تحرّرت من كل تشويشات الخارج.

ــ تتحدثين عن مرحلة سن اليأس وكأنها هي المحدِّد في لجوء الإنسى إلى تغيير شكلها، بينما نجد الآن أن الكثيرات يلجأن إلى هذا التغيير قبل هذه المرحلة، ونرى أن بعض الصبايا يتسابقن على عمليات التجميل وغيرها من الأمور التي تساعد على تغيير المظهر والوجه.

ــ صحيح، لكني أرى أن هؤلاء الأشخاص لا يميزون بين داخل وخارج، فكل شخصيتهم هي خارج فقط. وهنا أتكلم عن الرجال وعن النساء معاً. ولهذا السبب لا أجد سناً محددة لليأس، فقد يأتي الإنسان في أي عمر.

ــ بالطبع ولو بنسب متفاوتة. قد أتفهّم أو أقبل تغيير الشكل عند بعض الفنانين لأن كل حياتهم هي في مظهرهم، لكن بربّك كيف تجدين مثلاً بعض رجال السياسة الذين يظهرون على الشاشات ويصمّون آذاننا بالتنظير واتخاذ المواقف النابعة من طول خبرتهم في العمل في الميدان العام، من دون أن يخجلوا من الفارق بين ترهّل وجوههم تحت حلّة لا تحتوي على شعرة بيضاء واحدة؟

ــ إنهم تماماً كالإنسى التي ترفض عمرها.

ــ لكن شكلهم مضحك أكثر. هم أيضاً يرون أن البقاء في الصفحة الأولى من العمر يتوقّف على إخفاء الشيب في رؤوسهم. وأنصح هؤلاء أن يرمّموا وجوههم كي يتم الانسجام وتخف المهزلة.

ــ الصفحة الثانية مرعبة. وقليلون هم الذين يلجونها من دون ألم.

ــ ربما، هذا يذكرني بقول بعض الكتاب الذين ترعبهم الصفحة البيضاء في الكتابة.

ــ إن الذي يقول ذلك هو الذي يكون قد أفرغ ذاته في الصفحة الأولى ولم يعد لديه شيء للصفحة الثانية ولهذا السبب يشعر بالرعب.

ــ ألا ترعبك، أنت الصفحة البيضاء؟

ــ بكل بساطة، لا، لأنني لا أواجهها إلا وأنا ممتلئة فتتحوّل إلى إناء جاهز لاحتواء ما أسكب فيه.

ــ أتعتقدين أن هبى ما عادت تملك شيئاً لتواجه به الصفحة الثانية وهذا ما يفسّر إصرارها على البقاء في الصفحة الأولى؟

ــ مشكلة هبى هي أنها دفعت حياتها ثمناً لقناعاتها، كما رأينا في السير الثلاث، وحين أدركت ذلك كانت قد أصبحت على مشارف الصفحة الثانية فأرعبها استمرار الدفع، وبخاصة أنها وجدت نفسها قد جاهدت بمفردها من دون أن يتفهمها الآخرون. ألا تذكرين كيف أن كل الجمعيات النسائية قد حيّدتها وهمّشتها لأن طروحاتها كانت دائماً خارج توقعاتها. هبى لم تساير أحداً، كانت دائماً تصغي لقناعاتها التي أتت باستمرار وكأنها سابقة لزمنها.

ــ تقصدين أن كل هذا الجهد الذي بذلته هبى من دون جدوى ملحوظة هو الذي دفع بها إلى رد الفعل هذا؟ إلى اليأس كما تسمينه؟

ــ بكل بساطة، ما تشعر به هبى هو خوف من انتهاء الدور. ولهذا تلجأ إلى تحسين شكلها كي توهم نفسها بأن دورها لم ينتهِ بعد.

ــ ألا تعي أن الدور لا ينتهي إلا إذا أنهيناه نحن؟ وأنه يتحوّل مع

اكتساب الخبرة والنضج؟

ـ هذا التحول الذي يطرأ على الجسد في مرحلة معينة من عمر الإنسى هو كالتحول الذي يطرأ على الجسد إياه في مرحلة البلوغ؛ فالتحول الأول هو دليل على بداية الدور، بينما التحول الثاني هو دليل على انتهائه، فيأتي الأول عاصفاً مليئاً بالصخب والحياة، بينما يأتي الثاني صامتاً مليئاً بالخيبة واليأس. هكذا تربى الإنسى في مجتمعاتنا. وهكذا نراها متشبّثة برفض التحوّل الثاني، وقد ساعدها تقدم الطب في عملية الاحتيال هذه، وهذا ما يفسر الرواج غير المسبوق لكل وسائل التنحيف والتجميل و....

ـ لكنه احتيال على كل حال والإنسى الواعية لا تلجأ إليه ولا تسقط في ألاعيبه.

ـ الأمر يتطلّب قوة شخصية لا يتمتّع بها إلا الندرة القليلة لسوء الحظ، وهبى ليست منهم.

ـ لكن هناك أمر آخر يجعلنا نكتب الصفحة الأولى بحماسة، وهو أن هذه الصفحة لا تكون بيضاء حين ننتبه إليها. في لحظة وعينا لها نجدها وقد بوشرت الكتابة عليها بقلم غيرنا، نقرأ ما كتب ونتابع وتأتي كتابتنا إما استكمالاً للفقرات السابقة وإما اعتراضاً ورفضاً.

ـ وأحياناً كثيرة لا ينتبه المرء إلى هذه الصفحة إلا وتكون مكتملة. وهكذا يكتفي بالتعليق وملء الهوامش، وهذا المرء هو بالتأكيد الأكثر خوفاً من الصفحة الثانية وبياضها وهو الأكثر إصراراً على ملاحقة كل وسائل التجميل وحفظ الشباب وبكل الأساليب الملتوية.

ـ وماذا عن هبى؟

ـ إنها كغيرها من الناس؛ حين انتبهت إلى ذاتها، وجدت أن قسماً من الصفحة الأولى من حياتها قد خطّته يد غيرها، لكنها رفضت ما خُط عنها وناضلت في سبيل تغييره، ولهذا السبب قلت لك إنها دفعت حياتها ثمناً لقناعاتها.

ـ وحين اكتملت الصفحة نراها تتعامل معها كمثل من وجدها كاملة قبل أن ينتبه إليها.

ـ بالفعل إنها تحاول المستحيل كي لا تقلبها وتباشر كتابة الصفحة الثانية. إنه الخوف من فقدان الأمل. فحين يستمر المرء في الصفحة الأولى، ولو وهماً، فهو يطمئن نفسه أنه لا يزال بعيداً عن النهاية. فحين يقلب الصفحة يدرك أنها الأخيرة وأن نهايته تأتي مع كتابة آخر سطر فيها. وكلنا، حتى من يجسر منا على قلبها، نحاول كتابتها ببطء، ونزمّ الأحرف ونصغّر الكلمات ونحشر السطور كي نبعد هذه الكأس التي تأخذنا إلى المجهول. إن الإطلالة على الصفحة الثانية هي مواجهة مع الموت، فإما أن نقوى عليه وإما أن يقوى علينا، ولن نقوى عليه إلا بالسخرية وهي مقدرة لا يتمتّع بها إلا القليلون.

ـ أما هبى فهي لا تزال الآن في مرحلة ملء الهوامش.

ـ ولن تترك فسحة بيضاء من الصفحة الأولى دون محاولة ملئها قبل أن تجسر على مواجهة الصفحة الثانية.

ـ وهل ستجسر؟

ـ لا أعرف، عليك أن تراقبي، فأنت من يكتبُ عنها.

لم يطل غياب هبى، عادت إلى البيت ودخلت غرفتها من دون أن تكلّم إلهام. دخلت غرفتها وأقفلت الباب. خلعت ملابسها وارتمت على السرير وهي تتساءل: «لماذا رفضني؟ لقد حاولت المستحيل كي يناسب مظهري صغرَ سنه، كي أبدو من عمره، كي أجرؤ على الظهور معه أمام الآخرين من دون أن ألمح غمامة الخجل على وجهه، ومن دون أن أبذل الجهد كي أخفي خجلي. هل أخطأتُ في طلب مقابلته في شقّته؟ هل كان علي أن أثبت له حضوري في نظر الآخرين قبل أن أختلي به؟ كنّا ندخل شقته فينفرد وجهه ويبدأ بتعريتي وهو يتمتّع بكل تفصيل من جسدي. كان يفرط في مص ثديي كأنه طفل جائع وكنت أشعر بالنشوة. يداه كانت تداعب رخاوة بطني وخاصرتي وهو مفتح العينين ينظر في تقاسيم وجهي، قبل أن يلثمها بكل هدوء كأنه يتلذّذ بقطعة حلوى. يفترعني وتبدو بشائر النصر على وجهه ويتحوّل إلى ملك يعلو رأسه صولجان المتعة. لماذا؟...

قبل أن تنهي تساؤلها نهضت من سريرها وهي عارية، وقفت أمام المرآة وأخذت تحدق بحالها، علّها تعثر على ما نفّره منها. لم تجد ما ينفِّر؛ فوجهها مشدود لا أثر للتجاعيد عليه وجسدها منحوت كتمثال من رخام، وثدياها منتصبان كثديي إنسى في بداية حياتها. «لماذا لم يعجبه كل هذا الجمال؟ هل لأنه مفتعَل وليس طبيعياً؟ هل يفضل الترهّل على كل هذه النضارة؟ أمر مستغرب، فهو شاب ومن المفروض أن يحب الشباب لا الكهولة. أما أمره فمحير. ربما أخطأت في اختياره، أو ربما كان عليّ أن أتعرّف إليه بعد كل ما قمت به من عمليات، لا قبل... لكن إن ظل على موقفه فسأتركه

وأبدأ من جديد مع من لا يعرف عني شيئاً، لن تنتهي الحياة معه، غيره أفضل منه».

بعد هذا التحدي لنفسها ولسمير، خرجت هبى من إحباطها ومن غرفتها لتجد إلهام تحضّر وجبة العشاء مع الخادمة في المطبخ.

ــ أهلاً بالسيدة الشابة هبى، قالت إلهام، سنحتفل الليلة بأول إطلالة لك على العالم بعد استرجاع شبابك. لقد هيّأت كل ما يسر خاطرك من مأكل ومشرب.

ــ لا نفس لي على الأكل ولا حتى على الشرب.

ــ لماذا؟ هل...؟

ــ تصوري أن سمير لم يستقبل تغيري كما كنت أتوقع.

ــ انتظري قليلاً، سأنقل الطعام إلى الصالون ونجلس معاً لأصغي إليك.

جلستا معاً وسكبت إلهام المشروب ثم رفعت كأسها وقالت: «بصحة الآنسة هبى التي عادت أكثر من عشر سنوات إلى الوراء».

ــ خفّفي من سخريتك واسمعيني جيداً: قابلت سمير وأنا كلي رغبة به بعد انفصالنا لأكثر من ثلاثة أشهر، لكنه كان بارداً، حتى أنه لم يستطع أن ينام معي كالمعتاد. هل تعتقدين أن لديه إنسى أخرى؟

ــ لو كان لديه إنسى أخرى لما اتصل بك وطلب رؤيتك.

ــ إذاً لماذا هذه البرودة؟

ــ ربما صدمه تغيرك، وهو بحاجة إلى بعض الوقت ليعتاد على شكلك الجديد.

ــ لكن شكلي قد تحسّن وعليه أن يعشقني أكثر لأنني ما عدت أبدو أكبر منه سناً.

ــ وكم عمر المحروس؟

ــ إنه تحت الثلاثين.

ــ ولم تفهمي تغيره معك؟

ــ كنت ألاحظ بعض الارتباك في تصرفاته حين كنا نظهر معاً أمام الآخرين وها قد حرّرته من هذا الارتباك، فماذا يريد؟

ــ يعني أنك بالفعل من عمر أمه تقريباً.

ــ كنت من عمر أمه، أما الآن...

ــ وهذا ما كان يعشقه فيك تماماً كما أن شبابه هو الذي جعلك تغرمين به.

ــ لكنني ما زلت مغرمة به.

ــ لأنك بالفعل لم تتغيري. استطعت أن تتغلبي على شكلك، لكن مشاعرك وعواطفك وانفعالاتك و... كل مكوناتك لم تتغير.

ــ هذا ليس صحيحاً، فأنا أشعر كأنني في سن المراهقة.

ــ وهذا ما يسمى التصابي، وهو عادة ما يرافق كل هذه العمليات التجميلية، لكنه ليس حقيقياً، بل مفتعل ولو أنك لم تعيه جيداً.

ــ هل تقصدين أن سمير يفضل الإنسى المترهّلة على الإنسى الصبية؟

ــ يفضلها على المتصابية وربما على الصبية فعلاً وإلا لما كان أغرم بك. إنه تحت الثلاثين من عمره وكان باستطاعته أن يغرم بصبية صغيرة كما هو متعارف عليه وسائد، فلماذا اختارك أنت؟ ألم تطرحي على نفسك هذا السؤال؟

ــ وأنا أيضاً أغرمت به وقد نجح في إشباع كل متطلباتي الجنسية كما نجحت أنا في إشباعه، كما كان يقول ويعبر. أما اليوم فقد كان جامداً كأنه لا يرى إنسى أمامه.

ــ وأنت؟

ــ لم تتغيّر مشاعري نحوه، لكن برودته أربكتني وما عدت أعرف كيف أتصرف معه، وافترقنا بصمت كأننا خارجان من جو تعزية. حتى أنه لم يقبّلني حين افترقنا كما كان يفعل وهو يعتصر ثغري ويضمني إليه كي «أبقى في داخله» كما كان يقول.

ــ هبى، كنت أظن أنك أكثر وعياً مما أنت عليه فعلاً، ولن أضيف شيئاً.

ــ أعرف ماذا تقصدين. وسأستمر في الصفحة الأولى مهما حاولتِ، وما دام هناك مجال، ولو وهمياً، كما تسمينه. لن أنتقل إلى الصفحة الثانية التي تكابرين باقتحامها متظاهرة بامتلاك قوة هي الوهم الحقيقي.

ــ وهل لا يزال هناك فراغ في هذه الصفحة التي تتمسكين بها؟

ــ سأمحو وأكتب من جديد، لن أقلبها أبداً.

ــ كما محوت تجاعيد وجهك وترهّل جسدك.

ــ وسأظل أمحو ولن أترك القمة التي أقف فوقها. لن تنجحي في فرض قناعاتك عليّ.

ــ لا أفرض قناعاتي على أحد، فقط أمارسها.

ــ وأنا أيضاً أمارس قناعاتي. أعيش جسدي وأترك لك متعة كتابته.

ــ أنا لا أكتبه، بل أكتب به، والفرق شاسع بين الحالتين.

ــ تكتبين موته وأنا أحييه.

ــ أكتب به الحياة وأنت تعيشين فيه الموت.

ــ سخافاتك لن تغيّرني.

ــ وعبقريتك لن تلامس جلدي.

ــ تعلمين أنني لا أهتم بما يلامس جلدك.

ــ وأعلم أيضاً أن ما يحييك هو انهمار نظرات الآخر على جلدك.

ــ بالفعل لا أتقبل النظرات الفارغة، إنها بالفعل تقتلني. حين ألاحظ أن الآخر لا يراني، أشعر بالدوار والغثيان. لن أتحوّل إلى لوح زجاج شفاف يخترقه النظر ليرى ما وراءه، سأظل سداً منيعاً.

ــ لدرجة أن اقتحامه يصبح صعباً، كما حصل مع سمير اليوم.

ــ لن أتوقف عند هذا الوغد ولا عند تأويلاتك حوله وحول علاقتنا، فغيره أفضل منه، والآن سيكونون كثراً.

— لم يبق لي سوى الدعوة لك بالتوفيق. لكن أطمئنك إلى أن الصفحة قد انقلبت وما تفعلينه الآن ليس إلا كتابة رفضك لها. إنك تحاولين صعود مجرى النهر، لكن مهما فعلت فلن تستحمّي بمياهه مرتين.

17

حين تركت هبى إلهام وانصرفت إلى غرفتها لمراقبة ملامحها الجديدة، أكملت إلهام كأسها وهي تتساءل عن سبب العناد الذي تبديه هبى في تقبل السير الطبيعي للأمور.

ــ ليستْ وحدها في هذه الحالة، قلتُ لها، كلنا نرفض هذا التغير الذي يدنينا من الموت؛ الإنسى تحاول استرداد شبابها باللجوء إلى ما يحسّن مظهرها، والرجل يلجأ إلى ما يحافظ على فحولته. هي تشعر أنها انتهت حين تنتهي من العادة الشهرية وهو يشعر بالانتهاء حين يلاحظ الخمول في عضوه الجنسي.

ــ لكن الرغبة لا تتأثّر كثيراً مع انقطاع الطمث عند الإنسى.

ــ وأظنها لا تتغيّر عند الرجل، لكن جسده هو الذي يصبح عاجزاً، وهذا ما يفسّر اختراع الفياغرا ومشتقاتها.

ــ ولهذا السبب أيضاً تغرم الإنسى بشاب يصغرها سناً كما حصل مع هبى.

ــ لكن الشاب يبحث عن شيء آخر في الإنسى الناضجة.

ــ أعلم، إنه يحقّق معها المحرّم وهذا ما يثير رغبته التي تكون أحياناً أكثر من عادية.

ــ إن كانت هبى من النمط العادي الذي تنتقدينه، فكيف تمكّنتِ أنتِ من الانتقال إلى الصفحة الثانية من دون ألم.

ــ أولاً، لقد سبق أن قلت لك إن الصفحة البيضاء لا ترعبني لأنها ليست سوى وعاء أسكب فيه ما يملأني. ثم إن ما دفعني إلى قلب الصفحة ليس العمر، بل أمر آخر.

فجأة عادت هبى وهي تقول: «لا أقوى على النوم، سأتابع معك السهرة. لن أغفو قبل أن أعرف كيف تمكّنت من الانتقال إلى ما تسمينه الصفحة الثانية من دون عناد أو حتى تساؤل».

ــ من دون عناد، نعم، أمّا التساؤل فكبير.

ــ يعني أنك لم تقلبي الصفحة بكل رضا؟

ــ قلبتها حين استوعبت فلسفة أحد كبار الفلاسفة الحديثين، وهو كنط الذي تدرسينه وأدرّسه في الجامعة. قلبتها بقناعة لا عن يأس.

ــ وكيف تم ذلك؟

ــ تم ذلك بانتقالي إلى كتابة الرواية.

ــ تأثّرت بالفلسفة وتكتبين الرواية؟

ــ انتقلت من تخصيص العام كما تفعل الفلسفة إلى تعميم الخاص كما هو دور الرواية. حين أكملتُ قراءة كنط، اكتشفت أنني لا أرغب في أن أكون في مجال الفلسفة التي أمضيت القسم الأول من عمري فيه. لقد مكثتُ في هذه الحالة وكتبت عنها إلى أن اتّضح لي، مع كنط، أنها حيّز كل التناقضات الممكنة والتي لا يمكن حلّها إلا بتقبّل مصادرات لا تقبل النقاش، بل علينا تقبلها كما هي، لأن دور العقل هو فقط دفع معطيات الفاهمة إلى اللانهاية واللامشروط، كما تعلمين، وهما خارج الواقع المعاش.

ــ وما علاقة كل ذلك بما نتحدث عنه؟

ــ أدركت أن مجال الفلسفة هو تلك العلاقة بين العقل والفاهمة التي هي ملكة المعرفة، وأدركت أن مجال الواقع الحقيقي هو في العلاقة بين الحساسية التي تملك حدْسين هما حدْس الزمان وحدْس المكان، والفاهمة التي هي حاضنة الأفاهيم، ويربط بينهما المخيلة، وهي الملكة التي لها باع في الحساسية وباع في الفاهمة، وهي التي تحدّد ما يسميه كنط الرسم أو الشيم schème الذي ترتكز عليه الفاهمة لإنتاج معرفة بالموضوع، وفي كل ذلك لا أقول أمراً جديداً.

ــ لم أفهم إلى أين تأخذينني في هذا التحليل.

ــ إني آخذ نفسي فقط. والمهم أن ما استخلصته من دراستي لكنط هو أنني اكتشفت أن الرواية الحقيقية هي التي تجد مكانها في هذا المجال الذي تشغله المخيلة التي هي ليست المتخيل الذي يحكى عنه في النقد الأدبي، بل هي قول الواقع وتحويله إلى رسم، أي أن

الرواية هي هذا الرسم الذي تنتجه المخيلة بناءً على ارتباطها بالواقع مرتكزة على قوة الأوتعاء الذي من دونه تصبح عاجزة عن أداء دورها.

ـ يعني أنك انتقلت إلى كتابة الرواية بعد أن قرأت كنط.

ـ ليس هذا فقط، بل اكتشفت ماهية الرواية وأصبحت أسخر من بعض ما يسمونه رواية حالياً. والرواية كما فهمتها هي الحيز الذي وجدت فيه نفسي بعد انتقالي إلى الصفحة الثانية التي بدأتها بكتابة السيرة الأولى.

ـ تلك السيرة التي حين قرأتْها، وكانت لا تزال مخطوطة، الناقدة يمنى، قالت عنها إنها رواية غير عادية؟

ـ وجدَتها غير عادية لأنها خارج مراجعها النقدية الكلاسيكية التي تتمّسك بها كما يتمسّك بها غالبية النقاد.

ـ وبماذا تصفين القول الروائي؟

ـ القول الروائي هو قول ثقافي بامتياز. وما دفعني إلى هذا التعريف هو متابعتي للرواية العربية عامة والرواية اللبنانية تحديداً. المتابع مثلي، لا بد من أن يطرح على نفسه السؤال التالي: هل يا ترى كانت جدتي، رحمها الله، أهم روائية من دون أن تدري؟ وهل إنْ دوّن أحدهم القصص التي سمعها عن جدته وهو طفل، أو إن لَمْلَم، من هنا وهناك، قصصاً مبعثرة وحبكها بلعبة فنية مصطنعة يصبح قوله قولاً روائياً؟

ـ وبماذا تجيبين عن هذه التساؤلات والسوق مليء بهذا النمط من

الروايات والتي يحظى بعضها بشهرة غير مسبوقة.

ــ مهما اشتهرت رواية ما فهذا لا يغيّر قناعتي بماهية الرواية؛ هي قول ثقافي بامتياز لأنها المجال الأرحب الحاضن لكل الميادين الثقافية والفكرية والتي يتم إخراجها بقول خاص هو النص الروائي الذي يشكّل الرسم الذي توجده المخيلة الكنطية للانتقال إلى الفاهمة، وهي التي بتعريفها له تعيده إلى الواقع الحقيقي.

ــ بماذا إذاً تصفين بعض الروايات ومنها ما هو رائج جداً.

ــ الرواية التي لا تقوم على هم ثقافي فكري هي حكاية، حتى وإن أتقن صاحبها بناءها وأكثر من أصواتها وأخرجها وفقاً لقواعد النقد السائد.

ــ لكن، ومع أنني لا أكتب الرواية، أعرف أن الهم الثقافي الفكري لا يروى.

ــ تماماً، الرواية / الحكاية هي التي تُروى، بينما الرواية/الرواية تُقرأ ولا تُروى لأن البعد الفكري الثقافي الذي تحمله أو يحملها هو خارج النص، خارج السرد، خارج الأحداث المروية التي لا يستقيم دورها إلا حين تأتي تمثيلاً على البعد الثقافي الفكري.

ــ لكن بعض النقاد يرفضون هذا الرأي.

ــ وأقول لهم إنكم برفضكم هذا تدافعون عن دوركم لا عن الرواية، لأن الرواية تأتي قبل النقد لا بعده؛ هو تابع لها.

ــ وكيف تستقيم الأمور إذاً؟

ــ الرواية التي يكون انهمامها هو الثقافي الفكري لا تأبه بما سيكتبه النقاد عنها، لا بل هي التي ترسي قواعد النقد الذي سيأتي بعد تراكمها.

ــ ألهذا السبب صمتَت الناقدة يمنى بعد قراءة كتابك الأول وعلّقت عليه شفهياً بأنه رواية غير عادية.

ــ لم تجرؤ على كتابة رأيها فيها ولا في الروايات التي تلتها على ما أظن.

ــ لو اكتفت بالصمت لهان الأمر لكنها بذلت كل جهدها لتسويد صورتك. ألا تذكرين ما قاله لك صديقك حنا، عما فعلته يمنى، حين كتب عن روايتك الأولى وهو الذي لم يكتب عن أحد إطلاقاً.

ــ أذكر، لقد نشرت عرضه كما يقال بالدارج.

ــ لكن لماذا كل هذا الحقد عليك من قبَلها؟

ــ سبق إن قلت إنها ثقب في ذاكرتي. ومن الأفضل أن نعود إلى مفهوم الرواية الذي به انتقلتُ إلى كتابة الصفحة الثانية من عمري.

ــ انتقلتِ بي إلى الصفحة الثانية، فهل تريني وجهك الآخر.

ــ أنت الغياب الذي أستحضره في الكتابة كي ينوجد بالفعل.

ــ تقصدين أنني كنت عدماً قبل أن تكتبيني في سيرك الثلاث؟

ــ في البدء كانت الكلمة.

— لكن الكتابة وبخاصة كتابة الرواية ليست فقط كلمة، بل هي أيضاً فن.

— أما فنية الرواية، التي يركّز عليها النقاد إجمالاً، فهي اللعبة التي يلجأ إليها الروائي كي يُخرج ما يريد قوله.

— أليس من قواعد لهذه اللعبة؟

— هنا يكمن الفارق بين كاتب الحكاية وكاتب الرواية؛ الأول يدرس أولاً قواعد النقد ويحاول إلباسها أحداث حكايته فيكون بذلك كالمثقف، عارض الأزياء الذي تكلمنا عليه مرة، أما كاتب الرواية، فلا يكترث بقواعد النقد لأن همّه الفكري الثقافي هو الذي يبدع فنية نصه؛ ولهذا السبب نراه في كل رواية يبدع لعبة فنية خاصة بها، فتأتي فنيته من داخل القول، إذ لا يعود من تمييز بين القول وفنيته؛ وهنا يقف النقاد أمام جديد لا يعرفونه، أمام نص لا يجدون له مرجعية يرتكزون عليها لنقده، فيصابون بالدوار وتكون ردّة فعلهم إما الشتيمة وإما الصمت، وكلاهما واحد بالنسبة لصاحب القول الروائي لأنه دليل على العجز.

— مع فارق بسيط بينهما وهو أن الصمت أدهى وأخبث من الشتيمة.

— أعرف من تقصدين ولن أتوسّع في الموضوع.

— إنها مارست الصمت والشتيمة معاً وقد سمعتُ أصداءً كثيرة عن ذلك. لكنها أعجبت بفنية عملك الثاني: «هبى في رحلة الجسد»، ومع ذلك آثرت الصمت. ولو اكتفت بذلك لهان الأمر. هل نسيت ما قالته لك حين عادت مرّة من مصر؟

ـ لا أذكر شيئاً عن هذه الناقدة، حتى أن اسمها قد غاب عن ذهني.

ـ لكنني أذكر تماماً ما قالته لك بكل وقاحة. قالت: «سلّمتُ كتبك إلى جابر عصفور لكني قلت له: «إنها امرأة متحرّرة جداً، وأنا لا أتحمّل المسؤولية إذا دعوتها إلى مصر».

ـ إنسي الموضوع فكل إناء ينضح بما فيه.

ـ سأعود إلى القول الروائي، فهو ككل قول ثقافي آخر، مرسل إلى متلقّ يقرأ النص.

ـ والقارئ يقارب النص انطلاقاً من خلفيته الثقافية، وهنا يتبدى الاختلاف بين قارئ وآخر أي بين القارئ الأمي والقارئ المثقف.

ـ الأول يلهث وراء الحكاية والثاني يبحث عن المعنى.

ـ تماماً كما تفعلين أنت، تلهثين وراء تحسين شكلك كي تتهربي من المعنى.

ـ لا، إنني أمنح حياتي معنى جديداً.

ـ هنيئاً لك إن كنت مقتنعة بهذا المعنى الجديد.

ـ لا أريد الغوص مجدداً في هذا الموضوع الذي لن نتفق حوله إطلاقاً، ولنعد إلى الرواية والقارئ؛ ألا توافقينني الرأي أن القارئ العربي، إجمالاً، يتميّز بالأمية؟

ـ وهو يعكسها على النص، وهذا ما يفسر رواج الرواية/الحكاية ، بينما تبقى الرواية/الرواية محدودة الانتشار، قراؤها النخبة المثقفة فقط.

ـ أليس الرواج والانتشار دليل نجاح؟

ـ الرواية المثقفة لا يُروّج لها في العالم العربي وهي لا تكترث لذلك لأنها بالأساس موجهة إلى هذه النخبة المثقفة. وهذه النخبة، على عكس المافيات الترويجية، لا تحوّل الإنتاج الفكري إلى سلعة تجارية.

ـ وعندنا في لبنان، غالباً ما تكون هذه المافيات طائفية أو سياسية أو هما معاً. وهذه المافيات قائمة على مقولة: «طبّلّي لطبلك»، وأنت خارج هذه المسرحية كلياً.

ـ هذه المافيات ليست فقط سياسية وطائفية، إنها غير ذلك أيضاً.

ـ لقد سمعت وقرأت شيئاً عن ذلك، فهل هو صحيح؟

ـ وماذا سمعت أو قرأت؟

ـ قرأت أن هذه المافيات هي جمعيات مقفلة للـ gay.

ـ هذا صحيح والأمر ليس جديداً، لكنه تشرشح الآن إذ دخله رعاع سفلة بعد أن كان مقتصراً على نخبة مميّزة.

ـ وهل النجاح في مجال الثقافة والفكر أن ينخرط المرء في هذه المافيات؟

ـ ليس النجاح بل الترويج. ألا تلاحظين محطات التلفزيون والصفحات الثقافية في الصحف؟ إنها أدوات هذه المافيات كي يروجوا لأعضائها.

ـ وهل تظنّين أن باستطاعتك مواجهتها بمفردك؟

ــ أنا لا أواجهها، فقط أقول لها إنني أعرف آليتها وأحتقرها. ولهذا السبب لم ألجأ مرة إلى تسويق كتبي، لقد كبرت وحدها كما قال لي مرة رشيد الضعيف، الذي كما تعلمين ما عادت قدماه تحملانه.

ــ لكن ما تقومين به هو خطأ، لقد تعرّفت، في حياتك، إلى أسماء كبيرة في عالم الفكر والثقافة ولم تثمّري اسماً واحداً.

ــ تقصدين أنني لم أستثمره كما يفعل الغير. لكنني أقول لك، من خبرتي في هذا الموضوع، إن هذا التثمير الذي تتكلمين عنه لا يمر إلا عبر الجسد، أي جسد الإنسى، ولهذا السبب استبعدته، لم أتقن يوماً التجارة، وبخاصة المتاجرة بالجسد، وتعرفين ماذا يعني لي هذا الجسد.

ــ أعرف وكنت الشاهد على عروض كثيرة من هذا النوع وأحيانا كنت ألومك في سري وأقول لنفسي: «كبرياؤها ستقف عائقاً في طريق انتشار كتبها وبخاصة الآن حيث الانتشار تخطى البعد اللغوي وصولاً إلى العالمية».

ــ وهنا نلاحظ الهرولة وراء الترجمة، وهنا بالتحديد يدخل السياسي على الثقافي على المافيوي؛ فيترجم إلى اللغات الغربية أما «الرواية» التي يكون قد زُوِّج لها في العالم العربي، وهي الرواية/ الحكاية التي تعطي دليلاً للغرب على تخلفنا ودونيتنا والذي بدوره، يتلقّفها ويترجمها للبرهنة على ما يحاول تأكيده وبالتالي على ضرورة تحكّمه بنا.

ــ هذا من جهة، أما من جهة ثانية فإن الغرب يبحث عند العرب والعالم الثالث، إجمالاً، عن الرواية التي قولها هو قول سياسي يصبّ في مصلحته أو يروّج لرؤيته حول المقولات المطروحة اليوم في

التداول مثل الديموقراطية والسيادة والاستقلال وغيرها مما يطبقه في العراق مثلاً.

ــ ما تقولينه هو صحيح، لأن الرواية/الرواية التي هي قول ثقافي والتي تضاهي أو تتفوّق على الرواية الغربية أو التي تعارض وتتصدى للمفاهيم السياسية الغربية السائدة، أو التي تحيد عما يبحثون عنه في هذا الشرق، فإنهم يتجاهلونها ويبعدونها عن مؤسساتهم المشغولة بالترجمة.

ــ لكنني مصرّة على أنك مقصّرة في حق ذاتك لأن العصر هو عصر الإعلام وأنت أبعد ما يكون عنه.

ــ إنه عصر الافتراضي le virtuel ــ مع عدم موافقتي على المصطلح العربي المتداول ــ وأنا مع الحقيقي ولو أنه نسبي.

ــ لكن كي لا نبقى في العموميات أود أن نبحث قليلاًفي جنس القول حيث كثيراً ما نقرأ ونسمع عن الأدب النسائي، فما هو المقصود بهذا التعريف؟ هل هو النصوص التي تكتبها النساء فقط، أم أنه يحمل بعداً اختلافياً آخر يميّزه عن الكتابة الذكورية؟

ــ إن متابعتي لما يسمّونه أدباً نسائياً جعلني لا أميّز بين غالبية الكتابات التي تحمل عنوان الأدب النسائي والكتابات الذكورية، إذ إن القول هو واحد في الاثنين. وأنت تعرفين رأيي في هذا الموضوع ولن أعود إليه لأن القارئ يجده في ملحق روايتي عنك والتي تحمل عنوان: «حين كنت رجلاً».

ــ يعني أن ما يصنّف الآن أدباً نسائياً هو ما تكتبه الإنسى حتى لو أنه لا يختلف عن الكتابة الذكورية.

ــ هذا صحيح، لكن الكاتبة التي لا يختلف قولها عن القول الذكوري والتي تقبل بأن تصنّف نصوصها بالأدب النسائي، فهي تماماً كالمثقف «عارض الأزياء»، تستعمل قلمها لتحوك لنفسها زياً ذكورياً يخفي جسداً إنسوياً مهمّشاً ومغيّباً.

ــ إن قلم الكاتبة هذه ليس سوى قناعها الذي تخفي وراءه ذاتها، مستكينة إلى كونها موضوع القول لا قائله.

ــ الفارق شاسع بين الاثنين.

ــ لكن لماذا نكتب، ولا نكتفي بالعيش فقط؟

ــ إنه سؤال كبير. فما ملأتُ به الصفحة الأولى من حياتي كان تماماً العيش فقط، لكن مكتسباتي وقراءاتي التي أدّعي أنها كثيرة، علّمتني أن الشيء لا ينوجد إلا حين يعقل، أي حين نجد له اسماً، حين نعرّفه، فبتسمية الشيء يكون انوجاده. لكن استمرارية هذا الوجود تتم بواسطة التداول الذي يستقيم فعله حين يغيب فعل التعريف ولا يبقى سوى المعرَّف عنه، ولذلك نستعمل الكلمات من دون أن نفكّر أو نعي أصلها ولا كيفية وصولها إلينا. لكن هذه الاستمرارية لا تحظى بديمومتها واختراقها لمفعول الزمن إلا حين تدوّن وتحفظ في كتب.

ــ لكن الكتب ليست سوى أضرحة لكائنات حية.

ــ لكنها تحفظ على رفوف المكتبات وفي الهواء الطلق لا تحت التراب.

ــ تقصدين أن الكتابة هي التجربة التي تعلّمنا كيف يستمر الإنسان بعد موته.

ــ لكنني أرى أنه على الرغم من أن لكل إنسان هدفاً من وراء الكتابة، يبقى أن الهدف الأهم هو ذلك الوهم الذي ندخله أو تلك اللعبة التي نلعبها، أحياناً، ببراءة وفرح لأننا لا نعيها، وأحياناً، نلعبها بمأساوية كبيرة لأننا نعيها، أي نعرف أنها مجرد لعبة، لعبة الخلود الوهم الذي يلجأ إليه الإنسان هرباً من حياة بائسة وهي حتماً بائسة، مهما بدت ناجحة، لأن نهايتها هي ذلك العدم الذي لا يرتوي.

ــ وهذا يعني أن الكتابة وهم وهي لا تختلف كثيراً عن وهم الاستمرار في مرحلة الشباب. فلماذا أنت إذاً ضد هذا الوهم الذي نعيشه مع عمليات التجميل التي تمدّد في مرحلة شبابنا؟

ــ الفارق هو أنك تودّين البقاء شابة وأرغب في البقاء حية.

ــ وكلاهما وهم ولعب كما تقولين.

ــ لكن الكتابة، ومن بين الألعاب الكثيرة، هي اللعبة الأمتع بنظري، لأنها المجال الذي يمارس فيه الكاتب، وبخاصة إذا استمر هاوياً وليس محترفاً ومكرّساً، نرجسيته بكاملها.

ــ وما الفارق بين الهاوي والمحترف في مجال الكتابة؟

ــ ما كنت أتوقّع هذا السؤال منك ومع ذلك سأجيب: الفارق بين الهاوي والمحترف هو أن الأول يعي أنه يلعب، بينما الثاني لا يعي أنه يلعب، وهكذا يحاول الأول إرضاء ذاته وقناعاته، بينما يلهث الثاني وراء إرضاء الآخرين أو إرضاء «الحقيقة». لكن هذا المحترف، بجديته هذه، يخسر نفسه مرتين، مرة لأنه، مهما فعل، لا يستطيع إرضاء كل الآخرين، ومرة ثانية لأنه لن يرضي الحقيقة لأنها، وبكل بساطة، غير موجودة.

ــ لكن في محاولتنا للمحافظة على شكلنا الشاب، نرضي نرجسيتنا.

ــ وللدقة أقول إننا نرضي وهماً، لأن النرجسي الحقيقي هو من ينظر إلى نفسه بعينيه هو، بينما الواهم، مثلك، هو الذي ينظر إلى نفسه بعيون الآخرين. والدليل على ذلك هو أنك لم تقرّري إرجاع مظهرك الشاب إلاّ حين شعرت بتلك الشفافية التي جعلت نظرات الآخرين تخترقك من دون أن تراك.

ــ بالفعل لم أستطع تحمّل ذلك.

ــ وبالفعل إنك أبعد ما يكون عن النرجسية.

ــ وهل فعل الكتابة هو تحقيق للنرجسية كما تدّعين؟

ــ هنا ندخل في موضوع جديد وهو كيف نكتب، إنه سؤال يدخلني مباشرة في تجربتي الخاصة.

ــ وهل تجربتك في الكتابة تختلف عن تجربة الآخرين الذين يكتبون؟

ــ لا أدري، لكن تجربتي في الكتابة هي التي أوصلتني إلى التمييز بين القول الذكوري والقول الإنسوي.

ــ أذكر أن أول ما قمتِ به في هذا المجال كان دراستك حول تحرير المرأة.

ــ كتبت هذه الدراسة باندفاع كبير ووضعت فيها كل قناعاتي في تلك المرحلة.

ــ كانت مرحلة السبعينيات من القرن الماضي، وقناعاتك كانت أنه

لا اختلاف بين الرجل والمرأة ـ وهنا أستعمل كلمة امرأة لأنك ما كنت قد اكتشفت بعد مصطلح إنسى ـ إلا اختلافات شكلية ليس لها أي تأثير على الأبعاد الأخرى التي تشكّل جوهر الإنسان.

ـ وانطلاقاً من هذه القناعات تابعت، على الصفحة الأولى من حياتي، التحصيل والتعلم وتابعت أيضاً الكتابة.

ـ وأتت كل كتاباتك في ميدان الفلسفة.

ـ لكنني كنت كلّما ازددت تجربة، ازددت شعوراً بالغربة عن كتاباتي. ومع مرور الزمن وصلت إلى الشعور بالانفصام بيني وبين ما أكتب، وهو شعور مزعج يرمي صاحبه في القلق وعدم الرضا.

ـ وما كان السبب لعدم الرضا هذا؟

ـ بحثت عن السبب وتكشّف لي أنه يعود إلى كوني أكتب بالواسطة.

ـ يعني أنك كنت تكتبين قولاً غير قولك؟

ـ اكتشفت أنني كنت أقول ما لا يقولني والسبب هو أنني، كي أعبّر عما أريد التعبير عنه، كنت أستعير القول السائد.

ـ وهو فعل لا بد منه لأن السائد هو الوحيد الموجود وبالتالي المتاح.

ـ لكن هذا القول السائد أصبح عاجزاً عن التعبير عما أريده فعلاً. إنه يعبر، أو يقول ما يجب أن يكون وفقاً للسائد ولا يعبّر عما أنا في الواقع.

ـــ لكن هذا القول لا يزال سائداً حتى الآن.

ـــ هو لم يتغيّر بل أنا تغيرت، ولذلك أصبح الشرخ يتّسع بيني وبين قولي. وحين بلغ الانفصام حدّاً لا يحتمل توقّفت عن الكتابة.

ـــ لقد توقفت عن الكتابة فترة طويلة نسبياً فما الذي ردّك إليها؟

ـــ لم أعد إليها إلا حين وجدت الحل. وهنا قلبت الصفحة الأولى وباشرت كتابة الصفحة الثانية. كان لا يزال فراغ في تلك الصفحة الأولى، لكنني قلبتها لأترك لك مجالاً للبقاء فيها.

ـــ وما كان ذلك الحل ما دامت أنك عدت إلى الكتابة؟

ـــ تحقّقت من أن القول السائد هو ليس قولي أنا، وأنني مختلفة عما يقوله. وبما أن هذا القول هو القول الذكوري الذي، حين أستعيره أو أستعمله لأعبر عن ذاتي، يجعلني أكون به وليس بذاتي، أدركت اختلافي وأدركت أنه يجب أن يكون هناك قول يناسبني، قول يقولني من دون أن أشعر بالانفصام، قول يقول اختلافي كإنسى.

ـــ وهنا بدأت بكتابة السيرة جاعلة مني بطلتها.

ـــ لكن، لسوء حظي، حين خرجتِ من السيرة عدتِ إلى السائد وتشبّثت بالبقاء في الصفحة الأولى بينما أصبحت أنا في الصفحة الثانية. أنت تكتبين على الهامش وأنا أخط كلماتي على متن الصفحة البيضاء محاولة بلورة قولي الخاص الذي أراه قول الإنسى.

ـــ لم أتخلص من كوني امرأة ولم أتخلص من قولها.

ـــ إنني مدركة تماماً أن الانتقال من قول شكّل كلَّ مكتسباتنا الثقافية إلى قول جديد يقلب كل المقاييس والاعتبارات، ليس بالأمر السهل، لكن لا بد من المثابرة، علّنا نرسي المدماك الأول في عمارة القول الإنسوي لتحويل الأنثى من امرأة إلى إنسى، وبالتالي من مرتبة الموضوع إلى مرتبة الذات.

ـــ سأتركك مع أفكارك هذه وأدخل غرفتي لأستعيد من المرآة بهاء صورتي وبالتالي وجودي.

ـــ الذي أشعرك كلامي بتلاشيه.

18

لم تقتنع هبى بما سمعته من إلهام لأن انهمامها كان في توجه آخر؛ فبينما كانت إلهام تبحث عن قول جديد هو قول الإنسى الذي به يتحقّق انوجادها، كانت هبى تبحث عما يحسِّن من مظهرها لتحقّق، هي أيضاً، ما تعتبره انوجادها. أيهما هي على حق؟ لن أغوص في البحث عن إجابة، ولا دوري يخولني بفعل ذلك، أنا أرصد الحدث فقط، وما حدث، بعد ذلك الحوار الطويل بين هبى وإلهام هو دخول هبى غرفتها لتقف أمام المرآة وتبدأ بالتعري متفحّصة كل تفصيل في جسدها، من أعلاه حتى أسفله؛ الوجه بات على ما يرام، فلا تجاعيد ولا آثار واضحة لمرور الزمن عليه، العنق الذي خضع أيضاً لعملية شد، هو في أبهى صورته الملساء، الصدر يحمل أجمل ثديين مرفوعين كأنهما يتحديان الناظر إليهما ويشدانه إلى العبث بهما تلبية للرغبة، الخصر والبطن ضامران، يحاكيان غصن البيلسان، وسمعتْ هبى الأصوات القديمة التي

كانت تقول لها وهي في أول طلعتها: «خصرك يا هبى نحيل كغصن البيلسان». ارتاحت إلى صورتها وتمتّعت بنوم هنيء هادئ وأحلام سعيدة.

تابعت هبى وإلهام عملهما كالعادة في الجامعة، وأمضت هبى سنة أخرى برفقة إلهام، لكنها سنة أتت كسابقتها حيث كانت هبى، خلالها مهووسة بمظهرها، الذي كلما رمّمت جزءاً منه، برز أمام عينيها جزء آخر للترميم، وآخرها قفز أمام عينيها حين دخلت مرة غرفتها لتستعرض صورتها أمام المرآة بعد أن غابت كل آثار العمليات السابقة من ورم وندوب وغيرها. وقفت أمام المرآة عارية تماماً وباشرت عملها التفحّصي انطلاقاً من أعلى الرأس وصولاً إلى أصابع القدمين. لكن حين وصلت إلى الفخذين استوقفها شكلهما؛ إنهما أملسان من الجهة الخارجية، لكن الجهة الداخلية تُظهر بعض الترهّل. مدّت يديها وشدت داخل الفخذين نحو الأعلى، فاختفى الترهل وعاد الانسجام إلى الجسد المشدود. أرخت يديها ورفعت ذراعيها بشكل أفقي وهي تقول: «علي أن أستشير جراح التجميل لإخفاء هذا الترهل في بطن الفخذين». لكن ما أن قرّرت أن تعالج فخذيها، حتى لاحظت ترهلاً في داخل ذراعيها بالقرب من الإبطين. أخذت ترفع ذراعيها وتخفضهما لتتأكد مما ترى، وحين تأكّدت، أضافت إلى برنامجها عملية أخرى. لكنها، كعادتها أرادت أن تستشير إلهام في الموضوع؛ ارتدت كيلوتها وخرجت إلى الصالون حيث وجدت إلهام تقرأ أحد فصول روايتها الحالية.

ــ انظري إلي جيداً.

ــ لماذا؟ أجابت إلهام.

ــ ألا تلاحظين شيئاً؟ عدم انسجام ما، عدم اتساق؟...

ــ بكل صراحة لا ألاحظ شيئاً، فأنت الآن...

ــ وهذا الترهّل في داخل الفخذين؟ ألا يتعارض مع الشكل العام للجسد؟ قالت هبى وهي تضع كفيها على المكان الذي تكلمت عنه.

ــ دعيني أرى، ارفعي يديك.

رفعت هبى ذراعيها وانفجرت إلهام من الضحك وقالت: «الترهل يكتسح داخل الفخذين والذراعين معاً. أهذا يعني عملية جديدة؟».

ــ بكل تأكيد.

ــ لقد حذّرتك، منذ البداية، أن اختيار محاربة الزمن عملية خاسرة، هو الأقوى وكل ما نستطيع فعله، الهرولة وراء تصحيح ما يتلف وهو عمل شاق لا ينتهي. اليوم ترين الترهل في بطن فخذيك وذراعيك وغداً سترينه في أماكن أخرى. وما أن تنتهين من إخفاء الترهّل في كل مكان حتى يعود ويظهر في المكان الذي بدأت بشده وتمليسه. لقد دخلت في حلقة مفرغة.

ــ لن أدخل الحلقة المفرغة، لكنني مصمّمة على ترميم كل جزء من جسدي يظهر عليه أثر الزمن قبل أن أخبرك عن القرار الذي سأتخذه في الوقت المناسب. أما الآن فسأتصل بالطبيب الجراح لأستشيره في كيفية معالجة الأمر المستجد.

ــ وإن نصحك بعملية جديدة، فهل ستخضعين لها؟

ــ سأقوم بكل ما ينصحني به الطبيب.

ــ إنها، فعلاً، لتجارة مربحة، ما دام هناك أناس مثلك لا همّ لهم سوى المظهر الخارجي.

ــ المظهر الخارجي هو صورة الداخل، فكلما حسّنته تحسَّن الداخل.

ــ الداخل، إن كان متيناً، لا يقبل بالغش. وما كل هذه التغييرات في الشكل سوى نوع من بلف الذات واستغبائها، لا بل هو رفض لهذه الذات. ألهذه الدرجة تكرهين حالك؟

ــ على العكس، فأنا أعشق ذاتي ولهذا السبب أريدها بأبهى مظهر.

ــ حتى لو ناقض المظهرُ الواقعَ؟

ــ الواقع يتغير مع المظهر، فأنا منذ أن غيّرت شكلي، بدأت أشعر أنني أصغر سناً، وهذا أثّر في كل سلوكي الذي تغيّر مع مظهري الجديد.

ــ لم تواجهي بعد المجتمع، مجتمعك لكي تتلمّسي رد فعلهم على ما قمت به. لم يرك حتى الآن سوى سمير الذي رفضك في شكلك الجديد... وأساتذة الجامعة الذين علّقوا على الموضوع بآراء مختلفة حيث البعض رحّب والبعض الآخر استنكر و...

ــ لن أتوقّف عند هذا الغبي سمير، ولن أتوقف عند تعليقات أساتذة الجامعة مهما كانت. إن كان سمير من النوع الذي يعشق العجائز اللواتي يذكّرنه بأمه فهذه مشكلته. على كل حال لقد ألغيته من حياتي، وسترين أن الكثيرين من الرجال سيتهافتون علي. لكنني لن أواجه العالم إلا وأنا بأبهى صورة. سأرمّم كل ترهّل في جسدي

وسأخرج إلى المجتمع بكل تألقي وبالشكل الذي خرجتُ به من الرواية إلى الواقع قبل أن يفعل الزمن فعله.

ــ لكن للزمن أثر على الداخل أيضاً وهنا يقف الطب عاجزاً، وكل ما يستطيع القيام به هو العلاج بالمسكنات. فإن استطاع أن يغيّر شكل الأنف أو الأذن أو الثدي أو... فإنه عاجز أمام إمكانية تغيير عمر الخلايا التي تهرم وتسبّب أوجاعاً وأمراضاً و...

ــ لكن التقدم الطبي الصحي استطاع أن يطيل عمر الإنسان والتقدم الطبي الجمالي استطاع أن يطيل مرحلة الشباب.

ــ وهنا يقوم نقاش مهم حول الكمية والنوعية.

ــ ماذا تقصدين؟

ــ أقصد أن النقاش اليوم يدور حول منفعة إطالة العمر إن لم يكن هناك تحسين في النوعية. يعني ما هي المنفعة من إطالة العمر إذا كانت السنين المضافة كلها أمراض وأوجاع و...

ــ لا أفكّر في السنين الأخيرة، كل ما أهتم به الآن هو أن أرجع، بشكلي، عدداً من السنين إلى الوراء، وسأقوم بكل ذلك قبل أن يبدأ الداخل بالتدهور.

ــ لماذا كل هذه العجلة؟

ــ سأخبرك لاحقاً.

اتصلت هبى بالطبيب الجراح وحدّدت معه موعداً لإجراء عملية

ترميم الفخذين والذراعين، ونجحت بأن تم كل ذلك بأقل من أسبوع، وارتاحت هبى إلى شكلها كلياً وقرّرت أن تخرج إلى مواجهة الآخرين الذين كلما سألوا إلهام عنها أجابتهم بأنها خارج البلاد. لكن ما أن قرّرت الخروج إلى العلن ومواجهة الأصدقاء، حتى حصل العدوان الإسرائيلي على لبنان في شهر تموز ٢٠٠٦، مما دفع بإلهام وهبى وكل الآخرين إلى ملازمة البيوت ومتابعة تطور الأحداث التي انتهت بنصر المقاومة اللبنانية التي حقّقت أول نصر عربي على الكيان الصهيوني منذ كارثة ١٩٤٨، وهو نصر انقسم اللبنانيون حول توصيفه، إلى درجة أن البعض وصفه بالهزيمة.

انتهت الحرب وعادت الحياة إلى مجراها الطبيعي واستعادت المقاهي استقبال روادها ونقاشاتهم. بعد استتباب الوضع وعودة الحياة إلى مجاريها العادية، قرّرت هبى مواجهة أصدقائها، قرّرت ذلك وهي كلّها ثقة بنفسها وبصورتها الجديدة. وحين أخبرت إلهام بقرارها، ارتاحت إلهام وقالت لها: «هل أستطيع الآن أن أقول إنك عدت من السفر؟».

ــ لا حاجة بك إلى ذلك، سيروننا معاً، غداً في المقهى. سترافقينني حتماً.

ــ حتماً، وهل ترضين أن يفوتني مثل هذا المشهد؟

ــ أوقفي سخريتك، ستسمعين الإطراء بأذنيك وسترين الإعجاب بعينيك.

ــ آمل ذلك. والمهم هو أنك راضية على ذاتك.

ــ بكل تأكيد، لكنني مهتمّة أيضاً برأي الآخرين.

ــ ليس «أيضاً» بل هو الوحيد الذي يهمك، والبرهان أنك لم تقرّري القيام بكل ما قمت به من عمليات ترميم إلا حين لم يعد الآخرون يرونك، إلا حين شعرت بتلك الشفافية القاتلة التي حولتك إلى لا شيء.

ــ ستنقلب الآية غداً وسأكون محطّ كل الأنظار.

ــ وسأحظى بقسم منها لأنني سأرافقك. «بحجّة الورد يشرب العلّيق»، كما يقولون في ضيعتنا.

ــ أنت راضية بما أنت عليه وترفضين التغيير، فإن تحولتِ إلى علّيق فأنت المسؤولة، بينما أنا كنت وردة وسأظل وردة.

ــ المهم في الوردة عطرها، لا عطر للوردة الاصطناعية.

ــ لن أعلّق على سمومك هذه، وسأتركك تفرغين ما تبقى منها في الرواية التي تكتبينها الآن.

بعد انصراف هبى إلى غرفتها بقيت إلهام وحدها في الصالون تفكر بما سمعته من هبى عن القرار الذي ستتّخذه في الوقت المناسب.

ــ ربما قرّرت الزواج مجدّداً، قلتُ لها.

ــ الزواج؟ أستبعد الأمر بعد ما حدث معها في زواجها من نوار.

ــ ربما فكرتْ في أن تتركك لتعيش وحدها مع عشيق أو...

ــ لا، أنا متخوّفة من أمر آخر.

ــ وما هو؟

ـــ سترونيه حين يحدث، لن أستبق الأمور لأن ما أفكر به هو مجرد حدس.

ـــ ولماذا تتخوفين منه؟ أهو أمر خطير؟

ـــ إنه خطر عليك لا علي.

ـــ وما علاقتي أنا بأموركما؟

ـــ سؤال عجيب! أليست أمورنا هي سر وجودك وسببه.

ـــ أنا راوية ويمكنني أن أهتم بأمور غيركما وأنا أقوم بدوري على أحسن ما يرام.

ـــ هل تقصدين أن الراوي مجرّد من كل ميل ولا دور له سوى تسجيل ما يحدث؟

ـــ هذا ما أمارسه. وأعتقد أنني، في ممارستي هذه، على حق.

ـــ إن مجرد اختيار الموضوع يُدخل الراوي في صلب اللعبة.

ـــ أعترف بأن اختيار الموضوع يخضع للميل، لكن بعد ذلك يصبح الراوي موضوعياً، وظيفته، فقط، نقل ما يحدث أمامه إلى القارئ الذي يحلّل الحدث على هواه ووفق خلفيته الثقافية والفكرية والاجتماعية و...

ـــ وكيف ينقل الراوي الحدث؟ أليس من زاوية نظره التي، بالتأكيد، تختلف عن زاوية النظر عند راوٍ آخر؟

ـــ صحيح، لكنه يحاول أن لا يتدخّل بالشرح والتفسير تاركاً للقارئ هذه المهمة.

ـ لكنه يقدم للقارئ المواضيع التي يترك له أمر تحليلها وتفسيرها، وهذا يعني أنه يتدخّل في الرواية مباشرة وبقوة.

ـ أنا لا أتدخل في الرواية، أطرح، فقط، الأسئلة التي توجّهني الإجابة عنها في موضوعي، والإجابة هذه تأتي من شخصيات الرواية لا مني أنا.

ـ لكنك تطرحين الأسئلة التي توجهك، الإجابةُ عنها، إلى حيث تريدين، وهكذا تكونين أنت من يرسم الخط الذي تسير بموجبه الرواية.

ـ لكنني أترك للشخصيات حرية الإجابة وأكتفي بدور التلصّص عليهم. أعتقد أن التلصص على الشخصيات هو، بالضبط، دور الراوي.

ـ ألا يضع الراوي نوعاً من مخطّط للرواية يوجّه الشخصيات بموجبه كي يتوصّل إلى النهاية التي يكون قد رسمها للرواية قبل البدء بكتابتها؟

ـ هذا نمط من أنماط كتابة الرواية، وهناك نمط آخر حيث يترك الراوي الشخصيات تتحرّك على هواها ووفقاً لتكوينها، ويكتفي باقتفاء أثرها من دون أن يدري إلى أين ستوصله، وهو عمل مغامر بامتياز.

ـ إنها مغامرة تنطلي على من يتوهّم أنه يقوم بها فقط، أو يوهم القارئ بأنه يقوم بها، وهي لعبة ممتعة لبعض الوقت، يدخلها الراوي مصطحباً معه القارئ، لكنها سرعان ما تنكشف ليعود الراوي هو الممسك بكل تحوّلات الشخصيات وتحركاتهم.

ــ ما تقولينه يصح حين يكون الكاتب هو الراوي.

ــ والفصل بينهما عملية بالغة الدقة، وقليل من الروائيين يتقن هذه العملية أو ينتبه إليها.

ــ فلنأخذ مثلاً، هذه الرواية التي نكتبها الآن؛ أنت الكاتبة وأنا الراوية، أنت تحدسين، لا بل تعلمين، بما ستقوم به هبى وأنا لا أملك سوى الانتظار كي أروي.

ــ ألا يتحوّل هكذا الراوي إلى شخصية من شخصيات الرواية لا دور له سوى تسجيل ما يقدمه له الكاتب؟ أليس الكاتب هو الراوي بامتياز مهما تذاكى في إخفاء دوره وراء راوٍ وهمي؟ وألا يصبح الكاتب هكذا أوّل ضحايا اللعبة؟ لعبته هو؟

ــ لكن من يكتب الرواية؟ هل الكاتب أم الراوي؟

ــ ماذا تفعلين أنتِ؟ ألا تكتبين أو تروين ما يحدث؟

ــ بلى، لكن من يدير اللعبة ومن سلّمني هذا الدور؟

ــ الكاتب هو الذي أوكل إليك هذه المهمة. استعان بك كي يوهم القارئ أنه يخوض مغامرة الكتابة وأنه يترك أبطال روايته أو شخصياتها تتحرّك من تلقاء ذاتها، من دون أن يكون له دور، إن لم نقل الدور الأساسي في تحريكهم عن سابق تصميم، كي يصل بهم إلى النهاية التي يكون قد وضعها لروايته قبل البدء بكتابتها.

ــ هل تقصدين أن كل ما يتشدّق به بعض كتاب الرواية من أنهم لا يتدخّلون في سلوك وتحركات شخصيات رواياتهم هو كذب.

ــ إن لم يكن كذباً فهو وهم ينطلي على صاحبه أولاً، وهمٌ لا ينجلي إلا حين يقترب الكاتب من إقفال أو إنهاء روايته وهنا تبرز نوعية الكاتب ويظهر تميّزه.

ــ لم أفهم ماذا تقصدين بقولك هذا.

ــ أقصد أن هناك روايات لا تعرفين لماذا انتهت، وكأن الكاتب تعب من متابعة ثرثرته أو أن جعبته نضبت من الحكايات فيتوقف عن الكلام. والمهزلة هو أن بعض النقاد يعتبرون أن هذا النمط من كتابة الرواية هو النمط المنفتح، أي المطل على شتى الاحتمالات والذي لا يُلزم القارئ بنهاية محدّدة تاركاً له حرية أن يذهب بالرواية إلى حيث يشاء.

ــ أهذا ما يسمونه مشاركة القارئ في كتابة الرواية؟

ــ دعيني أكمل فكرتي حول إنهاء الرواية أولاً ثم أجيبك عن سؤالك هذا. النهاية في كل رواية هي نقطة الوصول الحتمية والتي لا بد منها وفقاً لما حصل من أحداث في داخلها. أنا أرى أن الرواية هي عمل متكامل، ونهايتها تكون في عدم إمكانية إضافة أي كلمة عليها، هي القمّة التي يكون الكلام من بعدها نوعاً من التعليق فقط لأنها بالضبط تقفل الكلام. أما عن مشاركة القارئ في كتابة الرواية فهو أمر آخر؛ للقارئ حرية أن يقرأ العمل كما يشاء، وخلفيته الثقافية والفكرية تعطيه تأويلات مختلفة ومتعدّدة، شرط أن يحتمل العمل، بغناه الفكري والثقافي، كل هذه التأويلات وغيرها.

ــ أعود إلى الفكرة الأولى في ردّك لأستوضح منك أمراً سبق أن تناقشنا به: ألهذا السبب تأخذ كل رواياتك الشكل الدائري؟

ــ تماماً، وحين تُقفل الدائرة تنتهي الرواية. أي أن الرواية لا تنتهي إلا إذا استطاع الكاتب أن يُقفل الدائرة. وبكلام أوضح أقول: إذا استطاع الكاتب أن يوجّه أحداث الرواية باتجاه اكتمال الدائرة.

ــ لكن النمط الذي تتبعينه في رواياتك هو أحد الأنماط الكثيرة لانبناء الرواية.

ــ وأنا لا أقول غير ذلك، بل أعترف بأن هناك أنماطاً مختلفة وكثيرة، لكنني مقتنعة بالنمط الذي أتبعه، ولهذا السبب أدافع عنه وأترك للآخرين حرية الدفاع عن النمط الذي يتبعونه. لا أفرض رأيي على أحد، لكن، في الوقت نفسه، لا أسمح لأحد بأن يفرض رأيه علي. الرواية، بنظري هي عالم قائم بذاته، هي كل متكامل، ولهذا السبب أبنيها وفق الشكل الدائري، وأيضاً لكي أحكم إغلاقها على أي تدخّل. ثم أليس الشكل الدائري هو الشكل الأكثر كمالاً؟ إن طموح كل الأشكال الهندسية هو التخلّص من زواياها لتحقّق اكتمالها في الدائرة.

ــ دعينا من الفلسفة وأعيديني إلى الدور الذي أوكلتِه إليّ في قصتك مع هبى. أنا لست سوى الراوية وأنت المهندس، ولا أملك سوى الكد في سبيل النجاح في لعب دوري على أحسن وجه، كي لا يخيب أملك بي.

ــ اطمئني، لن تخيبي أملي بك، فأنا لست واهمة ولست من النوع الذي تنطلي عليه اللعبة التي يحاول بعض الروائيين إيهام أنفسهم وإيهام القارئ بها. أنت الشاهد الذي أنصّبه، من ذاتي، على ذاتي.

ــ أشكرك لأنك خفّفت عني الحمل الثقيل الذي كنت أرزح تحته منذ باشرت بلعب دوري كراوية. وأكثر ما كان يحيّرني في ممارسة

دوري هو حين كنتما تفترقان وفقاً لتسلسل الأحداث وضروراتها؛ كنت أسائل نفسي دائماً: هل دوري هو اللحاق بهبى أم اللحاق بإلهام كي أروي ما يحصل معكما.

ــ وكنت دائماً تختارين اللحاق بي لأن حدسك سليم وتعرفين من يدير اللعبة.

ــ بالفعل كنت دائماً أشعر بأنني مشدودة إلى اقتفاء أثرك أنتِ لا أثر هبى.

ــ مع العلم أنها هي الحدث لا أنا.

ــ لكني، وأنا معك، لا أتوقّف عن التفكير بما تقوم به هبى في غيابي، وهنا تتدخّل مخيلتي لتملأ الفراغ.

ــ وإن سألتك ماذا تفعل هبى الآن بعد أن انصرفت إلى غرفتها، فبماذا تجيبين؟

ــ لم تتركي لي مجالاً كي أتخيّل ما يمكن أن تكون قد قامت به هبى بعد انصرافها.

ــ دعينا من التخيّل ولنراقب الواقع كما هو. سأدخل عليها وأحاول تلمّس ما قامت به، وإن احتاج الأمر أسألها بوضوح عما فعلته وهي وحدها في غرفتها.

ــ سأنتظرك هنا.

ــ هل تتخلّين عن دورك كراوية وتلبسيني إياه كي أتلصّص على هبى؟

ــ أعرف أنك لن تتلصّصي حتى ولو اعتقدت هبى ذلك لأنها

الأغبى بيننا، ومع ذلك فإنها تقوم بدورها بشكل ولا أكمل ولا أبدع.

دخلت إلهام على هبى، لكنني لم أنتظرها في الصالون كما وعدتها، بل تبعتها، من دون أن تشعر بي، كي أتأكّد أنها لن تكذب علي وتخبرني ما يحلو لها عن سلوك هبى التي كانت ممدّدة على السرير وعيناها مفتوحتان تحدّقان في سقف الغرفة. وما أن تركت إلهام غرفة هبى حتى سبقتها إلى الصالون، بعد أن رأيت وسمعت كل ما دار بينهما.

ــ ماذا وجدت؟ سألتها، ما أن جلست قبالتي.

ــ كما كنت أتوقّع، لقد أمضت كل هذا الوقت وهي تحضّر الملابس التي سترتديها غداً، تلك الملابس التي تبرز أناقتها الجديدة ونحالة خصرها وضمور وركيها، مع التفكير بالتسريحة الأنسب التي تسلّط الضوء على نضارة وجهها الجديد. لكنها كانت مستلقية على السرير لأنها شعرت بألم في ركبتها، ألم يشبه تماماً الألم الذي شعرت به منذ فترة، والذي أظهرت الصورة الشعاعية أنه بداية نشاف أو ما يسمونه أرتروز. آمل ألا يتفاقم الألم ويمنعها من إتمام برنامجها أو، على الأقل، يرغمها على العرج في مشيتها كما حدث معي.

ــ بعد أن استمعتُ إليك وتأكدت من أنك لا تكذبين، أعترف لك بأنني تبعتك إلى غرفة هبى، وشاهدت كل ما رويته لي، وهنا لا بد من سؤال محيّر.

ــ هيا اطرحيه ولا تحتاري.

ــ هل الكاتب هو الذي يبدع ويشكّل الواقع على هواه أم أن الواقع بتشكّله، كما يريد الكاتب، هو الذي يجعل من الكاتب مبدعاً.

ــ إنه إشكال كبير أترك لك، كراوية، مسؤولية حله.

ــ وأنا بدوري أترك للنقد هذه المهمة.

19

اتصلت إلهام بشلة الأصدقاء وتواعدت معهم على اللقاء، عصرية اليوم التالي في مقهى السيتي كافيه، وفي اتصالاتها تلك حاولت أن تأتي بأكبر عدد منهم كي توفّر لهبى مواجهة كل معارفها دفعة واحدة، وهكذا تكون قد ساهمت في التخفيف عنها من عناء التوقّعات وانتظار ردود الفعل كلما التقت بأحدهم على حدة. اتصلت بهم ولم تخبر هبى. لكن هبى كانت قد سبقتها إلى ذلك حين انفردت في غرفتها واتصلت بالعديد منهم دون أن تخبرها. لكن كيف علمت أنا بالأمر؟ لم أكن مع هبى في الغرفة حين اتصلت بأصدقائها، وحين دخلتُ عليها مع إلهام، لم تخبرها بما قامت به، إذاً السؤال، مرة أخرى، كيف علمت بالأمر؟ هل هذا هو دور الراوي؟ هل الراوي، ظل يختبئ وراءه الكاتب الحقيقي. لن أتوقّف طويلاً عند هذا التساؤل، ربما ناقشت إلهام لاحقاً فيه، وسأتابع ما حصل مع إلهام وهبى.

استيقظت هبى صبيحة اليوم التالي على ألم شديد في ركبتها، مما عكّر مزاجها ودفعها إلى تحويل غضبها نحو إلهام التي حاولت التخفيف عنها وتتفيه الموضوع الذي لا يتعدّى كونه بداية نشاف وتآكل في الغضاريف ناتج من التقدّم في السن، «وهو أمر لا مفرّ منه، وعلينا تقبّله والتعايش معه».

ــ هل يمكن التعايش مع الألم؟ صاحت هبى.

ــ هناك آلام وأمور أخرى لا نملك إلا تقبّلها والتعايش معها، لأن رفضها لن يلغيها. لكن هناك علاجات تخفّف الآلام وهذا ما بوسعنا اللجوء إليه.

ــ وما هو هذا العلاج؟

ــ علينا استشارة الطبيب الذي سيطلب صورة شعاعية قبل أن يصف أيّ علاج. هذا بالضبط، ما حصل معي منذ فترة ليست طويلة.

تمّت الأمور بسرعة؛ اتصلت إلهام بالطبيب واستقبل هبى صبيحة ذلك اليوم بالذات ووصف لها العلاج المناسب الذي لم تتأخر في متابعته. كل ذلك حصل قبل الظهر، مما مكّنها من استعادة مزاجها وتحضير نفسها للّقاء المسائي مع الأصدقاء، ذلك اللقاء الذي استعدّت إلهام له أكثر من هبى نفسها. كانت مضطربة وتهيئ نفسها للدفاع عن هبى مهما حصل من ردّ فعل على تغيرها الواضح. لكنها لم تظهر اضطرابها أمامها، بل على العكس، حوّلته إلى نوع من المزاح الذي التقطت هبى، بذكائها الفطري، توتّره، مما دفعها إلى السؤال:

ــ ألاحظ أن مستوى المزاح في سلوكك، اليوم، مرتفع أكثر من المعتاد، هل تدبّرين لي شيئاً وراءه؟

ــ لا أريد لك سوى الخير، لكني أحاول أن أستشرف ما يمكن أن يكون عليه ردّ الفعل عند الأصدقاء حين يرونك بعد أن غيّرت ما غيرت في مظهرك.

ــ وهل التغير كبير، لدرجة أنه يستدعي ردّ فعل ملموساً؟

ــ لا أدري، لقد رافقت تغيّراتك لحظة بلحظة وهو أمر يجعلني عاجزة عن ملاحظة مدى التغير.

ــ أنا واثقة أن ردّ الفعل سيكون الإعجاب وبعض الغيرة، مما سيدفع بالكثيرات أو الكثيرين إلى خوض تجربة التغيير والعودة بالعمر إلى الوراء.

ــ ربما كان توقعك صحيحاً، لكني أخشى بعض التعليقات اللئيمة.

ــ إن حصلت فستكون دليلاً واضحاً على الغيرة وليس العكس.

ــ على كل حال، لا أملك سوى تهنئتك على هذه الثقة بالذات والتي هي دليل واضح على أنك مقتنعة تماماً بما قمت به.

ــ قناعتي تامة وآمل أن يختفي الألم في ركبتي بأقرب وقت.

ــ المهم أن لا يؤثّر اليوم على مشيتك التي إن تعثرت، شكّلت تناقضاً مضحكاً بين مظهرك وحقيقتك.

ــ أطمئنك أن الألم، مهما اشتد، سأقوى عليه ولن أدعه يحقّق هذا التناقض الذي، ربما، كنت تتمنينه. أما الآن فسأتمدّد وأريح ركبتي لبعض الوقت قبل أن أبدأ بتهيئة نفسي للقاء المساء.

حان الوقت وخرجت هبى من غرفتها بأبهى صورة ممكنة مما دفع إلهام إلى التعبير عن إعجابها بالقول: «ما هذا الجمال ! أنا واثقة أنك ستثيرين موجة من الغيرة العارمة التي، ربما، عبِّر عنها ببعض التعليقات الخبيثة».

ــ هل كل شيء على ما يرام؟ هل أنت راضية؟

ــ كل شيء على خير ما يرام وأنا راضية، هيا بنا، لقد تأخرنا.

ــ لا بأس ببعض التأخر، أفضّل أن ندخل عليهم، بدل أن يدخلوا علينا.

ــ لا يفوتك تفصيل واحد من عملية الإخراج.

ــ الإخراج مهم جداً لإنجاح أي عمل.

ــ وبخاصة، إذا كان العمل مسرحية.

ــ وللتوضيح، مسرحية حية.

ــ هل أنت جادة بما تقولين؟ هل تعتبرين أن ما سنقوم به هو مسرحية؟

ــ كل لقاء بين عدد من الأشخاص هو مسرحية يلعب فيها كل واحد الدور الذي اختاره لنفسه أو الدور الذي اختاره الآخرون له.

ــ أليس من لقاءات حقيقية لا يمثّل فيها الملتقون سوى ما هم عليه بالفعل من دون أن يلعبوا أدواراً معيّنة؟

ــ إن وجدت فهي قليلة جداً. لكن دعينا من النقاش وكوني على ثقة أنني سأتفوّق بلعب الدور الذي اخترته لنفسي في هذه المسرحية

التي ستشكّل السيتي فيه حلبتها.

ــ هل حان وقت الذهاب؟

نظرت هبى إلى الساعة في معصمها وكانت تشير إلى السادسة والنصف، قلبت شفتيها وقالت. «ننتظر خمس دقائق ونتوجّه إلى المقهى».

ــ لكني اتفقت مع الأصدقاء على أن نلتقي الساعة السادسة وها الوقت يشير إلى السادسة والنصف، ربما ملّوا الانتظار وانصرفوا قبل أن نصل.

ــ لا تخافي لقد تواعدت معهم على اللقاء حوالي السادسة والنصف.

ــ اتصلت بالأصدقاء؟ هذا يعني أنهم علموا بعودتك المفترضة من السفر. كنت سأفاجئهم بك.

ــ عنصر المفاجأة سيبقى عند البعض لأنني لم أتصل إلا بمن يهمني أمر إغاظتهن فقط.

ــ ماذا تقصدين؟

ــ أقصد اللواتي سيغرن، وأعرفهن جيداً.

ــ وأنا أعرفهن، إنهن شبيهاتك في السخافة. ألم تتّصلي ببعض الأصدقاء الذكور؟

ــ بكل تأكيد، لكن هؤلاء سيكونون من المعجبين الذين سيعبّرون عن إعجابهم مما سيزيد من غيظ الغيورات.

ــ اعتقدت أنني أنا من دبّر كل الأمور، لكني أكتشف الآن أنني لن أكون سوى مشاهدة لمسرحية أحكمتِ أنتِ إخراجها.

ــ هل نستطيع الذهاب الآن؟

ــ وهل زال الألم من ركبتك وهل بإمكانك التحرّك بسهولة؟

ــ لا أفكر به، واطمئني، سأتحرّك بكل أناقة وخفة ورشاقة. قالت ذلك، رفعت ذراعيها بشكل أفقي واستدارت على ذاتها بسرعة وتابعت: «إني...».

ــ إنك بالفعل كفراشة ربيعية. هيا بنا، أرى أنك جاهزة.

أوقفت إلهام السيارة قرب المقهى ووجّهت نظرها نحو الداخل لتحصي من سبقهم من الأصدقاء: «أرى أن الشلة شبه كاملة في الداخل». قالت. لكن هبى لم تجب، بل ترجّلت من السيارة بكل هدوء، وقفت على الرصيف مديرة ظهرها نحو المقهى وهي تنتظر إلهام التي كانت تقفل السيارة. سارتا معاً، وعند الباب تأخّرت إلهام قليلاً لتسمح لهبى بالدخول أمامها. وما هي إلا لحظة حتى علت الأصوات: «حمد الله على السلامة. وصافحت هبى الجميع وقبّلتهم قبل أن تأخذ مكانها، بينهم، حول الطاولة. وعلى الرغم من أن كل ذلك مرّ بسرعة فإن إلهام استطاعت أن تلتقط ردّ الفعل الأولي على وجوه الأصدقاء الذي أتى مزيجاً من الدهشة والتعجّب والسخرية والإعجاب و... الذي عُبِّر عنه بسؤال سريع وجّهته خيرية وبكل عفوية، إلى هبى: «شو عاملة بحالك حتى مشبشبة هيك؟».

ــ هيدا السفر والراحة، أجابت إلهام.

ــ خَيّ ما أحلاكِ، قالت حياة، يا ريت بصرلنا نسافر متلك.

ــ وين كانت هالسفرة إلّي بترجّع الواحد أكتر من عشر سنين لورا؟ سألت خيرية من جديد.

ــ حتماً إلى البرازيل. أجابت يسرى بكل خبث، قبل أن تتفوّه هبى بأية كلمة، وتابعت: «كل من يرغب في استرداد شبابه، يزور البرازيل».

ــ شو عامله ما بعرف، بس المبيّن شي حلو وبيفتح القابلية. قال موسى.

ــ هيدا كلام! أجابت هبى، وقبل أن تتابع قاطعها مُخلص متوجّهاً إلى موسى:

ــ أنت خلص دورك من زمان، هلق دور غيرك. وأتى جواب عصام:

ــ مقصرين و... حامي. استحوا عكبرتكم، ليش بعدكن بتحسو فيه؟

ــ ألله يخلّيلكن الفياغرا لتستر ميّة وجهكن، أجابت إلهام.

ــ صحيح، شو عاملة؟ سألت سعاد، كتير متحلايه وضعفانه وزغرانه و...؟

ــ كتير مغيرة، قالت ربى، لو ما كنتِ مع إلهام ما كنت عرفتك.

ــ قالتلكن يسرى إنها كانت في البرازيل، فهمو بقا وخفّفو من سؤالاتكن. قالت فاطمة.

ــ المهم إنه تغيير نحو الأحسن، علّقت إلهام وتابعت: بكل بساطة إنه الغرام.

— الغرام هلقد بحلي، يلّا نرجع ننغرم من جديد. قالت حياة.

— بعد عندكن حيل؟ سأل عصام قبل أن يطلق ضحكته المدوّية.

— الغرام ما إلو عمر، قالت هبى.

— لكل عمر نوع خاص من الغرام. صحّحت إلهام.

— الغرام عكبر مسخرة. قال عصام.

— شو عمبتلطّش؟ سألت فهمية.

— حدا في يجي صوبك إنتِ؟ أنا عملطّش الكبار في العمر، مش الصبايا الفرافير متلكن والشباب متل حبيب قلبي موسى.

— كل ما فيها الوحده تضل تجدّد حالها ما تقصّر. قالت فهمية. وتابعت: فلنغيّر الموضوع.

— أوافقك الرأي قالت إلهام فالأحداث التي يمرّ بها البلد والقلق الذي نعيشه وكل ما نسمع من تعليقات وآراء وتحليلات وكل ما نشهده من عدم استقرار أمني وغيره هي أهم من كل هذه التفاهات. لقد انتصرنا على العدو الصهيوني في حرب دامت أكثر من ثلاثين يوماً ولم نستطع الانتصار على أنفسنا في الداخل لبناء دولة تحترم نفسها وتحترم مواطنيها.

— ربما كان ما تسمينه تفاهات هو نوع من الهروب من هذا الواقع التعيس الذي نعيش فيه، قالت سعاد. وتابعت: نهرب إلى داخل أنفسنا ونهتم بأمورنا الصغيرة لكي ننسى، وخيراً فعلت هبى بأن سافرت وجدّدت شبابها وحيويتها، ومن لا يعجبه الأمر ليس عليه أن يفعل مثلها.

ـ لكننا لم نعلم، بعد، ماذا فعلتْ كي نقرّر هل نفعل مثلها أم لا. قالت خيرية بكل إصرار.

ـ ماذا فعلت ليس مهماً، ردّت إلهام، المهم هو أن النتيجة حسنة والأهم من ذلك أن هبى راضية عن نفسها ومقتنعة بما قامت به.

ـ وكل الكلام الباقي هو من باب الغيرة. قالت فهمية.

ـ من باب الغيرة عند السخيفات فقط، علّقت يسرى، لكن حتى الآن لم نسمع جواباً من هبى.

أما هبى التي كانت في تلك اللحظات تعطي مي عنوان الطبيب الذي أجرى لها كل العمليات، بعد أن سمعت منها وشوشة: «يا ملعونة عملتيها وما قلتيلي، كتير ناجحة، عند مين رحتي؟» فقالت:

ـ جوابي هو أنني أترك لكل منكم حرية أن يفكّر كما يشاء وأن يخمّن كما يشاء، مع استنتاج أكيد وهو أنكم كلكم معجبون بالتغير الذي لاحظتموه ولهذا السبب دعونا نخرج من الموضوع لنتحاور في أمور البلد. هل قرأتم مقالة إلهام في جريدة «الأخبار» يوم أمس تحت عنوان: درس تطبيقي في الديموقراطية؟

ـ الأهم منه كان مقالها عن رائز النصر ورائز الانتماء، قالت يسرى. وتابعت: أما الأهم من الاثنين فهو المقال الذي يحمل عنوان: ضع النص التالي بصيغة النفي، والذي هو تعليق على كلام سمير جعجع حول خطاب السيد نصر الله في عيد النصر.

ـ أنا، قالت منى، أريد أن أعلّق على كلام إلهام حول ما سمته نصرنا على العدو الإسرائيلي وأسألها، ألا يستوقفك الثمن الذي

دفعناه مقابل ما ترينه نصراً؟ هل، بعد كل هذا الدمار والخراب والتهجير والخسائر المادية والبشرية نستطيع التكلم على نصر؟

ــ لقد انتصرنا على الرغم من كل هذه الخسائر، ومن يتوقف عندها فقط، على أهميتها، مرجّحاً كفّتها على النتيجة التي هي كسر هيبة الجيش الذي كان حتى حرب تموز، الجيش الذي لا يقهر، ليس سوى «دكّنجي» صغير، عقليته هي عقلية التاجر المقاول الذي لا يهمّه من الأمور إلا ما يدخل جيبه من ربح مادي و...

وهكذا ما أن فُتح باب السياسة حتى انقسم المجتمعون إلى فريقين ودار السجال وعلت الأصوات وانعكس كل الصراع السياسي الدائر في البلد على الحوار بين أفراد الشلة، واللافت أن الأكثر مناهضة للمقاومة وحزبها في لبنان قد أتى من بعض الذين ينتمون إلى الطائفة الشيعية، وكأنهم يتبرّأون من أمر يشكّل لديهم عقدة نقص، أو أنهم من الذين اشتراهم المال السياسي، فأصبحوا أكثر تطرّفاً من الشاري نفسه، في الدفاع عن المشروع الأميركي الإسرائيلي في المنطقة والمتستّر وراء مقولات الديموقراطية والحرية والسيادة... المتجلّية بأبهى صورها في العراق.

لكن سرعان ما أنقذت يسرى الوضع بأن أعادت الحديث إلى الموضوع السابق حين نظرت إلى يدي هبى، وهي تتكلّم وتشير بهما، لتقول: «أجمل ما في هبى يداها، هل لاحظتم ذلك؟».

نظرت هبى إلى يديها، وبسرعة انتبهت إلى أنهما لا تزالان على حالهما، يعكسان آثار الزمن الذي نجحت في إلغائه من على وجهها وكل جسدها، وبسرعة أيضاً تساءلت عمّا تقصده يسرى بهذه الملاحظة وهل هي ملاحظة بريئة أم لئيمة. هل تقصد أن الحقيقي

يبقى دائماً أجمل من المصطنع؟ أما إلهام التي فهمت ما قصدته يسرى بملاحظتها، وإنقاذاً للارتباك الذي قرأته على وجه هبى قالت: «هبى كلها جميلة، بالجملة وبالمفرّق». وأثنت حياة على كلام إلهام. لكن هبى، التي وضعتها ملاحظة يسرى أمام تساؤل كبير، لم تسمع تعليقات إلهام وحياة، وكل ما فعلته هو أنها أخفت يديها تحت الطاولة والاستياء بادٍ على وجهها وحاولت إعادة النقاش إلى السياسة حيث تشبّث كل واحد بموقفه من جديد، قبل أن تنفضّ الجلسة ويغادروا المقهى، البعض إلى بيته والبعض الآخر إلى متابعة السهرة في مكان آخر.

توجّهت هبى وإلهام إلى بيتهما، وأتت كل تعليقاتهما، وهما داخل السيارة، حول الآراء التي سمعتاها من الآخرين في السياسة. تعمّدت هبى أن تتابع الموضوع السياسي تاركة الموضوع الذي يهمّها إلى جلسة حميمة بينها وبين إلهام بعد وصولهما إلى البيت، الذي ما أن دخلتاه، حتى توجّهت كل منهما إلى غرفتها لتخلع ملابسها وترتدي عباءة مريحة قبل أن تعود بعدها لتستكمل بصحبة الأخرى حديثهما المؤجّل.

ــ سأحضّر كأساً ونتابع السهرة، قالت هبى وهي تتوجّه نحو المطبخ.

ــ أنا جاهزة، سأساعدك.

ــ انتظريني سأعود بسرعة.

خرجت هبى من المطبخ وهي تحمل صينيّة وضعت عليها كأساً من الفودكا وكأساً من الوسكي وبعض المأكولات الخفيفة. أزاحت الطاولة الموجودة أمام الكنبة الضخمة في وسط الصالون، لصق

الحائط، ووضعت الصينية على الأرض، ثم رمت بالقرب منها طرّاحتين. فما كان من إلهام إلا أن سبقتها وجلست على الأرض تلبية للرغبة التي أوحت بها هبى وهي تنظّم المكان وقالت: «أنت على حق الجلسة على الأرض أمتع». اتكأت إلهام على الطرّاحة ومدّدت رجليها، بينما جلست هبى قبالتها وهي تطوي رجليها تحتها. رفعتا الكأسين وشربتا نخبيهما، وبادرتها إلهام: «كم تؤنسين وحدتي يا هبى، أنا حقيقة، ممتنّة لك».

— لو لم أكن معك، ماذا كنت ستفعلين الليلة بعد هذا اللقاء مع الشلة؟

— لست أدري، لكن إن أردت جواباً فسأصارحك بأني كنت سأحاول ترتيب لعبة بوكر تستمرّ حتى الصباح.

— ألهذه الدرجة تودّين الهروب من الواقع؟

— لا بل أودّ الهروب من سماع بعض التحليلات التي تسمّ البدن، وأفضل ما في جلسات البوكر أنها تبعدك عن مثل هذا الكلام.

— إنها فعلاً تعليقات تسمّ البدن وبخاصة تعليق يسرى عن جمال يدي.

— لماذا ساءك تعليقها وهو مديح لك؟

— الأفضل لك أن تخففي من التذاكي؛ هل كان كلامها مديحاً أم تلطيشاً؟

— تلطيشاً على ماذا؟

— كلامها يعني أن كل ما قمت به من تحسين لمظهري كان فاشلاً

بحيث إن أجمل ما عندي هو فقط الجزء الذي بقي على حاله من دون تغيير.

ـ وأنت لماذا لم تفكري بترميم يديك؟ ولماذا لم ينبّهك طبيب التجميل إلى ذلك؟ ألا تظنين أن هذا النسيان هو نسيان معبّر un lapsus significatif؟

ـ لا أفهم ماذا تقصدين؟

ـ أقصد أنك، في لاوعيك ترفضين محو آثار الزمن عن يديك. صمتت قليلاً ثم تابعت: هل تعلمين لماذا؟

ـ بكل بساطة لم أفكّر بالموضوع.

ـ وأنا أيضاً لم يخطر ببالي أن ألفت نظرك إلى ذلك، مع أنني حين رأيت الترهل في مواقع عديدة من جسدك نبّهتك إليه. لكنني الآن أعلم لماذا لم ألحظ الترهّل في يديك، بل على العكس كنت أراهما، كما رأتهما اليوم يسرى، أجمل ما فيك، من دون أن أدري لماذا. لكن بعد أن سمعت ملاحظتها انجلى الأمر أمامي ووجدت التفسير الصحيح: يداك، يا هبى، هما الرحم التي منها خرجت كل لوحاتك وكتاباتك، ولهذا السبب لم يخطر ببالك أن ترمّمي ترهّلهما لأنك بذلك تكونين كمن يلغي ذاته. آثار الزمن عليهما هو نضوج وليس ترهّلاً.

صمتت هبى أمام هذا التحليل وقد صدمها صدقه ومطابقته للحقيقة. لكن إلهام التي لم تفهم جيداً صمت هبى، حاولت أن تتابع التحليل، غير أن هبى أوقفتها بإشارة من يدها وقالت وهي تجمع يديها بشكل إناء:

ـــ إنهما رحمي الفعلية. لكنها رحم تزداد جمالاً وتألّقاً مع مرور الزمن، بعكس الرحم الطبيعية التي تهرم ككل أعضاء الجسد الأخرى. والآن لو كانت يسرى إلى جانبي لكنت قبّلتها وشكرتها على ملاحظتها. لكن هل تعتقدين أنها كانت تقصد، حقيقة، ما توصّلنا إليه الآن؟

ـــ لا أدري، لكن ملاحظتها دفعتني إلى هذا التحليل.

رفعت هبى يديها إلى فمها، قبلتهما ونهضت رافعة معها الصينية من على الأرض وهي تقول: «كفانا تحليلاً هذه الليلة، فلنخلد إلى النوم».

دخلت كلٌّ منهما غرفتها، واحترت بأمري؛ هل أقصد غرفة إلهام أم أتسلّل إلى غرفة هبى لمراقبتها بعد هذا الحوار الذي دار بينهما؟ ومن دون أن أفكر مطوّلاً رأيتني أدخل غرفة هبى التي كانت ممدّدة على سريرها وهي ما تزال في العباءة، ممدّدة ويداها مرفوعتان قبالة وجهها تتأمّلهما، وسمعتها تتمتم: «بكما كتبت قصّة خروجي من الرواية، وبكما سأكتب عودتي إليها». ثم نهضت من على السرير وتوجّهت إلى المرآة الكبيرة على ذرفة خزانتها، وقفتْ أمامها وخلعتْ كل ملابسها. نظرت إلى صورتها في المرآة، ابتسمت وقالت: «الآن أستطيع العودة من حيث أتيت؛ أستطيع العودة إلى السيرة الثلاثية، إلى «إلى هبى» و«هبى في رحلة الجسد». و«حين كنت رجلاً». الآن وبعد أن عدت أستوقف النظر كما في السابق بدل أن يخترقني كأنني لوح من زجاج، الآن وقد استعدت كثافتي وحضوري الذي تجلّى في استقبال الشلة لي، حيث كنت محطّ أنظارهم كلهم، أنظارهم التي كانت إما تعجباً، من قبل النساء، إما إعجاباً، من قبل الرجال، الآن وقبل أن تدهمني أوجاع أخرى

بسبب التآكل المتوقّع لبعض أعضاء جسدي، كما هي حال الألم في ركبتي، الآن سأعود إلى عالمي ومملكتي حيث لم يعد لإلهام أي دور فيها، إنها مملكتي وحدي، مملكة، زمانها دائري وعناصرها لا تهرم ولا تترهّل، بل تبقي هي هي متحدّية ومعاندة و... سأبقى في الصفحة الأولى ولن أسمح لإلهام أن تجرّني إلى حيث هي، سأتركها وحدها تكتب الصفحة الثانية.

تابعت كلامها لكنني ما عدت أسمعها؛ وما هي إلا لحظات حتى اختفت الصورة من المرآة وانطفأ النور وعمّ الظلام وسمعت صوتاً يطلب مني الانصراف. أخذتني المباغتة، لكنني نفّذت ما طلب مني، من دون أن أفهم ما الذي حدث وكيف حدث، وتوجّهت إلى غرفة إلهام وكان بابها مفتوحاً كأنها كانت تنتظرني. بعد دخولي عليها، أقفلت إلهام باب الغرفة، ووقفتْ أمام المرآة الكبيرة التي تعكس كل جسدها، وقفتْ أمامها وهي تخلع عباءتها لترتدي قميص النوم. وما أن أنجزت عملها حتى نظرت إلى صورتها في المرآة، لكنها لم تجد صورتها، بل رأت هبى عارية. فركت عينيها، أغمضتهما وفتحتهما من جديد والصورة هي هي لم تتغيّر. استنجدت بي وطلبت مني أن أنظر معها في المرآة.

ــ إنها هبى، قلت.

ــ ألم تدخل غرفتها؟

ــ بلى، لقد رأيتها تفعل.

ــ ومن أتى بها إلى هنا؟

ــ أتيت أستودعك، قالت الصورة.

ـ ماذا أسمع؟

ـ أتيت أستودعك لأعود من حيث أتيت. خرجت من الرواية إلى الواقع فوجدته مؤلماً يرزح تحت نير الزمان المستبد وأنا مخلوقة أرفض أن يَستبد بي بشر أو شيء، حتى ولو كان هذا الشيء هو الزمان. خرجتُ من عالم أنا فيه السيدة، أتحرّك فيه على هواي غير آبهة بتقلباته مهما تجبّرت. خرجت من زمان كان يشكّل الفضاء الذي أسرح فيه كما أرغب إلى زمان يسيّرني وفقاً لرغبته. أما الآن وبعد أن رمّمت كل ما فعله بي زمانكم الماكر واستعدت صورتي التي بها خرجت من الرواية، جئت أستودعك لأعود إلى عالمي، إلى حيث الزمان هو امتداد في كل الاتجاهات، لأعود ومعي رحمي الفعلية بعد أن أنهى زمانكم دور رحمي الطبيعية، رحمي الفعلية التي منها ستولد الرواية التي تكتبين.

وما أن أنهت كلامها هذا حتى استدارتْ وسارتْ إلى الأمام. وأخذتْ صورتها تتضاءل وتشفّ إلى أن اختفت لتظهر مكانها صورة إلهام مذهولة وحزينة في الوقت نفسه. لكن سرعان ما استعادت إلهام ذاتها وتوجّهت إليّ قائلة وهي تهزّ برأسها: «لقد صحّ ما كنت أحدس به، الآن انتهى دورك». صمتتْ قليلاً ثم تابعت وهي تمدّ يدها: «أعطني القلم سأكمل، بخط يدي، السطور المتبقيّة من الصفحة الثانية».

تموز ٢٠٠٧

مؤلفاتها:

ـ **لبنان الحضارة الواحدة**، عمل مشترك، النادي الثقافي العربي، لبنان، ١٩٧٧.

ـ **أمين الريحاني رائد نهضوي من لبنان**، عمل مشترك، دار العلم للملايين، لبنان، ١٩٨٨.

ـ **إلى هبى، سيرة أولى** (رواية)، درا الفارابي، لبنان، ١٩٩١.

ـ **هبى في رحلة الجسد سيرة ثانية** (رواية)، دار مختارات، لبنان، ١٩٩١.

ـ **صوت الناي أو سيرة مكان**، (رواية)، دار مختارات، لبنان، ١٩٩٥.

ـ **نحو تحرير المرأة في لبنان (نظرة شاملة ورؤية مستقبلية) دراسة**، دار مختارات، لبنان، ١٩٩٦.

ـ **أنا هي أنت** (رواية)، رياض الريّس للكتب والنشر، بيروت، تشرين الاول/أكتوبر ٢٠٠٠.

ـ **حين كنت رجلاً** (رواية)، رياض الريّس للكتب والنشر، بيروت،
آب/أغسطس ٢٠٠٢.

ـ **أيهما هو** (رواية)، رياض الريّس للكتب والنشر، بيروت، أيلول/
سبتمبر ٢٠٠٣.

- Ihsa El ulüm

Enumération des science ou classification des sciences.
Traduction Française avec introduction et notes.
Centre de développement National, Liban, 1991.

ـ **بالإذن من سِفْر التكوين** (رواية)، رياض الريّس للكتب والنشر،
بيروت، أيلول/سبتمبر ٢٠٠٥